ÊTRE ÉTRANGER EN TERRE D'ACCUEIL

Martine et Jean-Claude VERNIER
Élisabeth ZUCKER-ROUVILLOIS

ÊTRE ÉTRANGER EN TERRE D'ACCUEIL

Les mauvaises actions de la loi

Récits et analyses

Points de vue
Collection dirigée par Denis Pryen

Dernières parutions

Grégoire LEFOUOBA, *Curriculum vitae du Congo, Rive Droite*, 2013.
Bastaine Yannick MOUBAMBA, *Mythe de l'eldorado et psychopathologie*, 2013.
Jérôme GUIHO, *Mahamadou Danda, un Nigérien libre*, 2013.
Henri PEMOT, *Mali. Lettre ouverte au président*, 2013.
Rachel-Albert KISONGA MAZAKALA, *L'idéologie du Lumumbisme*, 2013.
Jean Carletto BOPOUNGO, *L'insertion professionnelle des jeunes en échec scolaire. Le projet des z'héros*, 2013.
Cédric ONDAYE-EBAUH, *Crises financières internationales et pays en développement. Les enseignements pour le Congo Brazzaville*, 2013.
Anicet BOKA, *Coupé-décalé. Le sens d'un genre musical en Afrique*, 2013.
Denise BUCUMI-NKURUNZIZA, *The power of hope. The First Lady of Burundi. My story*, 2013.
Alexandra FOUILLOUX, *Les enjeux de la crise dans le delta du Niger*, 2013.
Mosamete SEKOLA, *Combat pour la résurrection du MNC*, 2013.
Romain Mensan SÉMÉNOU, *l'Afrique n'a pas dit son dernier mot : l'inculturation*, 2013.
Martial BISSOG, *Chroniques pour l'émergence d'une Afrique rayonnante*, 2013.
Denise BUCUMI-NKURUNZIZA, *La force d'espérer, L'itinéraire de la Première Dame du Burundi*, 2013.
Joseph BITALA-BITEMO, *Denis Sassou Nguesso. Stratégie politique et repères essentiels*, 2013.
Clarisse MERINDOL OUOBA, *Je ne veux pas qu'on m'offre des faveurs dans une calebasse ! La discrimination positive au Burkina Faso, ou l'affirmation de la différence*, 2013.
Jean-David N'DA, *La Côte d'Ivoire face aux médias colons et aux désillusions de la mondialisation*, 2013.
Cyrille MBIAGA, *Cameroun, le temps des incertitudes. Espace de risque et dynamique de populations*, 2012.
Brice NZAMBA, *De l'ethnie à l'État-nation. Pouvoirs tradi-tionnels et pouvoir politique au Congo-Brazzaville*, 2012.

INTRODUCTION

Un jour d'été, vers midi, le jeune Victor Hugo passait sur la place du Palais de Justice de Paris. "Il y avait là une foule autour d'un poteau. Je m'approchai. A ce poteau était liée, carcan au cou, écriteau sur la tête, une créature humaine, une jeune femme ou une jeune fille. Un réchaud plein de charbons ardents était à ses pieds devant elle, un fer à manche de bois, plongé dans la braise, y rougissait, la foule semblait contente. Cette femme était coupable de ce que la jurisprudence appelle vol domestique et la métaphore banale, danse de l'anse du panier. Tout à coup, comme midi sonnait, en arrière de la femme et sans être vu d'elle, un homme monta sur l'échafaud ; j'avais remarqué que la camisole de bure de cette femme avait par derrière une fente rattachée par des cordons ; l'homme dénoua rapidement les cordons, écarta la camisole, découvrit jusqu'à la ceinture le dos de la femme, saisit le fer dans le réchaud, et l'appliqua, en appuyant profondément, sur l'épaule nue. Le fer et le poing du bourreau disparurent dans une fumée blanche. J'ai encore dans l'oreille, après plus de quarante ans, et j'aurai toujours dans l'âme l'épouvantable cri de la suppliciée. Pour moi, c'était une voleuse, ce fut une martyre. Je sortis de là déterminé - j'avais seize ans - à combattre à jamais les mauvaises actions de la loi[1]".

Combattre les mauvaises actions de la loi, s'indigner contre la violence d'État et entrer en dissidence, les occasions ne manquent pas, surtout si l'on est proche d'étrangers en quête de titre de séjour. La scène de rue qui a transformé la vie du jeune homme était, en un sens, banale : une domestique avait chapardé, elle devait être marquée à vie, c'est la loi : *la foule semblait contente*. De même, qui s'inquiète de la vie réelle des étrangers au travail sur les chantiers, dans les cuisines, dans les champs, qui accepte de voir la précarité que leur impose la loi en leur refusant un titre de séjour ?

***

A l'égard des étrangers, la peur de l'autre, le sentiment d'impuissance ou de culpabilité, ou bien encore la peur de la contagion du malheur peuvent construire l'indifférence, voire l'hostilité, le rejet et, au bout du compte, la violence directe ou déléguée.

Les étrangers, en tant que personnes, ou même considérés comme groupe indistinct, intéressent peu ceux qui n'ont pas dans leur entourage proche quelqu'un venu d'ailleurs. Mais si un proche ou un ami vient à subir la violence

---

1 Victor Hugo, Lettre du 17 novembre 1862 adressée à la constituante genevoise, *Actes et paroles II.*

de l'État qui l'empêche d'accomplir son projet de vie, alors peut se produire un déclic, la prise de conscience d'une injustice incompréhensible, bien que légale.

Pour aller chercher l'attention, il faut des faits, bien sûr, mais pour accrocher l'imaginaire ou la curiosité, quelques retours sur le passé, quelques théories "autour", permettent de créer un effet de halo. Essayer de dire la proximité est un autre pari : pourquoi l'incandescence, le rêve, l'aventure, le désir de nouveau, l'appel du voyage seraient-ils réservés aux poètes ?

Il sera plusieurs fois renvoyé à ces paradoxes apparents que Freud désigne comme l'inquiétante étrangeté (ou étrange familiarité) et le mot d'esprit dans leur relation avec l'inconscient ou encore dans les deux faces du même phénomène que constituent "le savoir déporté" et "une connaissance inutile". Car la rencontre ici et maintenant avec l'étranger d'ici et d'ailleurs met en jeu des éléments beaucoup plus profonds et complexes que l'intérêt, la désolation ou la solidarité.

***

Malgré le changement de majorité politique survenu dans notre pays en mai 2012, force fut de constater que la politique envers les étrangers n'a pas été réorientée vers un traitement répondant aux réalités personnelles et sociales de cette population. Les quelques modifications de réglementation introduites depuis l'été 2012 n'apportent pas de nouveautés significatives. La circulaire du 28 novembre 2012 ou la loi sur l'immigration professionnelle et étudiante prévue en 2014 proposent des réponses très partielles à la variété des problèmes qui se posent, en laissant de côté des questions particulièrement graves :

- l'emploi illégal de travailleurs privés de droit au séjour, qui est à la fois une atteinte aux droits des travailleurs et une maladie de notre système économique ;
- l'absence de protection des jeunes étrangers isolés, avant comme après leur majorité ;
- les couples franco-étrangers soupçonnés, empêchés, séparés.
- Quant à ceux qui sont malades et ont besoin de soins, ils doivent faire face à des difficultés croissantes d'accès au droit de séjour, avec les conséquences qui en découlent sur leurs conditions de vie, leurs droits et leur état de santé.

Il faut se rendre à l'évidence : c'est l'ensemble du dispositif d'accueil des étrangers qui doit être reconsidéré. Évoquons ici quelques réformes qui semblent indispensables pour rétablir une politique de l'immigration qui soit digne.

- Résultat d'un glissement progressif des institutions depuis plusieurs décennies, à peu près tout ce qui concerne les migrations se trouve rattaché au ministère de l'Intérieur. De ce fait, les étrangers sont considérés d'abord comme des délinquants potentiels. Ils devraient relever du ministère du travail, de l'emploi, de la formation professionnelle et du dialogue social. Les migrants qui viennent en France seraient alors intégrés dans le circuit de la dynamique du corps social par leur travail et par leur contribution à l'impôt et aux cotisations sociales.

- Le rattachement récent de l'asile et de l'octroi des visa au ministère de l'Intérieur, responsabilités qui relevaient du ministère des Affaires étrangères, rattachement effectué par le truchement de l'éphémère ministère de l'Immigration, a transformé les demandes d'asile ou de visas en problèmes de police, alors que ces questions relèvent de la solidarité internationale et d'une réflexion géopolitique. Ces domaines devraient faire retour au ministère des Affaires étrangères.

- Il est urgent de changer en profondeur un Code de l'entrée et du séjour des étrangers et du droit d'asile (°CESEDA[2]) exagérément restrictif, alors que son application se trouve même entravée par la priorité donnée à une circulaire dite "de régularisation", inadaptée aux situations réelles et d'application imprévisible de la part des préfectures.

- Le droit de vote des étrangers doit être rapidement mis en place.

Ces choix politiques ne relèvent pas seulement de l'organisation matérielle. Ils ont des conséquences très graves dans l'ordre symbolique, dans les représentations qui en découlent et dans la fabrique de l'opinion publique, qui continue à être encouragée à manifester une xénophobie "décomplexée" alors que, dans la vie quotidienne, la population est volontiers solidaire de ses voisins étrangers.

Le gouvernement se refuse à entreprendre une discussion de la loi dans son ensemble, craignant ce qu'il appelle un grand déballage. Il a donc mis en œuvre une méthode de communication qu'il présente comme une "politique de l'immigration apaisée" des annonces parcellaires, des petits pas affichés comme des avancées pour masquer une quantité de blocages ou la simple mise en conformité de la loi avec les directives européennes, une concertation de façade, dénaturée en amont par l'émiettement des questions abordées. Cette stratégie aboutit à une série de mesures *ad hoc* souvent bienvenues, mais qui restent très partielles et ne changent rien sur le fond.

***

Quelques éléments de cadrage peuvent être rappelés. D'après diverses sources recoupées avec les chiffres publiés par l'INSEE[3] on peut s'appuyer sur

---

2   Les acronymes couramment utilisés sont précédés du caractère ° et explicités dans le glossaire en fin d'ouvrage.

3   INSEE, *Mesurer pour comprendre*, Thèmes Population.

les évaluations qui suivent.[4]

Les données disponibles concernent les immigrés au sens de l'INSEE, soit les personnes vivant en France, nées étrangères à l'étranger. Au recensement de 2008, on en comptait 5,2 millions, soit 8% de la population totale[5]. Cette proportion était de 3% autour de 1900, elle reste stable depuis 1975, époque à laquelle le gouvernement a commencé à lutter contre l'immigration, après l'avoir encouragée pour reconstruire la France après la seconde guerre mondiale. Parmi eux, 1,6 millions sont devenus Français - donc électeurs s'ils le souhaitent et s'ils sont majeurs.

Les immigrés originaires d'Europe représentent 40% de cette population, ceux qui viennent d'Afrique (surtout du Maghreb) un peu plus. Dans les arrivées comptabilisées en 2008, les principaux pays d'origine sont l'Algérie, le Maroc et la Chine, mais "pour rendre compte d'au moins 90% des flux annuels, il faudrait passer en revue la situation d'une quarantaine de pays supplémentaires".

Depuis 2002, environ 200 000 ressortissants étrangers s'établissent légalement en France chaque année. Ils se répartissent entre un quart de citoyens de l'UE et trois quarts du reste du monde - dont 10% de réfugiés ou étrangers venus faire soigner une maladie grave, 33% de membres de famille, 22% d'étudiants, 10% de travailleurs importés. Mais d'autres en repartent, Français ou étrangers. Finalement, le solde migratoire annuel reste entre 40 000 et 100 000 depuis 1990. En 2010 il a été de 75 000 personnes, qui ne représentent qu'un quart de l'accroissement naturel de la population (excédent du nombre des naissances sur celui des décès).

Notons que dans cet accroissement naturel, les enfants des immigrées ne contribuent qu'à 5% du taux de fécondité global, dont on sait qu'il est l'un des plus élevés de l'Europe. Sans les mères immigrées, le taux de fécondité serait de 1,9 enfant par femme au lieu de 2. En outre, si les femmes immigrées ont plutôt trois enfants alors que les autochtones (ou natives) en ont plutôt deux, elles sont beaucoup moins nombreuses que ces dernières et la fécondité des étrangères se modèle très rapidement sur celle du pays d'accueil.

---

4 Xavier Chojnicki et Lionel Ragot. *On entend dire que… L'immigration coûte cher à la France -Qu'en pensent les économistes ?* Éditions Eyrolles-Les Échos, 2012.

5 Le dénombrement de la population étrangère en France est extrêmement imprécis, comme le souligne François Héran, de l'Institut national d'études démographiques, dans *Parlons immigration en 30 questions* (La documentation française, 2012). "En France, le fichier des titres de séjour mesure les entrées légales d'étrangers non européens. Mais la mise à jour des sorties et des décès est tardive ou incomplète, ce qui gonfle le nombre total des titres en cours de validité. Il excède ainsi de 29% celui des étrangers adultes recensés annuellement par l'INSEE: 2,2 millions au lieu d'1,7. Sachant que la couverture des étrangers est encore améliorable, l'estimation correcte est à chercher entre ces deux chiffres".

La France compte aujourd'hui de 4 à 5 millions d'étrangers installés, dont 2,5 millions[6] personnes originaires de pays hors UE, les "pays tiers", qui ne peuvent résider légalement qu'avec un titre de séjour. Parmi eux, 1,8 millions titulaires d'une carte valable dix ans, 578 000 avec une carte d'un an renouvelable sous conditions à l'appréciation du préfet, et près de 150 000 avec un titre valable seulement quelques mois, au renouvellement mal assuré. On ne peut compter directement les étrangers en séjour irrégulier, mais des estimations indirectes sont possibles. Il est admis qu'ils sont entre 0,2 et 0,5 millions, originaires par définition des pays tiers, puisque les ressortissants de l'UE n'ont pas besoin d'autorisation de séjour - sauf les Bulgares et les Roumains jusqu'à la fin de 2013.

Chaque année, environ 35 000 de ces personnes sans papiers sont expulsées, et 35 000 sont régularisées[7]. L'estimation de leur nombre restant stable d'une année sur l'autre, on est conduit à penser qu'ils sont remplacés par de nouveaux arrivants à hauteur de 60 000 par an, un nombre comparable au solde migratoire officiel. La voilà enfin dévoilée, l'invasion qui nous menace : 0,1% de la population du pays "d'accueil".

***

Paradoxalement, à l'heure de la mondialisation, la solidarité exprimée dans *l'Internationale*, hymne révolutionnaire, semble bien mise à mal. L'internationalisation du capital n'est pas celle des hommes. Plus que jamais les oppositions de classe et l'instrumentalisation des plus démunis du monde entier apparaissent avec cynisme y compris dans les textes officiels, bien que ceux-ci s'arrangent pour que leur non respect des droits de l'homme soit dissimulé. Il est singulier aussi qu'au moment où l'obligation est faite de parler la langue française pour obtenir un titre de séjour, l'introduction de l'anglais à l'université devienne une obligation pour attirer les étudiants étrangers et que les universitaires et les chercheurs soient évalués en fonction du nombre de leurs publications en langue anglaise.

***

La loi qui régit le droit au séjour des étrangers peut être figurée par un long et haut mur avec quelques portes étroites. Pour franchir ces portillons, il faut avoir exactement l'un des profils prévus, et compter sur la bonne volonté des services préfectoraux, qui est loin d'être acquise. Que peut-il y avoir de commun entre une législation élaborée par des énarques que leur parcours depuis le lycée a nécessairement tenus à l'écart de la réalité, et des migrants qui ont tout risqué pour tenter l'aventure de la survie et de la vie ?

---

6 Au 31 décembre 2012, selon les chiffres publiés par le ministère de l'Intérieur (avril 2013). cela représente une augmentation de 70 000 par rapport à fin 2011.

7 Les chiffres communiqués par le ministère de l'Intérieur pour 2012 sont plus élevés que pour les années précédentes : 36 000 pour les régularisations comme pour les expulsions.

La loi est une construction abstraite, conçue en fonction de toutes sortes de logiques, administratives, statistiques, symboliques, de valorisation des carrières dans les ministères, etc[8]. Ce qui apparaît comme l'arbitraire de l'administration chargée de l'appliquer est aussi le résultat de lois et de circulaires inapplicables. Comme le souligne Thierry Tuot, Conseiller d'État, auteur d'un rapport[9] remis au premier ministre en février 2013, "Les gouvernements – gauche et droite confondues – de ces quinze dernières années ont régularisé le même nombre de *clandestins chaque année. Et ce quelles que soient les différences de discours. Pourquoi ? Parce que ces gens se sont maintenus sur le territoire. Ils ont statistiquement été appréhendés deux ou trois fois par la police, mais on n'a jamais réussi à les reconduire à la frontière. Heureusement, car nous sommes dans un État de droit. Ces gens ont des enfants scolarisés en France, ou sont ascendants de Français, ou malades sans pouvoir être soignés à l'étranger, etc. Donc on n'a pas le droit de les expulser.[10]"

Une vie est faite de mille choses imbriquées, qui ne laissent souvent pas de traces matérielles : des projets, des amis, une famille, un travail, des lieux de vie, des rêves aussi. Mais pour les préfets, pour le ministre de l'Intérieur, il n'y a que des *critères*. Des vies entières se trouvent ainsi découpées, mâchurées, débitées en piles de "preuves de présence" pour, trop souvent, ne pas parvenir à se glisser dans l'interstice. Des démarches sans cesse répétées, des envois sans nombre en recommandé, pour récolter les silences de l'administration, ou ses refus. Des vies sans cesse soumises à une menace latente, des difficultés qu'on peine à imaginer si on ne les approche. Des conditions de vie dont ce petit livre tente de révéler des facettes peu connues[11].

Le lecteur désireux de mieux saisir les enjeux humains ou sociaux de l'immigration, pourra reconstruire, dans l'apparent désordre des articles de témoignage, d'analyse ou de mise en perspective que nous proposons, les multiples imbrications de ces questions.

***

---

8 Sylvain Laurens. *Une politisation feutrée. Les hauts fonctionnaires et l'immigration en France*. Belin (2009). Thierry Tuot. Entretien avec Marie Barbier (*L'Humanité*, 22 février 2013). www.laissezpasser.info/post/tuot

9 Thierry Tuot. *La grande nation pour une société inclusive*. fr.scribd.com/doc/124313781/Rapport-de-Thierry-Tuot-sur-la-refondation-des-politiques-d-integration.

10 Thierry Tuot. Entretien avec Marie Barbier (*L'Humanité*, 22 février 2013), www.laissezpasser.info/post/tuot.

11 Cette série de réflexions et de regards jetés sur la condition des migrants reprend en partie des billets du blog tenu sous le nom de *Fini de rire* par Martine et Jean-Claude Vernier (blogs.mediapart.fr/blog/fini-de-rire).

Dans une période d'aggravation de la stigmatisation des étrangers, la question du vocabulaire est décisive (voir **Vocables**). Isabelle Stengers[12] évoque ce que pourrait être la résistance au pouvoir qui nous englue dans sa communication et qui concerne tous les domaines de la vie ensemble : "Il s'agirait moins de poser la question *Que veulent-ils ?* – question qui concerne ceux qui décident pour nous de nos esprits et de nos vies – que de parvenir à formuler la question fondamentale et urgente *Que voulons-nous ?*, ce *nous* devant être produit, inventé, et déjà produit et inventé par la question elle-même".

Engendrer un changement faute de savoir *définir* un monde nouveau. Et le moyen pour cela : nommer selon les choses et les situations selon ce que nous voyons qu'elles sont, et non comme on nous le serine. L'application est immédiate quand il s'agit de la défense des étrangers déclarés indésirables par le pouvoir. Voir l'exemple de la répétition médiatique du thème de "l'invasion" en général et des Rroms en particulier (voir **Romitude**), qui ramène dans les filets des sondeurs des "opinions" massivement agressives.

A propos de ces étrangers qui travaillent sur les chantiers, dans les cuisines, auprès des familles, dans la "sécurité", ne disons plus "clandestins" puisque chacun les côtoie chaque jour, "sans papiers" ou "illégaux", disons plutôt que le séjour de ces personnes est *illégalisé*, puisque c'est la loi du moment qui leur refuse le droit de vivre leur vie ici, là même où ils la vivent. Les rescapés des naufrages au large de la Sicile, de Mayotte, de l'Espagne, de la Corse, de Lampedusa, ne sont pas clandestins - ils font parfois la Une de la presse - ce sont des *pauvres*, des *migrants* en quête d'asile, de protection et de travail.

Les Rroms, ces citoyens européens qui circulent dans l'espace Schengen à la recherche d'un endroit où vivre, se rassemblent par groupes de familles dans des lieux de fortune, organisent des *bidonvilles*. Ils ne sont pas nomades, c'est la persécution du pays "d'accueil" qui les pousse de "campements" en "camps". *Bidonville* renvoie au temps de la guerre d'Algérie et aux mouvements de population associés, qui furent long à digérer par la société française. Le rapprochement est-il si fortuit que cela?

Les personnes illégalisées, quand elle se font prendre par la patrouille, ne sont pas "retenues", cet euphémisme administratif, mais *enfermées* en vue de leur "reconduite à la frontière", ou plutôt de leur *expulsion - déportation* dit-on en anglais. Dans l'histoire française ou européenne, *déportation* renvoie au martyre des juifs, des tsiganes, des homosexuels au milieu du XXème siècle, mais aussi aux révoltés de la Commune de Paris à la fin du XIXème. Tous déclarés *indésirables* par le pouvoir du moment.

---

12 Isabelle Stengers, *Au temps des catastrophes – Résister à la barbarie qui vient*, La Découverte, 2013.

Certains mots pour faire parler ces réalités sont autant d'écueils que nous ne sommes pas toujours parvenus à éviter. "sans papiers" représente une victoire sémantique des années 1990 pour des personnes qui ne voulaient plus être qualifiées de "clandestins" ; ce terme, tout comme "régulariser", n'en définit pas moins des êtres humains en référence à une réglementation du droit à vivre en paix que nous récusons. Ou "solidarité", mot à entrées multiples, quand nous parlons ici de ce qui est *commun* à tous. Si nous les utilisons faute de mieux, nous les signalerons par une *astérisque. Changer le vocabulaire est une étape indispensable pour changer le regard, changer l'imaginaire, puis changer la loi - ou, tout simplement, ouvrir les frontières.

***

Merci à tous ceux qui ont apporté leurs idées, leurs récits, leurs écrits ; Ai Fei, Céline Amar, Chantal Beauchamp, Helder et Adji (Collectif des Travailleurs Sans Papiers d'Indre et Loire CTSP37), Monique et Josée (Comité de soutien du CTSP37), Aymen Ben Jedidia, Christine Benoit, Carole Bohanne, Jean-Pierre Cavalié, Jacqueline Chemaly et l'Observatore citoyen du °CRA de Vincennes, Tigeste Challa, Sylvie Brod, Elisabeth Chatenet, Malika Chemmlah, l'équipe de °La Cimade présente au centre de rétention de Toulouse, Mamadou Diop, Ibrahima Drame, Idrissa Fanguina, Rafael Flichman, Marc Grossouvre, Danièle Krassilchik, Anne Lafran, Alhassane et Mamadu, Laurence Loussert, Clotilde Maillard, Hervé Mazure, Claude et Martin Melkonian, Micheline Ndungu Nkinzi, Marie-Cécile Pià, Marilyne Poulain, Gilberte Renard, Anaëlle Tchuisseu, Christine Thalabard, Muriel Wolfers.

Merci aux organisations, mouvements, associations, collectifs, partis politiques, syndicats qui luttent pour changer la situation des étrangers et le regard porté sur eux. Leurs engagements sont à divers niveaux : politique, syndical, humanitaire. Ils se complètent, au prix d'antagonismes pas toujours lisibles. Ils travaillent au quotidien à alléger le poids de l'injustice sur les épaules des étrangers. Leur vision et leur projet vont bien au delà, pour une société dans laquelle "Liberté, Égalité, Fraternité" auraient un sens pour tous. Les droits d'auteurs de ce recueil seront reversés à plusieurs d'entre eux.

Merci à toutes ces personnes venues de si loin chercher en France une nouvelle vie, à leur confiance, à leur contagieuse persévérance, à leur incandescence.

"L'asservissement ne dégrade pas seulement l'être qui en est victime, mais celui qui en bénéficie[13]". L'autocensure n'est pas bonne conseillère. La cruauté des situations ne nous l'autorise pas.

---

13 Germaine Tillion, *Le harem et les cousins*, Seuil, 1970.

AMOUREUX

[*Dans la panoplie des mesures d'oppression contre les étrangers qui vivent en France sans titre de séjour, voici la persécution des amoureux trop myopes pour avoir vu au premier coup d'œil que celui-là, celle-là, il/elle a, écrit sur le front, "Arrière ! Sans papiers ! Interdit !"*

Ce jeune couple "fréquente" depuis près de deux ans, vit ensemble depuis quelques mois dans une petite ville quelque part en France. Il projette de se marier. Jusque là, rien que de banal. Oui mais, voilà, c'est une bonne petite française qui ose aimer un étranger, qui veut même faire sa vie avec lui. Tu n'y penses pas, petite ignorante : il est en séjour irrégulier ! La LOI a l'œil sur eux, ces menteurs, ces fraudeurs qui ne cherchent qu'à abuser de la candeur de nos petites : "Le fait de contracter un mariage aux seules fins d'obtenir un titre de séjour est puni de cinq ans d'emprisonnement et de 15 000 euros d'amende. Ces peines sont également encourues lorsque l'étranger qui a contracté mariage a dissimulé ses intentions à son conjoint". Et même, car il faut penser à tout, "elles sont portées à dix ans d'emprisonnement et à 750 000 euros d'amende lorsque l'infraction est commise en bande organisée". Protéger ces potentielles innocentes victimes est une ardente obligation de l'État.

Les mésaventures de ce jeune couple commencent fin 2011. Si leur démarche a engagé les autorités – maire, préfet, procureur – à montrer leur sens du devoir et leur savoir-faire, elle a aussi provoqué la mobilisation de citoyens, si bien que, même si le jeune homme n'est toujours pas marié, il n'a toujours pas été expulsé. Récit à plusieurs voix.]

4 décembre 2011

Toute la famille et les copains sont maintenant réunis chez la sœur de [la fiancée]. Elle ne peut rien avaler parce qu'elle a eu tellement mal au ventre de trouille depuis lundi, en plus elle a pris tous ses jours de congé. Il ne peut rien avaler parce qu'il sortait pour téléphoner à la cabine du Centre de Rétention Administrative (°CRA) et qu'il s'est chopé une crève.

Abuser de la bonne foi de madame, le futur époux ? Il leur reste plutôt à compter les mensonges qu'ils ont entendus venant de la mairie, de la préfecture ou de la police, lâchés qu'ils sont sans aucune excuse. Circulez...

Rappelons que la mairie n'est pas du tout obligée de signaler les couples au Parquet, ni même de les soupçonner de grisaillerie et de leur imposer un interrogatoire de police pour le transmettre à la préfecture.

Mais la frontière a été mince entre état civil et droit au séjour, puisqu'après un grand nombre d'auditions infructueuses de quatre personnes différentes, il a été concocté un petit rendez-vous parfaitement illégal au commissariat le mardi matin - sans qu'on lui parle mariage, le jeune homme et son passeport ont immédiatement été emballés, lui menotté (nullité de plus[14]) sous les yeux de sa fiancée, et à midi il était déjà sur le tarmac de Nantes - le préfet avait donc tout préparé, avait commandé billet, escortes.

D'un bout à l'autre, on leur racontait, et on leur raconte encore, que ça irait "très vite" s'il allait attendre là-bas qu'elle le rejoigne, qu'ils se marient au pays, qu'elle rentre en France demander le regroupement... Oh, juste par omission, ce mensonge véniel, c'est combien, "très vite" ?

Des mois, peut-être un an, ou même plus, au bon vouloir du consulat.

La sœur de la jeune fille n'en revient pas :

"J'étais loin d'imaginer, jusqu'à ce jour, la difficulté et l'injustice faites à l'égard des étrangers. Je suis à la fois en colère, stupéfaite et désabusée du comportement et des agissements de nos administrations...

Heureusement qu'il y a des personnes comme vous pour les aider et les accompagner dans ces démarches qui pour des novices seraient sûrement vouées à l'échec.

Même s'ils ne sont pas encore entièrement tirés d'affaire, ils vont pouvoir affronter la suite des évènements ensemble... Et, je l'espère pouvoir se marier comme prévu le 17 décembre".

***

7 décembre 2011

Aujourd'hui, tous deux vont chez le médecin - leurs organismes et cervelles abasourdis n'ont opposé aucune résistance aux microbes ! Un peu de romantisme, ça nous fait pas de mal en ce bas monde.

17 décembre 2011

Cela participe de ce qu'en littérature on appelle un paysage intérieur : né de la correspondance de la météo, des sensations et des âmes. Un huissier a mis trois jours pour parcourir 50 km et livrer en mains propres sous des bourrasques cruelles le pli que le TGI (Tribunal de Grande Instance) lui avait mandé de délivrer en toute diligence.

Vendredi matin, à J-1 de la cérémonie.

Les invités téléphonaient tous les jours, mais on n'avait pas encore la réponse.

Il y avait de la famille, des amis, venus de Tunisie, de Paris, de l'Angleterre.

Il y avait les cartons d'invitation, la discussion et les dessins : à côté de qui on les place, pour être invités bientôt à d'autres mariages, ou à côté de ta tante, il va mourir d'ennui.

---

14 Les procédures d'interpellation et de transfèrement sont étroitement encadrées par la loi. En cas de mise en rétention de la personne en vue de son expulsion, le juge des libertés et de la détention, intervenant au cinquième jour, peut annuler ordonner sa libération si son avocat a su déceler les motifs de *nullité* que sont les moindres manquements à la procédure.

Il y avait les alliances, les fleurs, les tenues neuves, les jours de congé de la demoiselle d'honneur, les rendez-vous chez le coiffeur

L'approvisionnement et la cuisine, les petits fours de l'apéritif à commander avec la pièce montée

Le photographe, le journaleux

Les gosses qui profiteraient des vacances

La patronne qui comprenait bien et se réorganisait aussi

Les salles à ranger

Les chambres à réserver

Le téléphone sans cesse

Les surprises à faire.

Seulement voilà, le parchemin disait opposition à votre mariage, avec des tas de petits arguments bout à bout, au printemps il disait vouloir se marier mais vous ne l'avez dit qu'à l'été, on vous croit pas que vous étiez dans sa famille en vacances - mais vous avez les photos, que puisque son cousin lointain n'est pas là ça veut dire que le projet c'est uniquement dans le but d'obtenir un titre de séjour, ballots que vous êtes, "il n'y a pas de mariage quand il n'y a point de consentement".

Alors il y aura...

Le ridicule et la honte, la déception le chagrin la rage

Les coups de fil pour tout décommander

Les soutiens et les avocats

Un peu trop de silence

Mais aussi et surtout un gigantesque éclat de rire : quelle parodie !

***

19 janvier 2012

Un mois plus tard, rien n'est réglé. Le jeune homme est assigné à résidence, ce qui permet à la police de garder un œil sur lui, car il est toujours sous le coup de la décision d'expulsion. Le mariage n'est toujours pas célébré. Le fiancé accepte de respecter la loi et de repartir au pays chercher un visa de long séjour. Mais le couple tient à se marier avant son départ, pour ne pas retomber dans les infinies lenteurs des procédures du mariage à l'étranger à traduire, à transcrire, à ceci et encore cela, histoire de pourrir leur vie encore un peu plus.

[Avril 2013 : les amoureux ont fini par se marier. Pour jouer au plus fin avec la loi, ils auraient pu se pacser. Après un an de vie commune avérée, le jeune homme aurait obtenu son titre de séjour. Mais la jeune femme ne pouvait imaginer autre chose que le mariage. La loi exige que le jeune époux reparte au pays tenter d'obtenir un visa de long séjour... pour rejoindre son épouse ! Il est reparti, et maintenant il attend la réponse du consulat. Des histoires comme celle-là, le collectif les Amoureux au ban public[15] en a des centaines.]

---

15 www.amoureuxauban.net.

AVATAR

Le Code de l'entrée et du séjour des étrangers et du droit d'asile (°CESEDA) est le énième avatar d'une réglementation inaugurée à la libération sous forme d'une Ordonnance prise par le gouvernement provisoire de la République française le 2 novembre 1945.

Ce texte, ainsi qu'un autre définissant le Code de la nationalité, est adopté dans la précipitation pour éviter la discussion par la prochaine Assemblée Constituante d'un statut de l'immigration qui est promu par les associations de défense des étrangers[16]. Les Ordonnances sont préparées par des hauts fonctionnaires et des experts qui souhaitent marquer une rupture claire avec l'action menée par le maréchal Pétain, sans forcément remettre en cause la législation d'avant la guerre.

La confrontation entre le gouvernement et les associations se résoudra au terme d'une négociation portant sur les textes d'application. De cette façon, "la haute administration acquiert, au détriment de la représentation parlementaire, le monopole de l'édiction des règles régissant le statut des étrangers. Elle détient du même coup le pouvoir d'interpréter et d'adapter ces règles selon la conjoncture économique et selon l'état du rapport de force politique[17]".

En analysant l'esprit des ordonnances de 1945, Patrick Weil[18] montre comment celles-ci marquent la volonté de coordination de l'action de l'État dans le domaine de l'immigration. De ces textes se déduit, en effet, la définition de l'immigré tel que l'État français l'institue juridiquement.

Est considérée comme immigrée la personne née étrangère à l'étranger qui s'installe sur le territoire national au-delà d'une durée de trois mois, de façon continue et pour une période indéterminée. C'est la définition actuellement retenue par l'INSEE.

Se trouvent donc exclus de la catégorie immigrée les étrangers séjournant moins de trois mois de façon continue, par exemple les touristes, plus de trois mois de façon discontinue, par exemple les travailleurs frontaliers, ou pour une durée déterminée, comme les diplomates ou les étudiants.

---

16 L'évitement de l'écoute des associations proches des étrangers, même quand on fait mine de les consulter, l'édiction de règles et circulaires par l'administration, contournant ainsi le débat parlementaire et son risque de "grand déballage", tout cela se retrouve en 2012-2013 (voir **Manuel, Lave-linge, Personne**).
17 Alexis Spire, *Étrangers à la carte*, Grasset, 2005.
18 Patrick Weil, *La France et ses étrangers*, Folio histoire, 1991 et 2004.

Par l'ordonnance du 2 novembre 1945 la France se déclare désireuse d'accueillir des immigrés. Elle prend le contre-pied de l'orientation vichyssoise : protection spéciale pour le demandeur d'asile, et absence de hiérarchie ethnique ou culturelle affichée en ce qui concerne l'immigration démo-économique. Le ministère du Travail contrôle les entrées. Il attribue des titres de trois et dix ans soumis à de nombreuses considérations. C'est d'abord une interprétation libérale qui prévaudra pour son application sous la pression d'associations de défense du droit des immigrés qui n'ont pu élaborer un statut des étrangers à soumettre au Parlement. Un nombre très important de cartes de résidents privilégiés sera attribué : la règle générale et impersonnelle de la progressivité des titres de séjour d'un, puis trois, enfin dix ans au fur et à mesure que le séjour de l'étranger se prolonge, s'applique avec souplesse.

Une analyse approfondie montre qu'à l'épreuve de la décolonisation, le principe égalitaire entre nationalités concurrentes ne s'est pas appliqué[19].

La dissociation entre carte de séjour et carte de travail constitue un des grands changements de la législation de 1945. Le marché du travail est encadré par l'Office national du travail (ONI) chargé du recrutement de la main d'œuvre au détriment des entreprises privées. Cet organisme succède à la Société générale d'immigration (SGI) qui regroupait les employeurs de main d'œuvre agricole ou industrielle et assurait depuis 1924 le recrutement, le transport et l'hébergement des travailleurs étrangers. Tout étranger venu travailler en France est tenu de présenter un contrat de travail ainsi qu'un certificat médical délivré par le médecin agréé par l'Office. Il obtient alors une autorisation provisoire de séjour, dans l'attente de se voir délivrer une carte de travail puis une carte de séjour. La distinction entre travailleurs temporaires et résidents permanents structure le dispositif des cartes de travail. Aux restrictions d'ordre temporel s'ajoutent des restrictions géographiques et professionnelles[20].

Cette combinaison de critères donne lieu à la création de quatre types de cartes de travail : la carte temporaire, la carte ordinaire à validité limitée, la carte ordinaire à validité permanente et la carte permanente pour toutes professions salariées.

On remarquera que le cadre juridique défini en 1945 maintient les étrangers dans un statut d'infériorité par rapport aux nationaux, tout en leur garantissant des droits de plus en plus nombreux au fur et à mesure que leur séjour en

---

19 Patrick Weil, *Liberté, Égalité, Discriminations, L'identité nationale au regard de l'Histoire*, Grasset, 2008.
20 Ces limitations sont toujours en vigueur en 2013. On cite le cas d'une dame au service d'une famille vivant en Île de France, avec un titre de séjour en tant que salariée. La famille partant s'installer dans une autre région, emmène son employée avec elle. Las, à la fin de la validité d'un an de son titre de séjour, la préfecture locale refuse de renouveler la carte, qui n'autorisait cette dame à exercer ce métier qu'en en Île de France !.

France se prolonge. Ce dispositif repose sur un modèle temporel d'assimilation et sur le principe selon lequel la durée de socialisation, liée à la présence sur le territoire ou au contact de Français, constitue la condition essentielle pour acquérir plus de droits et bénéficier d'une assimilation progressive au statut des nationaux. Par exemple, le droit de se marier est soumis à l'autorisation du préfet pour les porteurs d'une carte de séjour temporaire.

L'ordonnance du 2 novembre 1945 sur l'entrée et le séjour des étrangers est, malgré toutes ses limitations, beaucoup plus favorable aux étrangers que ne l'est aujourd'hui le °CESEDA qui s'y est substitué.

Lors de l'élaboration de cette ordonnance[21], d'importantes discussions opposèrent Georges Mauco (voir **Möbius**), secrétaire général du Haut Comité de la Population et de la Famille, Alfred Sauvy, secrétaire général à la famille et à la Population au ministère de la Santé et de la Population, Alexandre Parodi, ministre du Travail et de la Sécurité Sociale et Pierre Tissier, membre du Conseil d'État et directeur de cabinet d'Adrien Tixier, ministre de l'Intérieur. Les fonctions même des protagonistes marquent les enjeux de leurs débats. Ces personnages préparèrent le texte qui a constitué la toile de fond de la politique migratoire de la France pendant plusieurs décennies ; les éléments de leurs débats ont constamment été réactualisés.

Dans ces discussions et dans leurs traductions dans les textes, les thèmes abordés évoquent les discussions d'aujourd'hui : opposition entre deux catégories d'immigrés - les *quantitatifs,* les *qualitatifs* - sélectionnés ethniquement, et qui seraient soumis à un contrôle sanitaire, physique et mental avant l'admission à travailler. La préoccupation liée au degré d'assimilabilité reste constamment présente ; enfin l'organisation de l'accueil des réfugiés divise les rédacteurs. En dernier ressort, tous veulent garder la possibilité d'expulser les uns et les autres et s'inquiètent des procédures qui s'y rattachent.

Par chance pour l'époque, les plus xénophobes et les plus racistes, à cause de la sombre expérience de Vichy et du nazisme, ne l'ont pas emporté.

La mise à l'épreuve par le temps renvoie ainsi à une politique volontariste d'assimilation. C'est ainsi que les discussions qui ont accompagné tous les avatars des politiques migratoires en France ont été sous-tendues par l'idée de la Nation une et indivisible qu'il faut préserver des forces centripètes. C'est notamment ce qui peut expliquer pourquoi des gouvernements de gauche sont restés attachés au modèle temporel d'assimilation.

---

21 Paul-André Rosental, *L'intelligence démographique. Sciences politiques des populations en France (1930-1960),* Odile Jacob, 2003.

BACHELIERS

Dix-huit ans, c'est l'âge où l'on passe le bac. Si l'on est étranger, c'est aussi l'âge auquel il faut absolument obtenir un titre de séjour.

Rebecca est camerounaise, elle a 17 ans. Le formulaire d'inscription aux épreuves du baccalauréat propose une case "Si vous êtes étrangers, titre de séjour". Elle n'en a pas, ce qui est normal pour une mineure. Mais elle est très inquiète : elle ne pourra pas se présenter aux épreuves ! L'Éducation Nationale a ses propres impératifs, qui n'ont rien à voir avec la régularité du séjour de l'élève. Mais elle tient à vérifier que la personne qui se présente aux épreuves est bien celle qui est inscrite, et qui recevra le diplôme en cas de réussite. Rebecca peut donc se présenter aux épreuves sans crainte. Mais elle a bien intégré l'idée qu'un étranger peut être entravé dans ses projets les plus simples, les plus naturels.

Réussir son bac, c'est se prouver qu'on est capable de construire sa vie en s'appuyant sur ce que l'École vous a apporté. Dans bien des cas, le jeune étranger apprend simultanément que sa vie, le pays qui lui en a donné les bases veut lui interdire de la construire dans la continuité.

Mamadu a 19 ans, il est élève de Terminale technologique. Il est venu de Guinée en France à l'âge de 15 ans avec sa petite sœur, suite à la mort de leurs parents. Il rejoignait sa tante, de nationalité française. Il a déposé une demande d'admission au séjour en juin 2012 ; mais à la préfecture ne retrouve pas son dossier ! Il est donc invité à revenir en mai 2013 pour déposer une demande, qui a toutes les chances d'entrer dans les critères de la circulaire du 28 novembre 2012 (voir **Personne**). En attendant il est sans papiers, donc susceptible d'être expulsé. Les épreuves pratiques du baccalauréat commencent très bientôt... Double angoisse.

Alhassane à 19 ans, il est élève de Terminale Économique et Sociale. Tout comme Mamadu, son parcours de vie répond aux critères de la circulaire du 28 novembre 2012. Depuis l'âge de 14-15 ans il vit ici avec sa mère, en situation régulière, et sa jeune sœur née en France. Respectant la loi, il a fait une demande de titre de séjour lorsqu'il a atteint la majorité. Après plus d'un an d'attente, il a reçu de la préfecture un refus ainsi motivé : "célibataire sans enfant ayant des attaches au pays d'origine", ainsi qu'une obligation de quitter le territoire dès la fin de son année de terminale, pour un pays où il n'a plus d'attaches ! La bataille en cours pour obtenir du tribunal administratif l'annulation de ces décisions ne favorise pas la préparation sereine des épreuves du bac...

La mobilisation autour de ces deux garçons n'a sans doute pas été inutile, puisque la préfecture les a convoqués en mars 2013 pour remettre à chacun son titre de séjour. Alhassane a obtenu un titre reconnaissant que sa *Vie Privée et Familiale* (°VPF) est bien en France, le titre de la vie normale, bien que d'une durée d'un an renouvelable. Mamadu n'a eu droit qu'à un titre "Étudiant", un titre précaire dans la mesure où le renouvellement du droit au séjour qu'il accorde sera conditionné à la poursuite de ses études sans incident ni changement de filière, et qu'à l'issue de ses études il n'aura encore pas la possibilité de le transformer en titre °VPF, mais seulement en titre "Salarié", et à condition aussi de trouver rapidement une embauche dans le bon secteur d'activité et avec un salaire correspondant à sa qualification. Le renouvellement annuel de ce titre salarié sera lui-même dépendant de la persistance de cette embauche. Pour Mamadu, le combat continue.

BICYCLETTE

Soit Lyliane, une fillette lilloise et algérienne de 11 ans. Dimanche 22 juillet 2012, elle est à vélo dans les rues de Lille avec son père, Kamel. Soudain, elle se retrouve seule : son père vient d'être **enlevé** sous ses yeux par la police.

- Jour **1**. Interpellation de Kamel, pour une raison inconnue. Garde à vue de 24 heures. Sur quel motif ? Le 5 juillet, la Cour de cassation a décidé que la garde à vue pour le seul motif de séjour irrégulier était illégale, conséquence de deux arrêts rendus en 2011 par la Cour de Justice de l'Union Européenne. Kamel a-t-il fourni un motif - usage de faux, rébellion,... ?

- Jour **2**. Transfert de Kamel au °CRA de Lesquin, avec un arrêté d'expulsion (voir **Casse-toi**). On est là, semble-t-il, dans "*les exigences de maîtrise des flux migratoires*". Mais aussi, à partir de ce moment, le "*respect des libertés individuelles*" ouvre des garanties. Kamel a 48 heures pour contester la décision d'expulsion devant le tribunal administratif (°TA), lequel doit statuer dans les 72 heures - cinq jours au total. Et puis, après cinq jours de rétention, le Juge des Libertés et de la Détention (°JLD) doit statuer sur la légalité de l'interpellation et du transfert en rétention.

- Jour **3**. Le recours contre la décision d'expulsion est déposé au °TA par l'avocat de Kamel. Le °TA fixera l'audience au vendredi (jour 6) à 9 heures. Kamel vit à Lyon avec sa fille depuis "seulement" 5 ans. Il en faudrait le double pour que la loi lui donne une chance de régularisation. On peut donc s'attendre à l'échec du recours au °TA, à moins que ce dernier ne retienne l'atteinte au droit de l'enfant à vivre avec ses parents, reconnue par la Convention internationale des droits de l'enfant[22].

- Jour **4**. Attente.

- Jour **5**. Attente.

- Jour **6**. Vendredi matin à 3h30 les policiers embarquent Kamel pour l'aéroport de Roissy en vue d'une expulsion. Dans l'avion d'Air France, des passagers sensibles à son histoire et à celle de sa famille qui s'est déplacée jusqu'à l'aéroport sans pouvoir le voir, se mobilisent. Choqués et indignés par la violence de l'expulsion et les agissements des policiers envers Kamel, des passagers du vol manifestent leur mécontentement. Le commandant de bord décide alors de débarquer Kamel de l'avion.

---

22 www.droitsenfant.org/convention/.

A Lille à 9 heures, l'audience du °TA se déroule sans lui. La décision d'expulsion est confirmée. Kamel est ramené dans l'après-midi au °CRA de Lille-Lesquin. Il reçoit la convocation du °JLD : ce sera dimanche (jour **8**) à 10 heures.

- Jour **7**. Dans la nuit de vendredi à samedi, Kamel se plaint de douleurs à l'épaule. Le médecin du °CRA lui donne un médicament pour soulager la douleur. Au matin, Lyliane et sa mère viennent le visiter. Il n'est plus là ! Lyliane s'écroule - elle sera hospitalisée. Il n'y aura pas d'intervention du °JLD, qui aurait tout à fait pu juger illégale l'interpellation de Kamel, et le libérer.

Kamel est à Alger, Lyliane et sa maman à Villeneuve d'Ascq. Au téléphone, Kamel dit qu'à la suite de la prise du médicament, il ne se souvient de rien, jusqu'à son réveil dans l'avion...

BRIMADES

"Moins d'immigrés, une France faible", affirment dans une tribune du *Journal du Dimanche* des personnalités peu suspectes d'extrémisme débridé[23]. Le bilan social de l'activité des migrants parmi nous (voir **Participations**) s'avère positif pour le pays ? Peu importe ! Il faudrait, nous dit-on, les rejeter à la mer. Pas facile. Alors, faute de mieux, on grignote, on rabote sur les quelques aides sociales à leur portée.

A partir de trois mois de présence en France et sous condition de faibles ressources, les étrangers en séjour irrégulier peuvent bénéficier de l'Aide Médicale d'État (°AME[24]), une couverture maladie minimale. De façon transitoire en 2012, ils ont dû acquitter pour cela un droit annuel de 30 euros. Ces 30 euros étaient évidemment un barrage : encore plus nombreux étaient ceux qui ne pouvaient plus se faire soigner. Cette taxe a été supprimée fin 2012, mais l'obtention de cette protection se heurte de plus en plus à des obstacles administratifs.

La Caisse primaire d'assurance maladie (°CPAM) de Paris a modernisé ses procédures : début 2012, deux centres ont été réservés aux demandeurs d'°AME et interdits au reste de la population. L'ODSE, Observatoire du droit à la santé des étrangers, dénonce : sous couvert de la crise, la °CPAM de Paris sacrifie les *sans papiers. "La °CPAM fait le choix brutal de la stigmatisation et de l'exclusion des soins au détriment de la santé de tous et des finances publiques." Le décompte de l'ODSE est implacable : les files d'attente dès le milieu de la nuit, le pré-contrôle des dossiers par les vigiles, la pression sur les agents de la caisse, qui ne peuvent plus remplir normalement leurs fonctions, les délais de traitement excessifs, les pertes répétées de dossiers. A cet ensemble s'ajoutent les conséquences pour la santé : "De plus en plus de personnes en rupture de soins viendront, en dernier recours, rejoindre les salles d'attente des urgences hospitalières déjà saturées. Elles se présenteront dans un état de santé dégradé qui coûtera plus cher à la collectivité."

***

---

23 Martin Hirsch ; Étienne Caniard, président de la Fédération nationale de la Mutualité française ; Philippe Aghion, professeur d'économie à Harvard ; François Chérèque, secrétaire général de la CFDT ; Étienne Pinte, député UMP, président du comité national de lutte contre la pauvreté et l'exclusion ; François Soulage, président du Secours catholique. *Le Journal du Dimanche*, 10 mars 2012.

24 L'°AME est une couverture maladie destinée aux étrangers sans titre de séjour, avec une condition de plafond de ressources.

Scène de guichet en mai 2013. Sambala doit faire renouveller sa carte d'°AME. Il dépose son dossier de demande dans les délais, soit deux mois avant la date de fin de validité de la carte en cours. Il a joint, comme pour les renouvellements précédents, la photocopie de son passeport. Deux mois plus tard, comme prévu, il se présente au guichet. On lui explique que cette photocopie est incomplète : cette année, il faut photocopier toutes les pages du passeport, y compris les pages vierges !

"Je le fais tout de suite et je vous laisse le dossier. Ma carte c'est pour quand ?"

- Dans deux mois.

Sambala insiste.

- C'est comme ça. On vous dit complet, le dossier n'est pas complet.

- Vous voulez 14 pages blanches ?

- Oui, et on recommence à zéro, vous attendrez deux mois.

- Je ne suis plus couvert, s'il m'arrive quelque chose, j'ai un traitement (il est migraineux), comment je paie ?

- C'est comme ça, sauf urgence grave..."

Le coup des pages blanches du passeport est récurrent. il s'agit de vérifier qu'après sa première arrivée en France il n'aurait pas eu des envies de voyager à l'étranger. Ce qui ferait repartir le compteur à la date de la nouvelle entrée.

***

Le °GISTI (Groupe d'intervention et de soutien des immigrés) s'insurge dans la livraison de mars 2012 de sa revue Plein Droit[25] : "Si on ne peut s'étonner que les pratiques des administrations en charge du contrôle de l'immigration se soient durcies sous l'effet de politiques de plus en plus répressives, on aurait pu penser que celles "relevant du droit commun" (assurance maladie, inspection du travail, agences régionales de santé, aide sociale à l'enfance, etc.) resteraient à l'écart de ce vaste mouvement qui tend à dénier les droits des étrangers. Or, sous la pression du ministère de l'intérieur notamment, les services se mettent au pas en se cachant derrière l'étendard de la *chasse aux fraudeurs*". Et de détailler la chasse à la fraude qui mettrait en péril notre modèle social, la tentative d'entrainer les inspecteurs du travail dans un rôle de police, le tri pseudo-scientifique entre *vrais* et *faux* mineurs étrangers (voir **Seize ans**), le soupçon ciblé de la sécurité sociale, les tentatives de contrôle administratif de l'évaluation par les médecins de l'état de santé des étrangers malades, l'éligibilité au RSA (Revenu de Solidarité Active) conditionné à cinq ans de séjour régulier avec autorisation de travail, disposition déclarée discriminatoire par la HALDE.

---

25 *Les guichets de l'immigration,* www.gisti.org/spip.php?article2637.

Quant aux vieux travailleurs migrants, il leur faudra faire face à un nombre scandaleux d'obstacles[26] pour accéder à leurs droits sociaux, y compris leur pension, lorsque leur force de travail aura été épuisée.

***

Les Caisses d'Allocations Familiales (°CAF) sont particulièrement incitées à lutter contre la fraude[27], ce qui relève d'une bonne gestion d'une composante essentielle de l'État social. Or, comme dans le cas des impôts (voir **Racket**), l'étranger vivant en France est vite assimilé à un fraudeur. Pour la °CAF, la suspicion se porte sur les enfants élevés dans les familles en séjour régulier[28], mais nés hors de France. Depuis un arrêt de la Cour de cassation du 3 juin 2011, les bambins de l'immigration *choisie par leurs parents* venus vivre avec nous, mais *subie par l'administration*, n'ouvrent plus de droits aux allocations familiales ; ces enfants, qui deviendront français à leur majorité si on ne les rejette pas à la mer avant, auront été privés dès le début de leur séjour en France de la solidarité de leurs concitoyens.

Mais les associations ne renoncent pas à obtenir des décisions de justice obligeant la °CAF à revenir à plus d'égalité de traitement. Une guerilla dont le dernier développement à l'heure où nous publions est une décision de la Cour de cassation du 24 avril 2013, qui oblige la °CAF à ne plus récuser certaines catégories d'allocataires[29]. Pour les autres, d'autres batailles sont à mener...

***

Les étrangers ne sont pas les seuls à pâtir de ces brutalités sociales. En effet, comme l'écrivent les auteurs de la tribune du *Journal du dimanche*, "c'est la cohésion sociale qui est menacée quand on fait croire à l'opinion publique que les immigrés sont responsables de maux qui nous appartiennent, et qu'il nous appartient de résoudre". On assite à une offensive d'appauvrissement des plus fragiles. N'hésitons pas à généraliser l'explication proposée sur le site de la

---

26 www.catred.org/L-acces-des-vieux-migrants-aux.html.

27 circulaire.legifrance.gouv.fr/pdf/2012/01/cir_34501.pdf.

28 Contrairement à ce que prétendent certains slogans xénophobes, le séjour irrégulier des parents interdit absolument le versement de toute prestation de la °CAF.

29 Dans une note du 5 juillet 2013, la CNAF (Caisses Nationale d'Allocations Familiales) conclut à "la valorisation des droits aux prestations en faveur des ressortissants des pays signataires d'accord d'association euro méditerranéen, sous réserve :
- que les accords d'association comportent une clause d'égalité de traitement avec les nationaux ou d'absence de discrimination. Les pays concernés sont l'Algérie, le Maroc, la Tunisie, la Turquie, l' Albanie, le Monténégro et San Marin.
Les accords établis avec l'Egypte, la Jordanie, le Liban et Israël ne comportent pas une telle clause : par conséquent à ce stade ces dossiers ne peuvent donner lieu à paiement
- que les ressortissants ainsi prédéfinis aient la qualité de travailleur : la notion de travailleur doit être appréciée au regard de l'autorisation de travailler, formalisée au moyen du justificatif de séjour. La qualité de travailleur doit être appréciée indépendamment de la qualité d'allocataire".

Mutualité Française[30] à propos de l'attaque contre les mutuelles de santé : "Il semble clair que toutes ces manœuvres relèvent à la fois de l'improvisation et de la volonté d'essayer de dissimuler un certain nombre d'échecs patents."

Mais...

Une ordonnance du Conseil d'État du 10 février 2012 a confirmé que le droit à l'hébergement d'urgence s'adresse à toute personne sans abri, quelle que soit sa situation administrative, que sa mise en œuvre est une obligation de l'État. Selon la loi, toute personne hébergée doit être maintenue jusqu'à une orientation vers un hébergement stable, de soin ou un relogement.

Pour concrétiser ce droit nouveau, des associations et syndicats tels que l'association Droit Au Logement (DAL), la Ligue des Droits de l'Homme (°LDH), le Syndicat de la Magistrature (SM), le Syndicat des Avocats de France (SAF), Solidaire, Sud santé sociaux, le Réseau Éducation Sans Frontières (°RESF),... ont lancé un site de ressource juridique[31] pour "aider les sans-abri, quelle que soit leur situation administrative, à faire valoir leur droit à être hébergés, jusqu'à leur orientation vers une structure de soins, de stabilisation, ou vers un relogement, conformément aux dispositions du Code de l'action sociale et des familles."

***

Courant 2013, une famille arménienne déboutée de sa demande d'asile se présente à la trésorerie pour encaisser et percevoir une aide accordée par l'°ASE[32] en faveur de ses enfants. Après presque une heure d'attente et la photocopie de tous les documents par l'agent (carte vitale, récépissé dépassé...) la réponse revient : "nous ne pouvons rien vous verser si vous n'avez pas de pièce d'identité valide". Souvent, les demandeurs d'asile ont quitté en hâte leur pays devenu trop dangereux pour eux. Pas toujours avec des pièces d'identité universelles, qui n'existent d'ailleurs pas. On parle de nouvelles instructions aux agents de trésorerie (voir **Gangrène**), applicables à compter du 30 mai 2013 :

- Ne plus payer sans présentation d'une pièce d'identité valide
- Signaler les "cas" qui se présenteraient aux guichets

---

30 www.mutualite.fr/L-actualite/Kiosque/Revues-de-presse/Idees-fausses-sur-immigration-et-protection-sociale.

31 115juridique.org.

32 °ASE: Aide Sociale à l'Enfance, responsabilité des conseils généraux des départements.

CADET ROUSSELLE

Il a trois maisons, c'est d'ailleurs dans la chanson.

Le préfet dit que c'est un fraudeur, lui, il se débrouille comme il peut et, s'il a trois maisons c'est qu'il n'en a aucune.

Une adresse à Garges-les-Gonesse (Val-d'Oise), pour les impôts où il a longtemps habité, où il a toujours les cousins qui l'ont hébergé, une adresse à Paris pour le boulot et la fausse carte, une adresse à Vitry (Val-de-Marne) où il est actuellement hébergé et où il a commencé ses démarches lors de la grève des travailleurs sans papiers.

Il a trois maisons dans ses dix ans de présence et de travail. Trois adresses qui vont lui porter préjudice. Trois adresses dans une région parisienne qu'il sillonne tous les jours depuis dix ans avec les contrats d'intérim. Deux heures de ménage en banlieue ouest puis un temps gris et puis quatre heures de nettoyage, le soir, en banlieues nord. Un seul employeur qui le dépêche tous les jours du sud de Paris où il habite à l'ouest puis au nord. Mais ça c'est normal pour la préfecture, il faut bien mériter son salaire, surtout si on le vole à ceux qui ne voudraient pour rien au monde de ce travail.

Alors au moment de faire de nouveau examiner son dossier, il va falloir choisir : montrer tous les papiers qui font un bon dossier (voir **Critères**) ou bien trier pour que toutes ces maisons n'en fassent plus qu'une et risquer les aboiements rituels au guichet parce qu'il manque un document.

Après les remarques acides de l'avocate, il va falloir supporter la logique des énarques.

Pourtant un souvenir lointain revient comme un refrain : la loi est faite pour l'homme et non l'homme pour la loi, c'était où, c'était quand, c'était dans quel livre[33] ?

---

33 Allez, on vous aide: c'était en Palestine, il y a 2000 ans, une parole de Jésus de Nazareth, selon un chroniqueur nommé Luc.

CASSE-TOI

Selon la loi, un étranger arrivant en France et désireux d'y demeurer doit se présenter dans les trois mois à une préfecture pour demander une autorisation de séjour. Les mieux informés des dispositions légales s'en gardent bien. Ils savent que si la loi comporte des critères *autorisant* le séjour des étrangers, il leur faudra des années avant d'y satisfaire. Car, au fur et à mesure que la loi s'est "perfectionnée" (voir **Avatar** et **Lave-Linge**), les motifs de refus se sont accumulés. On trouve une innovation intéressante sur le papier dans la loi Sarkozy de 2006 : le refus de séjour assorti d'une obligation de quitter (volontairement) le territoire français (°OQTF) dans un délai de 30 jours ; dispositif enrichi par la loi Besson de 2011, qui supprime éventuellement le délai de départ volontaire et ajoute la possibilité d'une interdiction de retour sur le territoire français (IRTF) pour un certain nombre d'années. Toutes décisions préfectorales susceptibles d'être contestées devant le tribunal administratif, lequel doit statuer dans un délai donné - trois mois en temps normal, trois jours si la police détient la personne.

Ainsi, un simple refus d'autorisation de séjour - impliquant logiquement que la personne devrait repartir - se trouve transformé en une salve de décisions administratives :
- le refus de séjour,
- l'obligation de quitter volontairement le territoire français,
- le refus éventuel de délai de départ volontaire,
- la désignation du pays de renvoi,
- l'interdiction de retour sur le territoire français,
- dans le cas où la personne a été interpellée en vue de l'expulsion (voir **Retenue**), le placement en rétention ou l'assignation à résidence.

L'annulation de chacune de ces décisions de l'administration peut être demandée au tribunal administratif, et cela se produit souvent, de sorte que le "contentieux de l'éloignement" représente près du quart de l'activité des tribunaux administratifs, lesquels se prennent à souhaiter qu'en amont les préfectures s'y prennent autrement. Car le poids relatif de ce contentieux augmente de plus de 10% chaque année[34].

L'étranger qui conteste ainsi la décision qui le frappe obtient parfois que le tribunal fasse injonction au préfet de lui délivrer un titre de séjour, considérant

---

34 Hélène Lipietz, sénatrice, *Immigration, intégration et nationalité*, Avis sur le projet de loi de finances 2013. 22 novembre 2012.

qu'il est allé trop loin dans sa liberté d'interprétation de la loi. Mais l'étranger ainsi visé perd souvent au tribunal administratif aussi, car le dispositif légal est vraiment très fermé. Mais il reste, bien sûr, en attendant que le développement de sa vie mette à sa portée les fameux critères.

Ce dispositif de sanctions redoublées, élaboré pour se débarrasser des indésirables, est coûteux sur le plan judiciaire, et peu efficace. Dans son rapport annuel au Parlement[35], le Comité interministériel de contrôle de l'immigration (°CICI) trouve un taux de *non-exécution* de ces décisions entre 79% et 85% de 2008 à 2011, année pour laquelle 60 000 °OQTF ont été décochées.

Au départ, un ensemble impressionnant de mesures, à l'arrivée une usine à faire peur, en faisant travailler pour rien préfectures et tribunaux.

---

35 °CICI, *Les chiffres de la politique d'immigration et d'intégration, année 2011.* Rapport au Parlement, décembre 2012.

CAYENNE

Pour la Guyane comme pour Mayotte, le rapport de 2011 de la Cour des comptes sur les flux migratoires irréguliers en Guyane, à Mayotte et à Saint-Martin[36] est une source fort utile. Ses rédacteurs rappellent que, comparé à la métropole, pour une population locale cumulée inférieure à 1%, les nombres de mises en °CRA et d'expulsions de ces territoires atteignent des valeurs proches de celles de la métropole.

C'est que ces départements "bénéficient" d'un droit dérogatoire pour le séjour des étrangers, facilitant le travail de la maréchaussée. En effet, la caractéristique des ces deux confetti gaulois est d'être des éléments d'un système social et géographique poreux. C'est pourquoi "les flux migratoires outre-mer sont particulièrement difficiles à surveiller du fait de l'insularité ou, pour la Guyane, d'une forêt amazonienne immense et peu peuplée, ainsi que d'une attractivité d'autant plus grande que le niveau de vie des habitants des pays voisins, culturellement et linguistiquement proches, est souvent très inférieur".

D'où des aménagements de la loi, de sorte que "les droits de recours des personnes retenues y sont plus limités qu'en métropole et les échecs à l'éloignement y sont bien moindres. Pour la Guyane, des dispositions spécifiques facilitent l'interpellation et la visite sommaire des véhicules sans autorisation du procureur. De plus, un arrêté de reconduite à la frontière peut y être exécuté immédiatement, sans le délai de 48 heures fixé par le droit commun, et le recours contre les obligations de quitter le territoire n'est pas suspensif de plein droit. Ces dérogations au droit commun, motivées par les caractéristiques des territoires concernés, rendent plus difficile le contrôle par le juge de la régularité des procédures de reconduite".

Il résulte de ces dérogations un traitement des étrangers dénoncé conjointement par les cinq associations présentes dans les centres de rétention de métropole et d'outre-mer[37] : "ces territoires lointains sont devenus de véritables terres d'exception où les droits des étrangers sont piétinés dans le silence".

"En Guyane, les mêmes situations se répètent. Ce sont surtout des Brésiliens et des Surinamais qui sont interpellés, enfermés quelques heures sans possibilité de faire un recours et expulsés vers le Suriname ou le Brésil, qui ne

36 www.ccomptes.fr/Publications/Publications/Rapport-public-annuel-2011.
37 Voir **Retenue**.

sont séparés de la Guyane que par un fleuve. Ainsi, en 2010 60% des personnes enfermées en °CRA de Cayenne y étaient déjà passées dans l'année ! Comme si être enfermés et expulsés parfois plusieurs fois dans une même année, avec le lot de violences et de maltraitance que cela représente, devait être banal pour des migrants brésiliens et surinamais vivant en Guyane".

Pourtant, on trouve sur le site du collectif Migrants Outre-Mer des propositions[38] de Marc Grossouvre, enseignant en Guyane, qui rendraient inutiles ces brutalités récurrentes.

Tout d'abord, une discussion sur les chiffres. "Actuellement, une sorte de consensus semble avoir été trouvé entre les chercheurs, les journalistes et le gouvernement autour d'une population étrangère de 72 000 personnes, dont 29 000 personnes en situation régulière. La Guyane compterait donc environ 43 000 "clandestins" (terme utilisé par le °CICI). En ce qui concerne la nationalité des étrangers présents en Guyane, il est dit que les Haïtiens représenteraient 30% des étrangers, les Surinamais 25% et les Brésiliens 23%".

Cependant, une analyse avisée des tableaux de l'INSEE conduit l'auteur à une évaluation assez différente : "On peut donc dire qu'il y a environ 16 500 *sans papiers en Guyane. Parmi ces *sans papiers, on peut estimer que 15% sont Haïtiens, 40% Brésiliens et 40% Surinamais. Mais alors, pourquoi le °CICI et certains chercheurs parlent-ils de 40 000 étrangers en situation irrégulière ? Leur calcul est le suivant : 72 000 étrangers moins 29 000 étrangers titulaires d'une carte de séjour donnent 43 000. Avec une grossière erreur : ils oublient de retirer les mineurs. Et une erreur politique : ils oublient de retirer les étrangers en cours de régularisation ou en cours de renouvellement de titre de séjour".

Quitte à faire un droit dérogatoire, pourquoi ne pas imaginer un statut de frontalier ? "Créons, par exemple, un statut frontalier pour les Surinamais qui vivent dans leur immense majorité sur le fleuve Maroni. On en aura fini avec 6 500 de ces situations inhumaines pour permettre une vie normale à des gens qui, de toutes façons, vivent sur le fleuve. Et si, en plus, on décide d'un statut frontalier pour les Brésiliens, alors, on règle la situation de 6 500 personnes supplémentaires. Il ne resterait que 3 500 étrangers à régulariser pour que plus personne en Guyane ne soit forcé à travailler au noir. Cela permettrait d'augmenter d'autant les rentrées fiscales de la Guyane".

Une telle solution ne tarderait pas à stabiliser la situation migratoire, car la Guyane n'est pas si attractive que cela. "La Guyane compte 66 500 immigrés. 13% d'entre eux sont devenus Français par naturalisation. Le flux d'immigrés a connu un pic entre 1998 et 2003 à un rythme de 2 500 nouveaux arrivants chaque année. Mais ce flux a fortement chuté et sur les cinq dernières années, il

---

38 www.migrantsoutremer.org/Les-etrangers-en-Guyane-pour-en.

est tombé à 1 500 nouveaux arrivants annuels. Que s'est-il passé ? L'immigration des Haïtiens s'est effondrée (moins de 300 arrivées annuelles sur les cinq dernières années), de même que l'immigration des Surinamais. L'immigration des Brésiliens a augmenté et semble s'être stabilisée aux alentours de 1 000 arrivées annuelles. Si le flux de Brésiliens suit une évolution comparable à celle des Haïtiens et des Surinamais, le flux de migrants en provenance du Brésil devrait se tarir d'ici 2013. Et personne ne se bouscule pour les remplacer puisque les flux migratoires des autres nationalités restent insignifiants. Déjà, on a connaissance de cas de Brésiliens expulsés à Macapá et qui y restent car ils y trouvent un emploi. Il faut donc relativiser le mythe de la Guyane attractive".

***

Juin 2013. Depuis la rédaction de cette proposition en octobre 2011, les choses ont évolué en Guyane. Un début de statut frontalier a été créé à la frontière brésilienne pour les habitants des deux communes principales (Saint-Georges-de-l'Oïapock en France et Oïapoque au Brésil). Le pont sur l'Oïapock reliant les deux communes est terminé. Le statut frontalier devrait être mis en place dès son inauguration, que l'on espère prochaine.

Parallèlement, des barrages policiers permanents, reconduits tous les six mois, réalisent une frontière intérieure filtrante, que ne peuvent franchir ni les *sans papiers, ni les Français dépourvues de preuve de leur nationalité. Les barrages privent ces frontaliers qui vivent le long des fleuves frontaliers (Oyapoque et Maroni) de l'accès à la préfecture, à certains tribunaux, à plusieurs services hospitaliers et consultations spécialisées, ou encore à des formations professionnelles ou universitaires. Ces barrières dont la gendarmerie admet le caractère exceptionnel et dérogatoire, ciblent "la répression de l'orpaillage clandestin et l'immigration clandestine". Peu importe que ces contrôles d'exception soient contraires à la position de la Cour européenne des droits de l'Homme, qui a considéré que ni le contexte géographique, ni la pression migratoire de la Guyane ne justifient de telles infractions à la Convention européenne des droits de l'Homme...

***

Un décret du 29 novembre 2013 introduit enfin une carte de frontalier, permettant aux résidents de la commune frontalière d'Oiapoque (côté Brésil) de circuler librement dans la commune de Saint-Georges (côté français). Certes cette circulation reste limitée, mais c'est une avancée bien réelle vers une prise en compte des mouvements de circulation naturels dans cette région. Cela devrait éviter à l'avenir à ces voisins brésiliens qui circulent de part et d'autre du fleuve frontière d'être interpellés par la °PAF et expulsés de l'autre côté du fleuve, à moins de deux kilomètres.

32

CHAMPION

[*Mai 2012. Le père *sans papiers de Fahim, joueur d'échecs prodige bangladais vient d'obtenir un titre de séjour, après nombre de démarches sans résultats.*]

Le jeune Fahim, champion d'échec, va être régularisé, on est content pour lui. Mais à écouter ce matin les journalistes se réjouir de la chose, on était comme un peu gêné aux entournures. Les radios en déroulaient, du pathos : "d'hôtel en hôtel... une vie de misère, d'insécurité..." Ah mais c'est que ça paraissait exceptionnel, et donc qu'on avait illico remédié à cette situation scandaleuse. Et on insistait sur le fait que le scandale résidait dans la qualité de champion du gamin. Pas une fois il n'a été dit que la vie de Fahim était celle de milliers de gamins. Encore moins que de plus en plus de gamins vivent cette vie d'hôtel et de précarité, des familles régularisées aussi. Et cette vie n'est pas réservée aux familles étrangères, tellement la misère monte. La seule différence est dans le degré de précarité. On a envie de dire : mais tous ces gamins sont des champions ! Champions de la débrouille, champions de la survie, polyglottes par nécessité, spécialistes des réseaux de transports en communs, siros[39] des rues aux capacités d'adaptation infinies. C'est qu'il faut en développer des talents pour grandir.... Douce France qu'ils chantaient...

Alors oui, on est contents pour Fahim, ça fera toujours un gamin de plus qui aura moins peur. Mais on aurait aimé qu'un journaliste un peu fin nous présente la chose ainsi : "Fahim au nom de tous les autres" et pas "Fahim contre les autres". Une régularisation qui justifierait toutes les non régularisations parce qu'on ne devrait pas avoir besoin d'être champion d'échecs pour avoir le droit de vivre, parce qu'à ne pas donner leur chance à tous ces gamins, on se prive de l'expression de milliers de talents. Liberté de circulation, d'installation et logement correct pour tous, parce que personne n'a le droit de décider qui doit vivre ici et qui doit partir, parce que si tous les humains naissent libres et égaux en droit, qu'ils doivent se débrouiller tous seuls après est insupportable. Et avec des dés pipés !

C'est pour quand la civilisation ?

---

39 Siro. Petit oiseau, en argot kabylo-banlieusard. Par extension, enfant qui traîne dans la rue.

CHARNIÈRE[40]

La période 1983-84 en France est un moment très important à bien des égards, et notamment pour ce qui concerne les migrants. Dans la foulée de la marche pour l'égalité, nous espérions que 1984 serait l'an Un d'une nouvelle ère ; il l'a été, mais pas comme nous l'aurions souhaité ; bien au contraire. En analysant rapidement cette période, je voudrais tenter d'éclairer nos voies d'action aujourd'hui, ce qui me semble être des impasses ou des ouvertures.

1984, c'est d'abord le titre d'un livre de George Orwell[41], incroyablement visionnaire, sur la venue d'un système totalitaire global. Il écrit ce livre en 1949, au lendemain de la *victoire* sur le totalitarisme nazi et déjà il a le sentiment que le totalitarisme n'est pas profondément vaincu, qu'il pourrait réapparaître sous d'autres formes, à la fois plus subtiles et plus efficaces. Eh bien, c'est ce qui s'est effectivement réalisé.

Dans les années 1970, le modèle fordiste et keynésien du capitalisme est contesté (mai 68), mais il est surtout devenu obsolète, car les marchés intérieurs sont saturés, alors que la hausse de la productivité permet plus que jamais de produire en masse et à plus faible coût. Il devient donc impératif, dans la logique capitaliste, de conquérir des marchés extérieurs sur toute la planète, qui devient pour eux un gigantesque marché et l'humanité une réserve de main d'oeuvre. Alors, ces *maîtres du monde* vont ouvrir les frontières aux capitaux, les marchandises et les riches ; mais ils vont dans le même temps les fermer pour le reste de l'humanité, notamment pour mettre en concurrence les législations sociales, les tirant ainsi vers le bas. Car la nouvelle religion économique dit que l'Etat social, c'est l'origine du mal. Ce sera le début d'une guerre économique mondiale qu'on appellera la mondialisation, *globalisation* en anglais.

Or, ce système est intrinsèquement totalitaire, car son objectif affiché est de tout transformer en profit, toutes les sphères de la vie, collective comme personnelle. Je rappelle que le mot *totalitaire* vient du mot *tout*. Les étrangers, et surtout les *sans-papiers que l'on va administrativement fabriquer en masse, seront utilisés comme cobayes des nouveaux modes de production plus ou moins esclavagistes (voir **Cynique**).

Dans les années 2000, face à la contestation de ce modèle, les étrangers, assimilés à l'intégrisme religieux et au terrorisme, seront à nouveau utilisés comme prétexte à la mise en place du versant politique du totalitarisme

---

40 *1984 : la charnière néolibérale*. Intervention à la fête organisée par l'ATMF à Aix en Provence le 7 décembre 2013, pour les 30 ans de la marche pour l'égalité et contre le racisme.
41 George Orwell, *1984*, Gallimard, 1972.

néolibéral : le panoptique[42] qui vise à surveiller tout le monde, tout le temps et partout, grâce aux merveilles technologiques récentes.

***

Alors, pourquoi mentionné-je cela à propos de la marche pour l'égalité ? Parce que depuis le début du XXème siècle, les étrangers occupent une place de plus en plus centrale dans nos sociétés. Après-guerre, le pays est reconstruit notamment grâce à eux ; ce sont eux qui permettent l'ascension sociale d'une bonne partie de la classe ouvrière française. Après la fin officielle de la colonisation, les immigrés et leurs enfants étaient en droit d'obtenir la fameuse *égalité républicaine*, mais elle ne vint pas et c'est pour cela qu'ils manifestaient.

Revenons au départ. En 1981, l'Union de la Gauche va poursuivre une politique fordiste et keynésienne de relance de la consommation en augmentant les salaires. Le problème est que l'on achète surtout des produits étrangers, ce qui met en déficit la balance commerciale et génère de l'inflation. Alors en 1983, faute d'avoir pensé une alternative, ce gouvernement adopte le néo-libéralisme qui structurellement nécessite l'exploitation de travailleurs sans-droits ; il est évident que ce sera moins explosif (le traumatisme de mai 68 reste dans les têtes) s'ils sont immigrés.

La marche pour l'égalité a lieu la même année ; l'égalité ne fait pas partie du programme, je vais y revenir. Alors on lui substitue la lutte contre le racisme qui est moins gênant. Certes, il était le deuxième volet de la marche, mais le vieux racisme colonial devient lui aussi obsolète, au moins en partie[43]. Il servait à justifier que l'on aille piller les ressources des peuples considérés comme inférieurs. Mais après les décolonisations, les puissances occidentales maîtrisent technologie, commercialisation et capitaux, et cela leur suffit pour continuer à exploiter les pays du Sud, sans s'encombrer de la gestion des populations.

On entre dans une période de chômage de masse, car c'est un choix économique pour baisser le coût de la main d'œuvre en automatisant la production et en la délocalisant. On a donc maintenant besoin de justifier le renvoi des étrangers *chez eux*, dans leur pays d'origine. C'est ainsi qu'apparaît l'année suivante, en 1984, la Nouvelle Droite avec notamment le GRECE (groupe de recherche et d'étude sur la civilisation européenne), un think tank qui problématisera un nouveau racisme différentialiste : son axe n'est pas l'inégalité biologique, mais l'incompatibilité culturelle. Nous sommes tous différents, mais la différence ne peut se vivre que chacun chez soi ; on peut quitter provisoirement son pays, pour le tourisme ou pour travailler, mais après

---

42 Le panoptique est un dispositif de prison inventé par Bentham (1748-1832) et conçu pour que les prisonniers puissent tous être vus depuis une tour centrale. Dispositif repris comme symbole de la société du contrôle total par Michel Foucault dans *Surveiller et punir. Naissance de la prison*. Gallimard, 1975.

43 Mais il a laissé son empreinte dans l'administration en charge des migrants, voir **Lave-Linge**.

35

il faut y revenir. Du coup, vous comprenez que la lutte contre le racisme colonial ne gênait plus beaucoup, surtout débarrassée de la revendication de l'égalité, considérée comme l'horreur absolue dès lors qu'elle quittait le fronton pétrifié de nos édifices publics. Cette nouvelle forme de racisme qui ne se présente pas comme un racisme, a l'intelligence de cacher l'inégalité derrière la défense de la *différence*. C'est l'une des manifestations de la *novlangue* dont parle George Orwell dans son livre, un langage qui sert à masquer la réalité pour mieux endoctriner et manipuler.

***

C'est ainsi que l'année 1984 est en quelque sorte l'an Un d'une nouvelle époque. Les marcheurs en rêvaient, mais c'est autre chose qui est arrivé.

A la place de l'égalité on a eu la carte de séjour valable dix ans ; ça n'était pas nul, mais tellement insuffisant, d'autant que la même année verra la réelle application de la fermeture des frontières décrétée 10 ans plus tôt.

- Le 4 décembre 1984, en effet, est publié un décret qui interdit désormais la régularisation sur place des conjoints et des enfants d'étrangers. Cette mesure aura l'effet exactement contraire à celui recherché : les familles viendront quand même rejoindre le travailleur établi en France, mais séjourneront dans une précarité accrue. Cette mesure entrera en 1986 dans les premières lois Pasqua[44] qui, en systématisant l'obligation des visas, achèveront la construction de la machine administrative à fabriquer des *sans papiers, promis à devenir des travailleurs sans droits (voir **Parias**).

- La même année, un autre outil est mis en place : les centres de rétention officiels (voir **Retenue**). Après moult débats internes, la Cimade accepte d'y assumer une fonction sociale confiée par le gouvernement, mais en se donnant aussi à elle-même une mission de défense juridique.

- 1984 offre aussi d'autres images parlantes du néolibéralisme naissant ; elles auraient dû nous alerter, mais nous avons peut-être perdu le réflexe de lire l'avenir en lisant les signes de notre temps qui sont comme des semences (c'est le même mot en grec) qui craquèlent la terre en se développant.

  o En 1984, Jacques Delors devient président de la Commission Européenne. Avec la présidence répétée du FMI, des socialistes français respectabiliseront et banaliseront le néolibéralisme.

  o C'est le démarrage de Canal+, première chaine de télévision payante.

---

44 En 1981, « La Gauche » avait abrogé la loi Bonnet du 10 janvier 1980 qui avait fait de l'entrée et du séjour irréguliers des motifs d'expulsion au même titre que la menace pour l'ordre public. L'étranger refoulé à la frontière pouvait être maintenu dans des locaux (de rétention) ne relevant pas de l'administration pénitentiaire pendant le temps nécessaire à son départ.

36

o Le chômage dépasse les 2,5 millions, ce que Viviane Forrester nommera *L'horreur économique*[45].

o C'est aussi la catastrophe de Bhopal, la plus grande catastrophe industrielle liée à la chimie (20.000 morts, 200.000 handicapés), la production sans précaution de pesticides ; une sorte de mise à nu de l'horreur industrielle, préludant à l'horreur climatique à venir.

***

Quelles formes de lutte peut-on envisager pour faire face à cette évolution ?

La défense juridique

Un ceratin nombre d'associations se sont spécialisées dans la défense juridique des migrants. Beaucoup de situations personnelles et collectives, nombres de droits ont été gagnés. Mais dans le même temps, nous sommes obligés de reconnaître que l'état général s'est énormément dégradé. Ce que l'on appelle le *droit des étrangers* n'est plus vraiment un droit, mais un ensemble de lois qui n'accordent quasiment plus de droits, ou si peu. La bagarre juridique ne suffit donc pas pour vaincre le racisme (voir **Soutiens**).

La lutte politique

Prenons tout simplement l'exemple du droit de vote des étrangers ; c'est une promesse électorale toujours non tenue qui date de plus de 30 ans ; les exemples de déception pullulent, alimentant chez les électeurs une méfiance qui ne cesse de prendre de l'ampleur. Cela veut dire que beaucoup d'entre nous ne croient plus à l'impact des élections, ni au travail de lobbying pour changer la donne, d'autant qu'à ce jeu-là, ce sont les grands groupes commerciaux et financiers qui sont les plus forts. Sans renoncer à l'action politique, ni au droit de vote (quitte à voter blanc), je n'attends pas le changement de ce côté-là.

La mobilisation des sociétés civiles

Je ne sais pas si ça marchera, mais je place plutôt mes espoirs du côté des mobilisations, dans la foulée des Forums Sociaux Mondiaux et des recherches d'alternatives globales, de changement de modes de penser et de vivre, car tout se tient. Ma préoccupation aujourd'hui est la conquête d'une citoyenneté planétaire, parce que l'histoire des frontières est entachée de d'injustices, de souffrance et de sang ; parce que ce qui se joue d'important aujourd'hui concerne toute l'humanité qui habite une seule planète. La notion d'étranger devient obsolète ; le droit des étrangers aussi ; la question n'est sans doute plus de le réformer, mais de le faire disparaître ; il ne doit plus y avoir d'étrangers sur terre, que des êtres humains, égaux en dignité et en droit (voir **Zoom**).

---

45 Viviane Forrester, *L'horreur économique*, Fayard, 1998.

CHARYBDE

[Charybde et Scylla sont deux monstres marins de la mythologie grecque, situés de part et d'autre d'un détroit traditionnellement identifié comme étant celui de Messine. Plus précisément Charybde symbolise le "tout ou rien", la mort pour tous ou la vie pour tous, selon un jeu de probabilité. Et Scylla incarne la mort certaine pour une partie de l'équipage, mais la vie pour les autres. Description qui évoque tout aussi bien le destin tragique des migrants bloqués dans le Pas de Calais, pris entre le refus d'accueil de la Grande Bretagne et le rejet forcené de la France.

En avril 2012, l'objectif de nettoyage de l'arrière-pays des Jeux Olympiques de Londres avait entraîné une brusque escalade de répression. Les Jeux Olympiques sont déjà presque oubliés, mais pas les méthodes de nettoyage. Le 25 septembre 2012 s'est produit un nouveau saccage policier des abris précaires et des maigres biens des Afghans, Erythréens, Somaliens, Soudanais, ou Syriens qui cherchent le chemin de l'Angleterre. Cette fois-ci, cela a commencé auprès des lieux de distribution de repas...]

Le 25 septembre 2012 à 6 heures[46], beaucoup de policiers - °PAF et CRS[47] - sont arrivés sur le lieu de distribution de repas et ont renvoyé tout le monde dehors sous la pluie. Beaucoup de personnes ont été arrêtées, environ 50 personnes, et tous n'ont pas été autorisés à emporter leurs couvertures ou sacs de couchage (distribués il y a deux jours par Médecins du Monde), mais ils ont réussi à prendre quelques sacs personnels.

Les gens ont été libérés dans la journée - mais pas tous, certains sont encore au centre de rétention.

Après la distribution de repas par Salam à 18h, des couvertures ont encore été distribuées. Beaucoup de gens des associations se sont réunis à l'endroit de la distribution et il a été décidé de faire un barrage routier pour protester contre l'expulsion de ce matin.

C'était très beau à voir, peut-être 100 personnes assises ou debout sur la route vers le port ont bloqué la circulation. Avec des bâches en plastique les gens ont fait des tentes de fortune sur la route. Sur des feuilles de carton ont été écrits des slogans comme "Où sont nos droits de l'homme ?" et "nous ne sommes pas des criminels !".

---

46 Source du récit : calaismigrantsolidarity.wordpress.com
47 Compagnie Républicaine de Sécurité.

Chanter, chanter et danser a rendu l'atmosphère un peu comme une fête surréaliste. Il y avait de nombreux policiers - police nationale, °PAF, BAC[48] - qui restèrent pendant quelques heures à régler la circulation. Une énorme tempête est tombée sur les manifestants avec le tonnerre et de la pluie et des éclairs terribles - les personnes sont restées là sous la pluie jusqu'à la nuit, avant de se disperser pour trouver des endroits où dormir.

Le 26 septembre à 6h30, la police est venue à nouveau en grand nombre. °PAF et CRS. Ils ont évacué la zone située autour de la distribution alimentaire et ont arrêté tout le monde. Ils n'étaient pas très violents, mais vraiment désagréables. Ils ont réveillé les gens en coupant les tentes au dessus de la tête des gens qui dormaient à l'intérieur. Il faisait très froid et les CRS semblaient trouver amusant que tant de gens tremblent et s'enveloppent dans des couvertures.

L'interprète qu'ils ont amenée ne parlait ni pachtou ni dari - seulement l'arabe. 95% des personnes arrêtées étaient des Afghans. Elle marchait autour en criant en arabe que tout le monde devait aller au poste de police pour montrer ses papiers et qu'ils pouvaient prendre des sacs. Elle n'a pas été comprise.

Au poste de police, les gens ont été répartis en groupes linguistiques, soit le pachtou / dari / persan / arabe / ourdou, et placés dans des cellules.

Nous ne savons pas à l'heure actuelle combien de personnes sont laissées à l'intérieur - mais il semble que la plupart sont libérées. La dernière personne à partir de "la maison Afghanistan" est sortie aujourd'hui, mais nous ne savons pas encore ce qui relève des cellules de police.

Avec la pluie constante, et maintenant ce qui semble être une tendance à encore plus d'évacuations, les journées sont très longues et pénibles.

***

[*Le 13 novembre 2012, répondant à la saisine en juin 2011 d'une vingtaine d'associations, le Défenseur des Droits a publié une décision[49] faisant un constat accablant du harcèlement policier dont ces personnes sont l'objet : visites répétées des lieux de vie à toute heure du jour et de la nuit, provocations, comportements humiliants, destruction de dons humanitaires et d'effets personnels, expulsions des migrants hors de leurs abris en dehors de tout cadre juridique, etc. Des recommandations précises sont adressées à la maire de Calais, au préfet du Pas de Calais et au ministre de l'Intérieur, accordant à ce dernier trois mois pour faire connaître les suites données à ces recommandations.*

Parvenue après quatre mois de réflexion, la réponse du ministère de l'Intérieur est un déni de la réalité[50] : "Les faits évoqués dans votre décision reposent essentiellement sur des déclarations de responsables d'associations rapportant des propos non vérifiables et concernant

---

48 Brigade Anti-Criminalité.
49 www.gisti.org/IMG/pdf/ddd_decision_2011-113_calaisis.pdf.
50 www.gisti.org/spip.php?article3064.

des faits anciens qu'aucun élément objectif ne peut soutenir aujourd'hui. Seule une minorité des organisations associées à la saisine sont d'ailleurs effectivement présentes et actives auprès des migrants dans le Calaisis".

Le ministère de l'Intérieur serait même particulièrement attaché "au respect de la loi par les agents placés sous son autorité", "à l'exécution des décisions de justice" et spécialement attentif "à la qualité des relations entre les forces de l'ordre et la population" ; et d'ailleurs, désormais, "les services de police invitent les associations à se joindre aux opérations d'expulsion pour assister les migrants".

Ainsi, non seulement l'enquête menée par les services du Défenseur des droits serait insignifiante, voire fautive, mais la vingtaine d'organisations à l'origine de la saisine du Défenseur des droits en juin 2011 seraient coupables de dénonciations mensongères ?]

CHAUD

La police de Marseille a été pionnière dans l'enfermement des étrangers en cours d'expulsion par bateau vers l'Afrique du Nord. Un hangar de la gare maritime d'Arenc servait de prison clandestine. Dans les années 1980 ont été organisés des °CRA (voir **Retenue**), des lieux hyper-sécurisés où la °PAF enferme les étrangers indésirables. Les violences y sont constantes et les tentatives d'autodestruction monnaie courante. En guise de refus ultime d'être renvoyé dans un pays qu'on a fui, loin de la vie qu'on a construite si difficilement ici, on se taillade, on s'empoisonne. Les révoltes et les incendies volontaires ne sont pas rares.

Le °CRA du Canet à Marseille est l'un des plus agités, où les méthodes de maintien de l'ordre semblent particulièrement inventives. En mars 2011, un important incendie avait contraint à l'évacuation vers le °CRA de Nîmes des 45 occupants retenus. Par la suite, quelques uns d'entre eux avaient été libérés par le °JLD : dans l'urgence, difficile pour les convoyeurs de respecter l'ensemble de la procédure juridique !...

***

Début septembre 2012, un communiqué[51] de l'organisation Non Fides relate les faits suivants. "Suite à l'incendie du samedi 1er septembre au centre de rétention du Canet, un retenu est embarqué en garde à vue. Il est jugé en comparution immédiate, le mardi 4 septembre dans l'après-midi. Il prend huit mois ferme et 1600 euros d'amende. Lors du verdict, le juge précise que le détenu effectuera la totalité de sa peine avant de se faire expulser. Un autre retenu avait été mis à l'isolement dans le centre au moment des faits. Il est libéré le lendemain. Il porte des traces de coups sur tout le corps, sauf le visage.

L'enquête et la procédure auront été menés rapidement. 48 heures seulement après les faits, le détenu se retrouve derrière les barreaux de la prison des Baumettes, sans qu'aucune information n'ait circulé à l'extérieur. Une avocate, qui tentait de se renseigner sur cet incendie, s'est vu répondre que cela n'avait jamais eu lieu. Quand elle a tenté de s'informer auprès du tribunal sur la personne déférée par rapport à cet incendie, on lui a certifié qu'il n'y avait aucun dossier sur une affaire d'incendie au centre de rétention".

En novembre 2013, le tribunal correctionnel de Marseille a jugé deux Tunisiens de 25 et 27 ans poursuivis comme responsables de l'incendie, sur la base d'un faisceau de témoignages à charge. Il ont été condamnés chacun à un an de prison ferme. Le procès aura été l'occasion pour le ministère public

---

51 www.non-fides.fr/?+communiques-sur-les-suites-de-l+

comme pour la défense de regretter une politique de criminalisation des étrangers en situation irrégulière, leur enfermement, dans des conditions matérielles souvent difficiles, dans des usines à éloigner, produisant inévitablement des drames humains.

***

Le 31 juillet 2012, toujours au °CRA du Canet, Fatima, une Marocaine de 39 ans qui avait fait sa vie en France, après avoir résisté à deux tentatives d'expulsion le 10 et le 12 juillet 2012, a fini par avaler des médicaments pour éviter la tentative suivante, où elle savait qu'on ne lui laisserait pas le choix. Car la °PAF a des méthodes de contrainte éprouvées.

Le consulat du Maroc avait demandé au préfet du Vaucluse le réexamen de sa situation. Elle fut placée en cellule d'isolement le 30 juillet à 15h, pour une expulsion le lendemain. A 19 heures, Fatima appelle sa famille depuis son téléphone portable pour se plaindre de violentes douleurs au ventre et de violences policières. Selon ses proches et son avocat, elle avait désespérément essayé d'alerter sur son état de santé qui se dégradait suite à l'absorption de médicaments. Laissée à l'abandon et sans soins, elle aurait tenté de se faire entendre en donnant des coups contre les murs. Elle sera finalement dirigée sur un hôpital où, pour lui sauver la vie, on a dû réaliser sur elle une greffe de foie ! Elle est vivante, elle est toujours en France près de sa famille, mais avec un foie greffé et les suites que l'on peut imaginer.

CHAUSSURE

Les histoires d'amour finissent mal en général....

C'est l'histoire d'une histoire d'amour, celle de monsieur Vakoyan pour la chaussure. Architecte de profession, vers l'âge de 30 ans il décide de réaliser son rêve d'enfant : dessiner et fabriquer des chaussures de luxe. Il y parvient en lançant sa marque "Je suis un beau garçon" qui dans les années 1990 a pignon sur rue dans la capitale géorgienne. En 2004, il est contraint de quitter précipitamment son pays avec son épouse Nino et leur fille unique Natia alors âgée de 11 ans.

La famille a tout perdu et tout abandonné pour rejoindre la France mais l'amour de la chaussure est resté intact. Samedi 2 février 2013, monsieur Vakoyan décide d'aller flâner dans les boutiques de chaussures parisiennes. Comme tout créateur, il aime découvrir le talent de ses confrères et tester leurs produits. Dans une boutique, il essaie une paire de chaussures et la laisse trop longtemps à ses pieds, ce qui suscite les interrogations d'un vigile qui suspecte Monsieur de vol …

Conduit au commissariat, le préfet de police voit en ce quinquagénaire un Arsène Lupin et invoque le trouble à l'ordre public pour justifier et rendre plus "acceptable" sa décision d'expulsion..... mais monsieur Vakoyan n'est rien de tout ça... Certes, il aime les chaussures mais n'a jamais commis le moindre délit, même pas celui pour lequel la police l'a placé en garde à vue et, qui plus est, n'a pas donné lieu à des poursuites. Bénévole dans une association caritative depuis 2006, il est apprécié et considéré comme une personne très intègre.

Monsieur Vakoyan est enfermé au centre de rétention de Vincennes le 3 février pour être expulsé vers un pays qu'il a quitté depuis plusieurs années. Cette décision inique d'expulser ce père de famille sans histoire aura des conséquences graves pour sa famille : sa compagne reconnue handicapée par la MDPH (Maison départementale des personnes handicapées) et sa fille Natia scolarisée en classe de terminale et titulaire d'un titre de séjour "vie privée et familiale" qu'elle a obtenu de plein droit à ses 18 ans de ce même préfet il y a un an. Natia est scolarisée depuis huit ans en France et doit passer son bac dans quelques mois. Toujours à la charge de ses parents, elle rêve de devenir assistante sociale pour aider les personnes en difficulté. Assistante sociale, c'est un noble et beau métier.

Cette orientation n'est pas anodine. Le père de Natia, en dépit de ses propres difficultés, liées exclusivement à sa situation administrative en France, a inculqué à sa fille de belles valeurs dont l'entraide. La France va-t-elle, pour satisfaire sa politique du chiffre, briser ce rêve en expulsant son père ? La circulaire sur l'admission au séjour du 28 novembre 2012 (voir **Personne**) vise selon le ministre de l'Intérieur a définir des critères de régularisation "objectifs" et "clairs" pour mettre un terme à l'arbitraire des préfectures. Monsieur Vakoyan remplit pourtant les critères définis dans cette circulaire. Chercher l'erreur !

[*Les premiers recours devant la justice, ceux qui sont possibles durant la première semaine de rétention, sont des échecs. Monsieur Vakoyan reste enfermé mais la mobilisation se développe et les soutiens ne le lâchent pas. Après 25 jours de rétention, arrive la deuxième occasion de passage devant le °JLD. Pour obtenir sa libération, l'avocat doit convaincre le °JLD que la préfecture a commis des erreurs de procédure durant la rétention - en jargon juridique, qu'il n'a pas effectué toutes les diligences qui lui incombaient. Il est encore plus difficile pour l'avocat d'obtenir la libération à l'issue de la première période de 20 jours qu'au début de la rétention.*

Après presque **deux heures de débat** *sur le manque de diligences de la préfecture, le °JLD a finalement ordonné la libération du trop passionné amateur de belles chaussures.*

Mais dans quel monde vivons-nous ?]

COLLECTIF

Collectif des Travailleurs Sans Papiers d'Indre-et-Loire (voir **Ici**)
Actions, résultats, blocages et perspectives, juillet 2011-février 2013

Suite à une avalanche d'°OQTF (voir **Casse-toi**) à partir de février-mars 2011, un groupe de travailleurs étrangers, jusque là en situation régulière, décide de créer un Collectif pour mener une lutte commune pour la régularisation.

La grande majorité d'entre eux et elles sont des demandeurs d'asile déboutés, qui ont obtenu des titres de séjour, souvent plusieurs années de suite, au titre des soins médicaux. Les cartes de séjour correspondantes leur donnaient l'autorisation de travailler, ce qui leur a permis de s'insérer dans la vie économique et sociale de l'agglomération tourangelle. Ils payaient leur loyer, ils déclaraient leurs revenus, ils travaillaient légalement et s'acquittaient de toutes les obligations "normales", pour une vie "normale".

Certains d'entre eux, lors de l'instruction de leur demande d'asile, ou parce qu'ils étaient père ou mère de famille, avaient été en contact avec des associations locales de défense des droits des étrangers (Association Chrétiens-Migrants, °LDH, °RESF37…) et c'est donc tout naturellement que leur volonté de créer un Collectif pour leur régularisation a été soutenue par ces organisations, auxquelles se sont joints par la suite des syndicats (FSU[52], Solidaires, CGT[53]) ainsi que ATTAC[54] Touraine, °La Cimade, EELV[55]… et, non sans ambiguïté, le Parti Socialiste départemental.

Le 12 juillet 2011 marque donc la création, et du Collectif TSP 37, et de son Comité de soutien. Mais c'est la rentrée 2011 qui est le véritable coup d'envoi de l'action du Collectif, selon deux axes complémentaires :

1/ vaincre la peur, se rendre visible, affirmer la légitimité de la revendication de régularisation ;

2/ présenter à la préfecture, de façon groupée, des dossiers de demande de titre de séjour pour pouvoir de nouveau travailler.

Première phase (juillet 2011 à février 2012) : C'est pas une vie !

C'est ainsi que les premières manifestations publiques du CTSP 37 jalonnent l'hiver 2011-2012 – période qui est, par ailleurs, une des pires que la

---

52 Fédération Syndicale Unitaire.
53 Confédération Générale du Travail.
54 Association pour la taxation des transactions financières et pour l'action citoyenne.
55 Europe Écologie les Verts, parti politique.

Touraine ait connu en matière de chasse aux étrangers. Comme d'autres, plusieurs membres du Collectif se sont retrouvés en rétention entre fin octobre 2011 et fin février 2012, mais les mobilisations ont eu raison de ces tentatives d'expulsion.

Quelques dates remarquables :

- 2 novembre 2011, conférence de presse dans les locaux de Solidaires37, avec présentation du Collectif et de ses objectifs ;

- 4 novembre 2011, première manifestation publique et premier dépôt collectif de dossiers en préfecture. Des représentants du Collectif et du Comité de soutien sont reçus en audience à cette occasion par le chef de cabinet adjoint du préfet. Le texte "C'est pas une vie !" est diffusé (voir **Ici**), à quoi la préfecture répondra indirectement en multipliant les contre-vérités, elles mêmes contrées par communiqués de presse. Cette guerre des communiqués est assez bien relayée par la presse locale.

- 17 novembre 2011, deuxième manifestation et deuxième dépôt collectif de dossiers.

- 17 décembre 2011, participation très remarquée du CTSP 37 aux animations en centre ville de Tours organisées par *d'ailleurs nous sommes d'ici*[56] dans le cadre de la journée internationale des Migrants. A cette occasion, lancement de la pétition "Pourquoi Nous Demandons Notre Régularisation", qui recueillera 2100 signatures en six mois.

- 7 janvier 2012, journée d'information °RESF et de débats dans les locaux de Solidaires37, avec des intervenants parisiens, dont des camarades du °RESF, venus expliquer les grèves de 2009-2010.

- 14 Janvier 2012, manifestation commune CTSP 37 et résidents du °CADA (Centre d'Accueil pour demandeurs d'Asile) de Joué, autour des deux slogans "On lâche rien de nos droits" et "On n'est pas des criminels !".

- 18 février 2012, en pleine chasse aux étrangers à Tours, nouvelle manifestation CTSP 37, avec des résidents du °CADA de Joué.

- 3 mars 2012, manifestation pour la journée anticoloniale organisée par *d'ailleurs nous sommes d'ici*. La banderolle de la manifestation est déployée par des membres du CTSP 37.

La multiplication de ces manifestations doit se comprendre dans le contexte d'une intransigeance totale de la préfecture, puisque, le 26 décembre 2011, les 25 membres du CTSP 37 qui avaient déposé un dossier ont tous obtenu la même réponse : refus de séjour, et nouvelle °OQTF.

---

56 *d'ailleurs nous sommes d'ici* a regroupé en 2011-2012 un très grand nombre de mouvements, associations, syndicats et partis politiques se déclarant "contre le racisme, contre la politique d'immigration du gouvernement et pour la régularisation de sans-papiers". Aucune activité n'est annoncée sur leur site internet après le 12 mars 2012.

Deuxième phase (mars à septembre 2012) : L'espoir, malgré tout

Au printemps 2012, c'est la campagne électorale, pour l'élection présidentielle, puis pour l'élection législative. Quoiqu'elle soit assez formelle, l'appartenance du PS37 au Comité de soutien au Collectif a été vue comme un espoir d'être efficacement soutenus dans la revendication de régularisation – d'autant que, au plan national, des rumeurs circulent sur ce que pourrait faire un gouvernement socialiste dans ce domaine après les élections.

Les réunions électorales de la gauche et de l'extrême-gauche, ainsi que la fête du 1er mai, sont l'occasion de populariser la lutte du Collectif qui, à plusieurs reprises, est invité à intervenir dans les meetings, notamment ceux du Front de Gauche, d'EELV, du NPA[57]. On fait signer en masse la pétition. Le 9 mai, à l'issue d'un rassemblement sur la Place de la préfecture, les 2 000 signatures recueillies sont remises au représentant du préfet. La caisse de solidarité est créée, destinée à recevoir les dons qui serviront au Collectif pour l'aider à organiser son action et la survie de ses membres.

Mais déjà, le PS37 prend ses distances en n'autorisant aucune prise de parole de représentants du Collectif à ses meetings, voire en essayant de s'opposer aux signatures à la pétition. Néanmoins, ces signes inquiétants s'effacent pour un temps à l'annonce de la victoire de Hollande à la présidentielle, et celle des socialistes aux législatives.

Suite à des régularisations qui sont intervenues à la fin du printemps, la question se pose du financement des taxes exorbitantes réclamées par l'État pour entrer en possession de son titre de séjour (voir **Djizîa**). Le CTSP 37 décide alors de créer une Association Loi de 1901, l'Association Solidarité Travailleurs Sans Papiers d'Indre-et-Loire, qui est censée fonctionner comme une tontine[58]. Le 14 juillet 2012, sa création est annoncée au Journal Officiel.

Sans doute le CTSP 37 n'est-il pas le seul Collectif, ni la seule organisation, à avoir mis des espoirs, qui ne pouvaient objectivement qu'être excessifs, dans les décisions gouvernementales et ministérielles en matière de régularisation.

Néanmoins, passé l'été, les yeux s'ouvrent. Le 1er septembre, Tours est une des trop rares villes à avoir organisé, CTSP 37 en tête, une manifestation "Pour la régularisation des sans papiers". Dès le 28 août, le CTSP 37 avait publié une Lettre ouverte à la nouvelle majorité et au gouvernement du "changement", dans laquelle on pouvait lire : "Aujourd'hui, le président de la République est socialiste ; le premier ministre est socialiste ; le ministre de l'Intérieur est socialiste ; les élus socialistes sont en majorité au Sénat et à l'Assemblée nationale... ET POUR NOUS RIEN N'A CHANGÉ ! C'est même pire". Suivait la description de l'aggravation de la situation pour les *sans papiers.

---

57 Nouveau parti Anticapitaliste.
58 Tontine : association d'épargnants.

Troisième phase (octobre 2012 à mars 2013) : La circulaire, et après ?

Suite aux contacts pris par des membres du CTSP 37 lors de la fête de l'Humanité, et en continuité avec la journée de formation militante du 7 janvier 2012, une nouvelle réunion de travail, suivie d'une réunion publique, est organisée le 20 octobre 2012 à Saint-Pierre-des-Corps, autour des discussions au sein du *Groupe des 12*[59] et des premières discussions au ministère de l'Intérieur à propos d'une prochaine circulaire de régularisation. Des camarades de Paris étaient venus représenter Solidaires, °RESF, la CGT, la FSU.

Force est de constater que les initiatives nationales envisagées pour la régularisation des *sans papiers n'ont pas produit d'effets bien probants. Sans doute l'échec de la grève de la faim de Lille (voir **Thé**) a-t-elle eu des conséquences négatives sur la détermination des uns et des autres.

Puis vint la fameuse Circulaire Valls du 28 novembre 2012 (voir **Personne**). Le CTSP 37 et son Comité de soutien se mettent alors au travail. L'analyse qu'ils font de la circulaire dont ils dénoncent les chausse-trappes et les faux-semblants, notamment pour les travailleurs, est résumée dans une déclaration commune de neuf organisations qui sera lue lors de la première réunion proposée par le secrétaire général de la préfecture, chargé de la mise en œuvre de la circulaire dans le département. Cette apparence de concertation contraste avec le refus systématique de recevoir le Collectif et le Comité de soutien, y compris le mois précédant la circulaire. Deux réunions pleinières ont ainsi été tenues, le 19 décembre 2012 et le 23 janvier 2013.

Si nous faisons le compte du devenir des membres du Collectif depuis sa création, nous obtenons la comptabilité suivante ;

- sur les 27 membres que le Collectif a compté au total, **quatre** ont eu de nouveau des titres de séjour pour soins avec autorisation de travail – il s'agit par définition, de titres de séjour précaires, dont certains venaient à échéance en mars ou avril 2013 ; **quatre** autres ont été régularisés entre juin et septembre 2012 au vu de leur situation familiale ; **un** a cessé de venir aux réunions ;

- au début des opérations de "régularisation Valls", restent donc **dix-huit personnes**, pour lesquelles s'est posée la question : circulaire Valls, est-ce que ça passe ? **trois** ont fait une demande de régularisation au titre de la vie familiale, et vont entrer en possession de leur carte de séjour, après paiement des ignobles taxes[60]. **Un** a fait une demande à titre exceptionnel

---

59 Le groupe des 12 a rassemblé fin 2012 des associations, mouvements et syndicats qui dénonçait la continuité de la politique d'immigration malgré le changement de majorité politique. Il était issu de collectif qui avait soutenu la grève des travailleurs sans papiers de 2009-2011.

60 Ces taxes de régularisation, dont le montant a été très fortement augmenté à partir de 2010, sont de nouveau dues après une période transitoire de perte de droit au séjour.

et plus de 10 ans de séjour (pas de réponse à ce jour) ; **un** autre est de nouveau en cours de procédure à l'Office Français de Protection des Réfugiés et Apatrides (°OFPRA) - pas de décision pour le moment ; **huit** ont déposé un dossier de demande de régularisation par le travail dans le cadre des "cas particuliers", c'est-à-dire avec au moins sept ans de séjour, et au moins 12 feuilles de paie dans les trois dernières années

- **parmi les huit** qui sont éligibles à une posssible régularisation, **deux** sont assurés de la délivrance d'un titre de séjour "salarié", et **cinq** viennent d'obtenir un récépissé de quatre mois avec autorisation de travail... à charge pour eux de présenter à l'issue des quatre mois des feuilles de paie et surtout un contrat de travail dont la durée ne devra pas être inférieure à six mois (voir **Parias**). Dans la conjoncture actuelle, c'est presque mission impossible. **Un** des huit a eu un refus alors qu'il a dix ans de séjour, mais un autre, qui n'est là que depuis quatre ans et qui n'a pas fourni de feuilles de paie, s'est vu délivrer un récépissé de quatre mois. S'il en était besoin, nous pourrions considérer ces résultats comme une défense et illustration de l'arbitraire préfectoral (voir **Discrétion**), qui oscille, selon les cas, entre mansuétude et intransigeance. Le pouvoir ne se doit-il pas de préserver une part de mystère dans ses décisions ?

- Il en est encore **trois** qui n'ont pas encore déposé de demande de titre "salarié". Les critères de la circulaire sont tellement draconiens et limités qu'ils et elle voient se profiler le refus, et de nouvelles °OQTF. Aujourd'hui comme hier les promesses d'embauche et les fameux *°cerfa*[61] sont des horizons inatteignables, tant il est vrai qu'on conçoit mal pourquoi un patron qui trouve si bien son compte à employer des *sans papiers, ferait du zèle pour faciliter leur régularisation ;

- en dehors du Collectif TSP 37, d'autres travailleurs sans papiers se font connaître, car chez eux aussi, la circulaire suscite des espoirs…

Contrairement à ce qui se passe pour la régularisation des familles, où les choses vont assez vite, même si ce n'est pas toujours dans un sens positif, la procédure de régularisation des travailleurs est une course d'obstacles à l'issue plus qu'incertaine. Leur situation matérielle est désastreuse. Bientôt, les procédures d'expulsion locatives, que nous avions réussi à bloquer depuis un an, vont se multiplier. Déjà deux en mars 2013…

Les prochaines mobilisations seront essentiellement défensives.

---

61 L'acronyme *°cerfa* désigne les formulaires officiels de l'administration. Dans le contexte de cet ouvrage, il s'agit d'une demande d'autorisation de travail pour un salarié étranger, et d'un engagement de l'employeur à payer une taxe (voir **Djîzia**).

CONTINUITÉ (voir **Césure**)
CÉSURE (voir **Continuité**)

Divers doublets de la langue entrouvrent le monde inhabituel de nos catégories mentales et de nos représentations.

Le *xenos* grec est la fois l'étranger et l'hôte. Hôte désigne celui qui accueille et celui qui est reçu, cependant que dans le même temps, la coutume, les codes et les lois peinent à définir celui qui est dehors et celui qui est dedans, et peinent à définir ce qu'est la nationalité.

La psychanalyse, avec l'inquiétante étrangeté[62] (voir **Dedans-Dehors**) et le mot d'esprit[63], puis la philosophie analytique, avec Nelson Goodman[64], n'ont cessé d'interroger la continuité et la césure.

Entre l'ouverture et l'hostilité se glisse un enjeu d'importance : les définitions et les catégories dont elles tracent les contours relèvent-elles d'une essence, de la nature, ou d'une construction sociale ? Des enjeux prétendument éthiques ont été successivement brandis de façon parfois paradoxale par un même camp : celui qui prétend dénoncer la haine de la différence quand il refuse le mariage pour tous fait aussi appel à la peur de l'autre lorsqu'il s'agit des étrangers. Ceux qui dénoncent la lutte des classes célèbrent la concurrence qui est la lutte de tous contre tous, et défendent le droit de propriété qu'ils opposent au partage des richesses et à la solidarité.

Lorsque Henri Alleg écrit *la Question*[65] pendant la guerre d'Algérie, il découvre à ses lecteurs que les donneurs d'ordre et les tortionnaires sont eux-

---

62 Sigmund Freud, *L'inquiétante étrangeté et autres essais*, Gallimard, 1985.

63 Monique Schneider, La dérision du propre, dans l'Emprise, *Nouvelle revue de psychanalyse n°24*, Gallimard, décembre 1981.

64 Nelson Goodman publiait, en 1953, un texte intitulé "la nouvelle énigme de l'induction" (*Faits, fictions et prédictions*, Minuit 1984) dans lequel il avait recours au terme *vleu* (*grue*), bleu-vert, pour définir la couleur d'une émeraude à une date donnée (ce qui permet l'inférence notamment en statistique). L'énigme de Goodman a été réinterrogée par Ian Hacking, philosophe des sciences de l'Université de Toronto, auteur de "*Entre sciences et réalité, La construction sociale de quoi ?*", éditions La Découverte, 2001. En 1993, Ian Hacking avait fait paraître *Le plus pur nominalisme, l'énigme de Goodman : "vleu" et usages du "vleu"*, éditions de l'éclat, Goodman se situant en effet dans la tradition nominaliste d'Occam, Hobbes, Locke, Hume, Mill et peut-être Russell. A partir de ces réflexions, Ian Hacking conclut : "*Chaque fois que nous arrivons à une conclusion générale à partir de données concernant la manière dont cette conclusion se manifeste, nous pourrions, en nous servant des mêmes règles d'inférence, mais avec des préférences différentes dans la classification, atteindre une conclusion opposée*". p.175 *La construction sociale de quoi*, op. cit.

65 Henri Alleg, *La question*, Éditions de Minuit, 1961.

mêmes détruits par leurs propres exactions. De la même façon, c'est sur la société tout entière que rejaillissent l'inhospitalité et l'instrumentalisation d'autrui. Pensant se prémunir contre les hordes affamées et en prenant prétexte du terrorisme, ceux qui redoutent tant *la misère du monde* laissent se déployer tout un arsenal de textes et de lois liberticides qui transforment les états de droit en états assiégés[66]. En appelant aux réflexes de la *France moisie*[67], une inflation législative s'amorce. Elle est accompagnée d'une augmentation constante de catégories de personnes aux droits inégaux. Sont votés et institués des textes et des pratiques aux relents de la politique menée sous le régime de Vichy (rafles, délits de solidarité, stigmatisation et persécution des Rroms ramenés à un groupe homogène ce qu'il n'est pas, etc).

L'appareil législatif et réglementaire qui régit actuellement l'entrée et le séjour des étrangers est le n-ième avatar de l'édifice fondé en 1945 (voir **Avatar**) mais dont les origines remontent aux années 1930. Il a évolué par à-coups selon les perceptions des gouvernements qui se sont succédé depuis (voir **Lavelinge**). La période 2002-2012 a été particulièrement productive, avec une demi-douzaine de modifications de la loi - toujours dans le sens d'un durcissement, et des dizaines de décrets, arrêtés et circulaires concernant le droit au séjour ou la réglementation du travail des étrangers.

Une multiplicité de titres de séjour a résulté de ces réformes, donnant des droits différents à ceux qui les détiennent. En Europe, espace où l'on est censé circuler librement, si l'on combine les règles de circulation de Schengen avec celles qui fixent le droit à la libre circulation des personnes en droit communautaire, on peut recenser au moins huit statuts distincts, sans compter les Rroms et les *sans papiers[68]. On enregistre pas moins de 12 circulaires sur les étrangers de mai 2012 à mars 2013. On avance (ou recule) par petits bouts afin d'éviter la refonte du °CESEDA et un débat où chacun démasquerait sa pleutrerie devant la haine de l'autre.

Il y a de nombreuses raisons d'être pessimiste. Il est peu vraisemblable que ceux qui reçoivent les discours du journal télévisé ou qui entendent la radio aux heures de grande écoute soient informés de la difficulté à obtenir un titre de séjour, et *a fortiori* un titre permettant de travailler. Il est encore moins vraisemblable qu'ils connaissent la précarité, les faibles durées, la complexité qui régit les titres de séjour.

Les articles 313 et 314 du Code de l'entrée et du séjour des étrangers et du droit d'asile qui définissent les conditions d'obtention des cartes de séjour

---

66 Danièle Lochak, *Face aux migrants : État de droit ou état de siège ?*, Textuel, 2007.

67 Philippe Sollers, La France Moisie, article publié dans le Monde, , au printemps 1999, repris dans l'Infini 65 en 2001.

68 *Réseau Universitaire européen, ELSJ/ CNRS*. Henry Labayle : Portrait de l'immigration dans l'UE: des chiffres et des faits, juin 2011.

temporaires ne détaillent pas moins de 16 catégories de titres vie privée et familiales et 6 autres titres différents (visiteur, étudiant, stagiaire, scientifique, profession artistique et intellectuelle, autorisant à exercer une activité professionnelle). A cela il faut ajouter les demandeurs d'asile, les réfugiés, les retraités, etc. Donc au total une vingtaine de titres. Les titres temporaires donnent lieu à un droit au séjour allant de un mois à un an. Un titre autorisant à travailler peut être remplacé par un autre ne permettant pas d'exercer d'activité. Ceci varie selon les préfectures et selon le pouvoir d'appréciation du préfet (voir **Discrétion**), que la nouvelle majorité n'a pas remis en cause. On comprend vite dans ces conditions que la *clandestinité puisse surgir sans qu'on s'y attende et pour des raisons d'une totale opacité.

Beaucoup d'enfants nés en France qui, pour une raison ou une autre, sont repartis dans le pays de leurs parents pour une durée un peu trop longue, découvrent à leur retour qu'ils ne peuvent résider de nouveau en France. C'est le cas de jeunes filles mariées "au bled" souvent contre leur gré et qui, parvenues à revenir, sont refoulées. Combien de personnes dont les parents et grands parents se sont battus dans l'armée française pendant les différentes guerres sont considérées comme des intruses et expulsables ? Combien de jeunes enfin qui croyaient relever du droit du sol et ignoraient qu'ils devaient déclarer leur volonté d'être français ont connu le traumatisme engendré par les lois Pasqua qui les a destitués de la nationalité française à leur insu ? Tous ces statuts divers engendrent un immense sentiment d'insécurité qui peut se transmettre aux générations suivantes et laissent des traces profondes d'angoisse ou de ressentiment. Comment tisser un lien social et faire fonctionner le vivre ensemble face à un tel rejet ? (voir **Émeraude**)

Lorsque Freud fut forcé de quitter Vienne, à la fin de sa vie il signa sous la contrainte une déclaration par laquelle il reconnaissait que les fonctionnaires du parti nazi l'avaient correctement traité. Selon la légende il aurait ajouté "*Je puis cordialement recommander la Gestapo à tous*"[69].. Recommanderait-il la France aujourd'hui s'il avait été rrom ?

---

69 Élisabeth Roudinesco, article sur le mot d'esprit, *Dictionnaire de la psychanalyse*, Fayard 1997.

COURANTS

L'État s'octroie depuis toujours le droit de rudoyer les étrangers qu'il juge indésirables, en alléguant un possible trouble à l'ordre public. Mais un contre-courant, tourné vers l'avenir et vers l'universel, est aussi à l'œuvre. L'étranger se retrouve ainsi gibier de police pour les uns, sujet de droit pour les autres.

Le Conseil Constitutionnel fait en 2011 le constat suivant. "Aucune règle de valeur constitutionnelle n'assure aux étrangers des droits de caractère général et absolu d'accès et de séjour sur le territoire national. Les conditions de leur entrée et de leur séjour peuvent être restreintes par des mesures de police administrative conférant à l'autorité publique des pouvoirs étendus reposant sur des règles spécifiques. L'objectif de lutte contre l'immigration irrégulière participe de la sauvegarde de l'ordre public qui est une exigence de valeur constitutionnelle". Le Code du travail constate la même absence de protection constitutionnelle (voir **Parias**). Dans la Constitution de la Vème République, l'étranger vivant en France n'apparaît nulle part, sauf en matière de droit d'asile : "les autorités de la République ont toujours le droit de donner asile à tout étranger persécuté en raison de son action en faveur de la liberté ou qui sollicite la protection de la France pour un autre motif" (Art. 53-1).

N'ayant pas d'existence positive, l'étranger devient fatalement un gêneur susceptible de troubler l'ordre public, surtout s'il n'a pas réussi à obtenir un titre de séjour, et plus encore si on lui en a refusé le renouvellement (voir **Ici**). Situation aggravée depuis les années 70 du siècle passé, quand l'administration décida qu'il n'était plus nécessaire d'importer de travailleurs pour l'industrie française (voir **Charnière**). Dès lors, la place de l'étranger ne peut être définie que par ses limitations, depuis le droit à l'entrée, au séjour, au travail, à la vie de famille, jusqu'à l'expulsion et l'interdiction de retour. L'application de ces restrictions relève du domaine des préfets et de la police. Lesquels trouvaient commode d'enfermer dans des prisons clandestines les étrangers en voie d'expulsion (l'entrepôt d'Arenc, sur le port de Marseille). En octobre 1981 sont institutionnalisés les Centres de Rétention Administrative, toujours contrôlés par la police et avec le même objectif de préparation de l'expulsion, mais en y introduisant une association d'aide juridique aux retenus - à l'époque, ce fut °La Cimade.

Trente ans plus tard, ce dispositif est toujours en place aux quatre coins du pays, impliquant plusieurs associations sélectionnées par appel d'offres (voir **Retenue**). Il voit passer des dizaines de milliers d'expulsions chaque année, depuis la métropole comme depuis les départements ultramarins (à Mayotte, à La Réunion, en Guyane, aux Antilles). Pas toutes, cependant, car la police a développé des techniques plus expéditives, faisant l'économie du passage par le °CRA et sa batterie de recours possibles devant les tribunaux. Au moins jusqu'en 2013[70], le gros des "bénéficiaires" de ces procédures est constitué de Bulgares et de Roumains, citoyens rroms de l'Union Européenne; ils ont représenté, bon an mal an, le tiers des expulsions de métropole. Le cas extrême des Rroms (voir **Délocalisations**) symbolise le premier principe qui régit l'action du pouvoir envers les étrangers en situation irrégulière : les refouler.

Les restrictions au séjour des étrangers n'ont cessé de se renforcer au fil des révisions du °CESEDA (voir **Avatar**), produisant mécaniquement plus de situations irrégulières et justifiant en retour un durcissement continu de la répression. L'étranger, "gibier de police".

Mais, après le foisonnement désordonné de rêves d'universel des années 1960, cette même décennie 1970 a vu la naissance de mouvements de défense des laissés pour compte, tels que le Groupe d'Information sur les Prisons, ou le °GISTI, "né en 1972 de la rencontre entre des travailleurs sociaux, des militants associatifs en contact régulier avec des populations étrangères et des juristes". C'est l'époque d'une évolution des mentalités, où l'on accepte de moins en moins que l'individu reste invisible sous l'ombre du "système".

En même temps qu'il durcissait les conditions du droit au séjour, le législateur a dû progressivement introduire des possibilités de recours contre les décisions de l'administration. La réforme Joxe (1988) crée la possibilité de recours au tribunal administratif pour les étrangers visés par une décision d'expulsion (voir **Casse-toi**). La généralisation de ces recours en a fait un contentieux de masse, envahissant la justice administrative, et dans lequel s'investissent nombre d'avocats et d'innombrables soutiens associatifs.

Ce n'est que depuis 1995 et un arrêt de la Cour de cassation que le juge des libertés et de la détention, doit intervenir "dans les plus brefs délais" est obligatoire lorsqu'une mesure de privation de liberté est prise, peut refuser la prolongation de la rétention lorsqu'il juge irrégulières les conditions dans lesquelles l'étranger a été interpellé et enfermé en vue de son expulsion. Mais en 2011, la loi Besson a reporté les "plus brefs délais" de deux à cinq jours... un délai supplémentaire de trois jours accordé à la police pour expulser. L'ouverture vers un accès au droit en protection contre l'ancien pouvoir absolu de la police est somme toute assez récente et elle reste fragile.

---

70 Jusqu'au 31 décembre 2013, en vertu d'un régime transitoire appliqués aux derniers venus dans l'Union Européenne, Bulgares et Roumains ne peuvent demeurer plus de trois mois en France que s'ils ont obtenu une autorisation de travail, très difficile à décrocher. Ce n'est qu'à partir du 1er janvier 2014 qu'ils pourront travailler sans autorisation, comme les autres citoyens européens.

Sur le plan formel, deux courants infléchissent ensemble et tour à tour l'esprit de l'accueil réservé aux étrangers. Un froid courant de fond, ancien et déterminé (voir **Charnière**), selon lequel tout cela n'est qu'affaire de (basse) police. Et un courant plus diffus et plus large, qui tient à reconnaître dans l'étranger "tout un homme, fait de tous les hommes et qui les vaut tous et que vaut n'importe qui", selon le mot de Sartre[71], ou comme Paul de Tarse qui déclarait, il y a 2 000 ans "il n'y a plus ni Juif ni Grec, ni esclave ni homme libre, ni homme ni femme" - ce qui ne l'empêchait pas de commander aux épouses d'être soumises à leur mari et à tous d'être soumis au pouvoir. Comme quoi l'avancée conjointe et contrariée des deux courants ne date pas d'aujourd'hui...

De leur côté, les cours de justice européennes - Cour de Justice de l'Union Européenne (CJUE) et Cour Européenne des Droits de l'Homme (°CEDH) - émettent des décisions penchant tantôt vers les prérogatives régaliennes et tantôt vers le respect de la dignité humaine. C'est cependant à un jeu complexe entre cours européennes et françaises que l'on doit l'interdiction de l'enfermement des enfants dans les °CRA et de la mise en garde à vue au seul motif de l'irrégularité du séjour.

Certes, le tableau du traitement infligé aux étrangers se trouve singulièrement compliqué par les poussées xénophobes opportunistes. Mais cette théorie des deux courants nous semble éclairer un certain nombre de décisions et de comportements, autrement peu compréhensibles. Telle la loi du 31 décembre 2012[72] instituant une rétention de 16 heures "pour vérification du droit au séjour", qui contourne l'interdiction de la garde à vue pour cause de séjour irrégulier, interdiction qui n'a pourtant pas enrayé la machine à expulser en 2012. Ou le réflexe d'un certain préfet qui fait systématiquement appel des décisions du tribunal administratif favorables aux étrangers auxquels il avait refusé un titre de séjour. Ou encore, dans la défense des travailleurs étrangers objets d'un refus de titre de séjour, le débat irréconciliable entre tel syndicat qui préconise la négociation avec le détenteur du pouvoir de police, et des soutiens associatifs ou syndicaux qui encouragent le justiciable à faire valoir son droit de recours en justice.

Ah !... L'éclair de vie dans le regard de ce Malien, exploité par ses patrons et persécuté par le pouvoir depuis des années, quand il prend conscience que c'est lui qui attaque en justice le préfet, et non l'inverse !

---

71 Jean-Paul Sartre, *Les mots*, Gallimard, 1964.

72 Apportant de l'eau à notre moulin, cette même loi du 31 décembre 2012 délivre les auteurs d'actions humanitaires et désintéressées de la menace d'incrimination de délit d'aide au séjour irrégulier.

CRITÈRES

[*L'un des points clés de la circulaire du 28 novembre 2012[73] sur la régularisation des étrangers est la preuve que ces derniers doivent apporter d'"un ancrage territorial durable (en général cinq ans) et véritable en France". Pour cela, le ministre de l'Intérieur définit des classes de preuves à apporter. Ces preuves sont "certaines", "de valeur probante réelle" ou "de valeur probante limitée" selon leur origine plus ou moins officielle.*

Les acteurs des associations et mouvements qui aident les étrangers dans leur démarche de régularisation s'interrogent régulièrement sur l'ambiguïté de leur position : alors que la motivation de leur engagement est souvent un refus de tous ces contrôles, ils dépensent beaucoup d'énergie pour que les dossiers des gens soient aussi conformes que possible, pour faciliter leur succès en préfecture.]

***

Avant de choisir de ne mettre que de "bonnes" preuves dans un dossier, le bon sens voudrait qu'on se pose la question de ce qu'implique d'entrer dans ce jeu de déshumanisation.

Parce que le présupposé de ce petit jeu est qu'il y a une différence de nature entre des hommes et des femmes, selon qu'ils sont d'un côté ou de l'autre d'une frontière. Frontière que l'administration déplace selon ses besoins pour maintenir tout le monde sous le joug d'un principe simple pour obtenir l'obéissance : "diviser pour régner". Ce tri appliqué aux *sans papiers donne :

- il y a des gens qui ont la "chance" de se faire arrêter et d'avoir des preuves probantes, et des gens qui rasent trop les murs pour avoir des certificats de présence préfectoraux de type °OQTF, recours au tribunal administratif, arrêté de mise en rétention, etc;

- il y a des gens qui connaissent suffisamment les coutumes locales pour aller demander l'°AME et des gens qui ne savent pas ou ne comprennent pas que leur accès à la vie normale en dépendra dans 5 ou 10 ans;

- il y a des gens qui ont eu la prudence d'aller travailler dans des secteurs où les employeurs, même les moins scrupuleux, se débrouillent pour trouver un moyen de faire des fiches de paie (parce qu'un autre service de l'administration y tient pour respecter une ou deux directives, européennes, par exemple) et d'autres qui ont la bêtise d'aller travailler dans la restauration ou dans la confection (exit les preuves "certaines" et "réelles", bonjour les preuves à "valeur limitée");

---

73 www.interieur.gouv.fr/content/download/36888/278912/file/INTK1229185C.pdf.

- il y a des gens qui vont habiter dans des bidonvilles ou chez des marchands de sommeil au lieu de faire établir des baux à leur nom, qui se font expulser régulièrement, et qui perdent toutes leurs preuves - c'est trop bête !

- il y a des gens pour qui l'exercice des preuves probantes est une torture parce qu'ils ne savent pas lire et écrire le français. Dès qu'ils ont réussi à trouver quelqu'un qui classe leur dossier pour une administration, l'administration d'à côté leur demande les originaux dans un autre sens mais ce sont eux qui se font engueuler par la personne qui a trié le premier dossier parce qu'ils ont tout dérangé dans le beau classement.

Bref, il y a des gens qui ont des preuves qui plaisent aux administrations, et des gens qui n'en ont pas. Évidemment, l'administration n'utilise plus un processus de sélection de type aussi rudimentaire que "toi tu as les dents assez blanches pour construire le chemin de fer, toi non". C'est démodé. L'administration fait le tri sur les preuves probantes en disant à ceux qui ne les ont pas, "va travailler sur les chantiers B... ou dans les ateliers de confection d'Aubervilliers, tu ne risques pas de nous embêter avec le Code du travail", et à ceux qui les ont "toi tu commences à comprendre le français et à connaître les ficelles, entre sur le marché du travail français".

Je force peut-être un peu le trait mais hélas, pas tellement.

En effet, la force de toute administration est d'arriver à transformer des êtres de chair et de sang en papier. Parce qu'un être humain, c'est difficile à écarter, un dossier, ça se monte ou ça se descend dans une pile. Et quand les moyens baissent et que les besoins augmentent, on fait disparaître un certain pourcentage de gens (pardon, de dossiers) en modifiant une instruction ministérielle ou une circulaire. Cette sélection n'est pas réservée aux *sans papiers. La même technique est utilisée à la °CAF, dans l'hébergement d'urgence, à Pôle Emploi, etc.

Parfois, quand on milite, qu'on fait des dossiers et qu'on demande des choses impossibles aux gens en face de nous, on ne sait plus très bien quels intérêts on sert réellement. Or, quand on choisit systématiquement les "bonnes" preuves pour constituer de beaux dossiers, est-ce qu'on ne rejette pas de l'autre côté de la frontière ceux qui n'ont que de "mauvaises" preuves ?

CYNIQUE

Une monarchie à esclaves est logique.
Une république à esclaves est cynique[74].

Dans son *Voyage à Tombouctou*[75], René Caillié signale la présence dans la boucle du Niger de villages dont la population entière est constituée d'esclaves employés à cultiver les terres de leurs propriétaires. Comme pour l'asservissement des femmes (selon Germaine Tillion dans *Le harem et les cousins*[76]), il s'agit d'une organisation millénaire de la société des régions au Sud et à l'Est de la Méditerranée dont l'Islam, malgré les tentatives civilisatrices du Coran, s'est accommodé jusqu'au milieu du XXème siècle, et même au-delà dans certaines régions. Dans *L'esclavage en terre d'Islam*[77], Malek Chebel explique que le commerce oriental, qui reposait sur la razzia et les prises de guerre, avait deux provenances géographiques principales. Au nord, les blancs du Caucase et des pays slaves (origine du mot esclave) fournissaient les armées et les harems (femmes et eunuques). Au sud, on s'approvisionnait en travailleurs noirs en Afrique sub-saharienne. Ainsi leurs propriétaires pouvaient-ils vivre cette vie de luxe et d'oisiveté si bien accordée à la chaleur excessive du climat. L'Europe chrétienne était très présente dans ces pratiques. Ainsi, par exemple, des catalans qui vendaient des Maures et des Sarrasins en Italie au XIIIème siècle, et du rôle central de la République de Venise dans ce commerce.

A Athènes, les créateurs de la démocratie et de la culture occidentale représentaient une petite minorité des habitants, à laquelle une majorité de travailleurs esclaves ou ilotes - "des étrangers qui ne sont pas d'ici" comme on peut l'entendre dire à Marseille - permettait de philosopher en toute liberté d'esprit. Bien plus près de nous dans le temps et dans l'espace, le servage (du nom latin de l'esclave, *servus*) des paysans a constitué la base de la société pendant des siècles.

Mais depuis, avec le développement des cités et de leur bourgeoisie, les Lumières ont inventé les Droits de l'Homme. Pourtant, à y regarder de plus près, le statut social et l'appellation même des domestiques dans les pièces de Marivaux évoquent plus l'appartenance à la maison (en latin : *domus*) du patron

---

74 Victor Hugo, *Actes et paroles II*.
75 René Caillié, *Voyage à Tombouctou*. La Découverte, 1830 et 2007.
76 Germaine Tillion, *Le harem et les cousins*, Seuil, 1966.
77 Malek Chebel, *L'esclavage en terre d'Islam*, Fayard, 2007.

qu'au prolétariat (de *proletarius*, citoyen de la dernière classe). Et puis, la mère des révolutions a produit et propagé la Déclaration des droits de l'homme, devenue universelle, avec des majuscules partout, au milieu du XXème siècle. A partir du XIXème siècle, l'ingérence des colonisations européennes avait contribué à la disparition progressive des pratiques de l'esclavage sur place. Pratiques non complètement abandonnées à ce jour.

Ils et elles sont venus

Une question se pose alors : notre moderne société n'est-elle pas en train de réaliser la synthèse de ces deux formes, esclavage structurel et esclavage d'importation (voir **Charnière**), ici même, sous nos yeux ? Certes, il ne s'agit plus de 50 à 80% d'une population, mais de quelques centaines de milliers de travailleurs, "transparents" ou "choisis", pour 65 millions d'habitants, soit moins de 1%. Examinons cette réalité, et comment les lois et les pratiques bien de chez nous y parviennent.

Les étrangers présents en France aujourd'hui y sont pour la plupart venus d'eux-mêmes. Pour une partie d'entre eux, ils ont dû admettre que dans leur pays de naissance les conditions économiques ou politiques ne leur permettraient pas de construire une vie digne pour eux et pour leurs enfants – surtout pour leurs enfants. Pour une autre partie ce sont de jeunes hommes délégués par leur village ou leur famille, pour gagner de quoi les faire vivre et moderniser leur communauté. Et l'on estime que la somme de ces transferts d'argent dépasse le montant de l'aide au développement que les pays riches accordent aux pays "du Sud". De plus, ces transferts vont directement à la population, ce qui ne peut être le cas des aides officielles. Enfin, une petite partie de ces étrangers, arrivés ici par la volonté d'autres personnes, a décidé ensuite de rester, par exemple une jeune fille envoyée en France à 14 ans pour prendre soin de son vieux père invalide, ou les domestiques entrés avec leur patron, sous couvert d'un passeport diplomatique lié à leur fonction.

Beaucoup sont arrivés en France sans avoir l'autorisation d'y séjourner longtemps, car les consulats ont de longue date reçu des instructions. Ils ont trouvé du travail et ils ont organisé leur vie tant bien que mal, plutôt mal logés, dans des foyers souvent surpeuplés et insalubres pour les travailleurs célibataires, à l'étroit dans des hôtels dégradés, des pièces minuscules ou hébergés par des cousins, pour les familles. Beauté de leurs adresses en Seine-Saint-Denis, fierté de notre civilisation : Pablo Picasso, Jean Jaurès, Jean Moulin, Federico Garcia Lorca, Richelieu, Ernest Renan, Abbé Grégoire (pendant la Révolution, l'avocat des juifs, des Noirs et des esclaves), Louis de Broglie, Madame de Sévigné, Thiers, Victor Hugo sont les éponymes de ces tristes lieux.

On ne parlera pas ici des deux générations précédentes, celles qui ont reconstruit la France après le désastre de la guerre de 1939-45 et de l'Occupation, que pour constater l'échec partiel de l'opération. Certes, on avait bien extrait de leurs douars des populations masculines, importées par bateaux entiers pour aller faire tourner nos mines, nos usines automobiles et construire, construire. Mais on n'avait pas du tout imaginé que malgré la dureté de leur condition ils prendraient goût à la vie en France, et qu'ils y feraient souche. Et voilà, ils sont là, leurs enfants sont français, mal lotis pour certains, que l'on diabolise au gré des besoins de diversion.

Entre temps (voir **Avatar**), pour des raisons plus obscures qu'on ne veut bien le dire, les gouvernements successifs ont durci les conditions de régularité de séjour des étrangers pauvres (les autres ont moins de problèmes avec la réglementation). Ces travailleurs entrés récemment se retrouvent au mieux avec une carte de séjour soumise à renouvellement annuel au bon vouloir de l'administration (voir **Parias**). Sinon, c'est le refus d'autorisation de séjour et la menace permanente d'expulsion (voir **Casse-toi**). Pourtant ces gens persistent à rester. Pour la plupart d'entre eux le choix est irrévocable, il n'est absolument pas question de repartir, car il serait trop difficile de revenir. Et ils vont travailler la peur au ventre, car la traque policière est permanente et multiforme.

Ils et elles vivent, et travaillent

D'ailleurs le pays a toujours besoin de travailleurs supplémentaires, malgré un chômage chronique. Par exemple, dans les services à la personne, le travail est considéré comme trop astreignant, sur les chantiers de construction, dans les entreprises de nettoyage, l'agriculture ou la restauration, tous travaux non délocalisables. Travail pénible et mal payé, parfois même dangereux, où les Français ne se précipitent pas. Les femmes et les hommes qui sont venus d'ailleurs en sachant que ce serait dur mais qu'il y avait du boulot, eux, ils acceptent de le faire.

La situation des travailleurs migrants de l'agriculture intensive est souvent scandaleusement inhumaine. Patrick Herman, paysan-journaliste près de Millau, décrit[78], à l'ssue d'un voyage dans les plantations du sud de la France, dans le Rif marocain, en Andalousie, "une main d'œuvre privée de toute protection, parquée dans des hébergements indignes, avec le racisme pour mode de gestio sociale".

Ils sont peut-être un tiers ou un demi million à vivre et travailler sous la menace, sans droits dès que leur situation est détectée par l'autorité. Travailleurs qui ont fourni des papiers bricolés ou ceux d'un cousin - ces jaunes, ces bronzés et ces noirs se ressemblent tous, c'est bien connu. "On ment pour vivre. On utilise les cartes de séjour de nos proches pour travailler, et si on le

---

78 Patrick Herman, *Les nouveaux esclaves du capitalisme*, Au diable vauvert, 2008.

dit, c'est fini… Un salaire ici aide à faire vivre trente personnes là bas. Il faut travailler. Moi je n'ai pas vu ma famille depuis dix ans. Sur douze cuisiniers, nous sommes dix à être sans papiers[79]". Même chanson dans les boites d'intérim qui fournissent les chantiers au bout de toute une chaîne de sous-traitance.

Nombre de femmes travaillent dans un autre secteur "en tension" : les services à la personne. Elles gardent les enfants, elles assistent les personnes âgées. Grâce à elles, les jeunes parents peuvent mieux s'organiser entre vie familiale et vie professionnelle, et les vieux parents peuvent terminer leur vie chez eux, deux revendications de fond de notre société, dont la satisfaction demanderait des centaines de milliers de travailleurs supplémentaires.

Et voilà : ils sont sans identité, sans être surs de bénéficier des droits liés à leur travail même lorsqu'ils paient cotisations sociales et impôts (voir **Racket**), à la merci de leurs employeurs, eux-mêmes sous la pression des préfectures.

Depuis une circulaire du 4 juillet 2007, les employeurs doivent vérifier auprès de la préfecture la régularité du séjour d'un étranger avant toute embauche. Les peines prévues pour l'employeur en cas d'embauche illégale sont lourdes. Pour bien faire passer le message, dans les mois qui ont suivi cette circulaire, les préfectures ont procédé à une série de vérifications des titres de séjour des travailleurs étrangers, entreprise par entreprise. Nombre de travailleurs étrangers se sont retrouvés licenciés sans aucun respect des procédures, ayant perdu tous les droits auxquels ils pouvaient prétendre (*faute lourde* est le miraculeux motif invoqué). Et maintenant identifiés comme expulsables, de surcroît.

Pourquoi cette pression sur les employeurs ? Peut-être parce que c'est une tentative de blanchiment de l'immigration illégale. En effet, la circulaire du 28 novembre 2012 (voir **Personne**) entrouvre pour ces travailleurs une petite porte, avec un ensemble de contraintes telles, sur le travailleur et son employeur, qu'on ne peut s'attendre à de nombreuses régularisations.

Ils et elles ont une famille

La loi prévoit tout dans le détail. Ainsi, l'article L. 411-1 du °CESEDA, qui régit la soi-disant trop généreuse disposition du regroupement familial, stipule que "le ressortissant étranger qui séjourne régulièrement en France depuis au moins dix-huit mois, sous couvert d'un des titres d'une durée de validité d'au moins un an peut demander à bénéficier de son droit à être rejoint, au titre du regroupement familial, par son conjoint, si ce dernier est âgé d'au moins dix-huit ans, et les enfants du couple mineurs de dix-huit ans". Donc, pas de place pour la vieille mère qui se retrouve seule à la mort de son époux, pas de place pour la fille aînée laissée au pays avec sa grand-mère le temps de s'établir

---

79 Rue89.fr, 20 avril 2008.

correctement en France, si entre temps elle a atteint l'âge de 18 ans. On n'est plus très loin, par l'oubli total de l'humanité de ceux sur lesquels on légifère, du code hanéfite de l'esclavage, remontant au XIème siècle[80], selon lequel "l'enfant de la femme esclave né des œuvres du maître est libre. Né des œuvres du mari de la femme esclave, il est l'esclave du maître de celle-ci. L'enfant d'une femme libre né des œuvres d'un esclave est libre".

Mais voilà, la situation est quand même bien ennuyeuse : on ne veut pas que ceux qui sont là restent, avec ou sans femme et enfants, mais quand même, ils remplissent des fonctions indispensables à la vie du pays et il va bien falloir les remplacer. Comment faire ?

Immigration transparente, immigration programmée

Il y a l'immigration transparente. Aux alentours de 2004, les entreprises du bâtiment ont commencé à innover, en utilisant les possibilités offertes par la loi. Le système de la sous-traitance, qui faisait assumer par les officines d'intérim la myopie sur les titres de séjour, commençait à se heurter aux contrôles renforcés de l'inspection du travail et des préfectures. Ne pouvant délocaliser le chantier, on a délocalisé le recrutement des travailleurs par la sous-traitance à des entreprises étrangères qui détachent leurs employés sur les chantiers français, avec titre de séjour strictement lié au détachement. Certes, le code français du travail doit leur être appliqué, mais la possibilité de contrôle et de coercition est toute théorique.

Un exemple : les façadiers turcs du chantier de Bouygues pour le nouveau siège du journal *Le Monde* s'étaient mis en grève en 2004 pour protester contre des conditions de vie et de travail inacceptables. "La fin de l'histoire est confuse : la CGT était la seule à garder contact avec les grévistes, mais elle l'a perdu. Ils seraient rentrés en Turquie après avoir obtenu gain de cause. (...) S'ils ont été sanctionnés par leur employeur, aucun inspecteur, aucun juge, aucun syndicaliste français ne peut le savoir et intervenir[81]". Si certains d'entre eux ont choisi de rester en France, ils n'ont eu d'autre choix que la *clandestinité. Bonjour le respect de la liberté ! Qu'importe, puisque cette méthode a de l'avenir avec, par exemple, la mise en place en Pologne, par des donneurs d'ordre français, d'entreprises de fourniture de personnel pour leurs chantiers ici. Ainsi se maintiennent dans notre société les conditions d'un esclavage transparent.

Il y a aussi l'immigration programmée. Du côté des autorités, l'approche repose en grande partie sur des accords bilatéraux avec les pays africains. Un bon exemple est l'accord signé avec le Sénégal le 25 février 2008. Un accord "honnête et transparent", selon le ministre de l'immigration etc. Il ouvre aux

---

80 Malek Chebel, *ibid.* p. 350.
81 Nicolas Jounin, *Chantier interdit au public*, La Découverte (2008), p. 55.

Sénégalais le marché français du travail dans 108 métiers, qualifiés ou non, la répartition par région et par métier étant définie par le pays d'accueil (*sic*). Chaque travailleur ainsi *choisi* recevra un contrat de travail et le titre de séjour de "salarié" correspondant, sans possibilité d'en sortir sans en même temps devenir un indésirable. En échange, le Sénégal s'engage à rapatrier sans faire d'histoires ses ressortissants arrêtés en France en situation irrégulière. En quelque sorte, le Sénégal-boîte d'intérim envoie des travailleurs en mission strictement limitée à l'entrepreneur-France qui garde la maîtrise de son chantier. Et voilà pour l'esclavage choisi.

Un équilibre peu équitable

A-t-on enfin trouvé la solution miracle ? Va-t-on retrouver une situation d'équilibre semblable à celle qui a prévalu au XIVème siècle où, selon Malek Chebel (p. 83), la traite orientale en Méditerranée "exploitait l'arrière-pays libyen, notamment le Tchad et le Fezzan, et alimentait les ports de la façade méditerranéenne. Cette route était suffisamment sûre pour que l'on trouvât de manière quasi permanente et en grand nombre des esclaves à Gênes, à Venise et à Florence où, semble-t-il, on recensa pas moins de 389 ventes d'esclaves entre 1366 et 1397". Une vente par mois, en moyenne !

Des conditions de vie indignes sont imposées par notre société à des étrangers qui ont choisi notre pays, qui ont eu le courage de plonger dans l'inconnu, qui ont l'endurance de persister et de construire leur vie quoi qu'il leur en coûte. Ils n'ont aucune assurance de stabilité de résidence ou de travail, ils doivent tenter de passer inaperçus, ils acceptent les tâches les plus désagréables. Bien que comme tout le monde ils soient appréciés par leurs employeurs ou leurs voisins proches, globalement ils sont considérés, par ceux qui ne se sont donné que la peine de naître français, au mieux comme inexistants. De législature en législature, depuis des décennies la loi rétrécit leur domaine vital. La trilogie "Peur de l'Islam - Peur du noir - Peur des pauvres" sape la devise républicaine, avec l'assentiment tacite de la population.

DEDANS (voir **Dehors**)
DEHORS (voir **Dedans**)

Existe-t-il encore, le petit village que l'on voyait en fond d'affiche lors de l'élection de François Mitterrand en 1981 ? Que reste-t-il de la force tranquille ? Que sont devenus les villages ? Plus d'école, plus de boulangerie ni d'épicerie-buvette. Pas de desserte d'autocar, et bientôt, plus de trains régionaux. Rentabilité à court terme d'abord : tous ceux qui sont sur les bords n'ont qu'à disparaître. Dans l'imaginaire, le petit village, c'est le familier menacé, et peut être aussi la Patrie (la terre des pères) ou encore la Mère Patrie. Le petit village c'est ce que les Allemands désignent comme "*heimlich*".

Unheimlich en allemand désigne ce qui n'appartient pas à la maison et pourtant y demeure[82]. Cette notion de la psychanalyse a été traduite par *inquiétante étrangeté*.

Il s'agirait d'un sentiment de malaise et de bizarrerie devant un être ou un objet familier et parfaitement reconnu. Cette notion combine la familiarité dedans (*heimlich*) et l'étrangeté dehors (*unheimlich*) comme le ruban de Möbius sans envers ni endroit (voir **Möbius**). Il s'agit d'un doublet dans la langue, comme le terme "hôte" qui dans le même mot désigne en deux lieux mais dans le même temps, celui qui est hors des frontières et celui qui est dedans ; comme le *xénos* grec qui désigne l'étranger mais l'hôte aussi. En ce point là "unique et flou" comme le *heimlich*, l'entreprise séparatrice de la langue vacille[83].

Cette notion savante est difficile à capter et à traduire pour chaque personne car elle renvoie le plus souvent à des craintes refoulées, à des sentiments diffus ou tout simplement à un malaise indéfini. Ces peurs obscures font le terreau de la xénophobie et du racisme. Non, les étrangers n'ont pas fermé l'épicerie-buvette, la boulangerie ou l'école de la force tranquille. Et pourtant les scores les plus élevés du Front National proviennent des communes qui ne voient jamais d'étrangers, mais votent FN à cause de "tout ce qu'on voit à la télé…". Comment expliquer la résurgence régulière de la xénophobie et du racisme sinon en cherchant une racine profonde et inconsciente à ces deux fléaux ?

Si on y réfléchit, ça n'est pas très glorieux le chez soi, l'entre-soi incestueux : le triomphe du patriarcat (imaginez si on enlevait les filles promises à ceux que leurs pères avaient choisis !) bien confiné, étriqué et médiocre, dominé par son clocher, l'image de la France profonde, un cliché anti-urbain alors que les villes grignotent le territoire, un cliché totalement décalé. L'actualité ressemble plutôt

---

82 Sigmund Freud, *L'inquiétante étrangeté et autres essais*, Gallimard, 1985.
83 Alice Cherki, *La frontière invisible. Violences de l'immigration*, éditions elema 2006.

aux "cités de banlieue" présentées en épouvantail, repoussoirs vus à la télé, opposées à un autre lieu idéal, patrie rurale profonde, exaltée dans un imaginaire flottant et, on se demande pourquoi, dans les élans patriotiques.

Pourquoi la peur de l'autre ? Est-ce la peur de la castration pour les hommes, de la pénétration pour les femmes ? Une peur refoulée, inaudible et indicible.

L'épreuve de la proximité, contrairement à ce que beaucoup prétendent, peut au contraire rapprocher. La rencontre de l'autre, sur la base du même mécanisme mais fonctionnant en sens inverse de celui de l'inquiétante étrangeté, un partage inconscient où la dérision, une plaisanterie peuvent susciter une jubilation, qui rapproche tout en mettant à distance. Avec l'autre redouté, une plaisanterie, une coïncidence ou une inversion des sens, un travestissement expriment un recouvrement inconscient et partagé du sens, qui fait que le propre (ce qui est à soi) se trouve dévoilé dans ce qui est précisément commun. Le rire qui résulte ainsi du jeu de mots, met à distance par la dérision du propre cet autre révélé si dangereusement proche par le trait d'esprit[84]. Un tel mécanisme renvoie aux différents comportements et codes désignés sous le terme de *parentés à plaisanteries*. Dans ces systèmes de parenté, farces, brimades, licences de langage sont infligées à une certaine catégorie de parents - par exemple les cousins croisés et les frères et sœurs - et contrastent avec la correction à l'égard d'autres parents[85]. Ces codes permettent de concilier les rapprochements et les distances, signes manifestes des alliances, protection contre les dangers incestueux et marquage de l'appartenance des clans.

Tous ces phénomènes apparaissent bien comme un dispositif destiné à libérer et conjurer en même temps les forces les plus obscures et les plus angoissantes mises en œuvre par le questionnement sur l'origine et sur l'identité.

Dans le cas des étrangers désireux de vivre en France, le Parlement adopte les lois qui leur seront imposées. Reflétant l'esprit du temps, elles changent avec lui (voir **Avatar**). Les préfets, qui sont chargés d'appliquer ces lois aux personnes réelles, sont conduits à plaquer des modèles rigides sur la diversité des situations de vie, tout en faisant usage du pouvoir d'appréciation qui leur est reconnu par ces mêmes lois (voir **Discrétion**). Il en résulte un enchevêtrement hétéroclite de vérités dans lequel le sujet court le risque de se perdre.

Nombre d'étrangers ont été en règle avec l'administration (ils avaient leurs papiers) mais pour une raison ou pour une autre, souvent liées au changement

---

84 Schneider Monique, op. cit. Voir **Continuité**.

85 Marcel Mauss, Les parentés à plaisanteries - *Essais de Sociologie*. Points Sciences humaines. Paris 1928, 1971.

des textes règlementaires, ils ne peuvent renouveler leur titre de séjour (voir **Ici**) ou découvrent que leur situation a changé. D'autres découvrent aussi qu'ils ne peuvent faire la preuve que leurs parents, nés dans un pays étranger ou dans une ancienne colonie, étaient français. Ils se pensaient dedans mais ils sont dehors (voir **Émeraude**). De toute façon, un imbroglio.

Si les situations n'étaient pas si dramatiques, on pourrait penser que l'histoire racontée par Freud, illustre ce que l'administration toujours pleine de soupçons applique en particulier aux mariages franco-étrangers (voir **Amoureux**). Cette histoire[86] fait appel au type de raisonnement qui considère que les étrangers mentent quand ils disent la vérité et disent la vérité au moyen du mensonge.

"Dans une gare de Galicie, deux juifs se rencontrent dans un train.

- Où vas-tu ? demande l'un

- A Cracovie, répond l'autre

- Regardez moi ce menteur ! S'écrie le premier, furieux. Si tu dis que tu vas à Cracovie c'est que tu vas à Lemberg. Seulement moi, je sais que tu vas vraiment à Cracovie, alors pourquoi tu mens ?"

On ne s'étonnera pas non plus de la réflexion entendue à un guichet de préfecture : "Les dossiers c'est de la fiction. C'est pour ça qu'on vous demande beaucoup de papiers".

Sous les papiers, le mécanisme à l'œuvre est profond, étrangement inquiétant.

---

86 Élisabeth Roudinesco, article Mot d'Esprit, *Dictionnaire de la Psychanalyse*, Fayard, 1997.

DÉPLACEMENTS
(voir **Romitude**)

[Quelques milliers de Rroms roumains ou bulgares, citoyens européens privés en France du droit de travailler librement jusqu'à la fin de 2013, persistent à penser qu'ils finiront par construire leur vie là où ils envoient leurs enfants à l'école. A Lyon, à Marseille et ailleurs, repoussés de bâtiments abandonnés en terrains vagues puis en trottoirs, ils nomadisent sur les moraines de notre beau pays[87].]

Vendredi 28 septembre 2012

Je suis arrivée vers six heures du matin rue St Simon dans le 9ème arrondissement de Lyon. La police arrivait également et s'installait. J'allai devant l'immeuble. Les jeunes Français à la fenêtre me faisaient signe. Ces quatre ou cinq jeunes Français squattaient l'immeuble depuis 2010. Ils avaient accueilli des familles rroms expulsées du terrain St Gobain à St Fons en septembre 2010 et rencontrées errant dans la rue.

Depuis cette date, quatre étages étaient occupés par des familles rroms qui constituaient un groupe "homogène" de la même région, souvent de la même famille. Ils vivaient près de ces jeunes, qui gardaient néanmoins une vie indépendante. Mais leur présence était importante car les familles, surtout les plus jeunes n'hésitaient pas à leur demander des services de voisinage, comme nous le faisons avec nos voisins de palier.

Donc ce matin du 28 septembre, la police arrivait des deux côtés de la rue, aussi bien du côté de la rue de Bourgogne que de la rue Laure Diebold. Ils fermaient l'accès des voitures et des piétons (sauf moi qui étais à l'intérieur). Une quinzaine de camionnettes de police, beaucoup de voitures individuelles banalisées formaient des barrières.

Et l'expulsion se préparait... à savoir entrer dans l'immeuble. Mais les jeunes Français avaient barricadé à l'intérieur la porte avec des barres de fer, les fenêtres avec des parpaings. Disqueuses, coups de masse, volets qui volaient en éclats, rien ne venait à bout de ces protections inébranlables... J'étais très inquiète car je ne savais pas si les familles rroms étaient parties et je me disais

---

87 Une circulaire interministérielle du 26 août 2012 recommandait aux préfets "anticipation" et "accompagnement des opérations d'évacuation des campements illicites". Un an plus tard, le constat est sévère : la mise à l'abri se réduit à quelques nuits d'hôtel et l'accompagnement, quand il existe, est réservé à une petite minorité de familles triées sur des critères pas toujours clairs. Pour des associations accompagnant de longue date des citoyens rroms européens, les préconisations de cette circulaire relèvent surtout d'une stratégie formelle permettant de ne plus encourir les foudres de l'UE.

que, vu le vacarme que cela faisait, les familles et les enfants, s'ils étaient encore là, devaient avoir très peur.

Des renforts de policiers arrivaient, un commando de CRS en tenue de combat : boucliers, casques, cagoules ne laissant apparaître que les yeux...

Je croyais être dans un film, mais là il y avait une réalité, là à côté de moi, des femmes, des enfants, des bébés, des personnes âgées qui étaient en danger, ne pouvant sortir, ne sachant comment la situation allait tourner.

Les policiers passaient par les immeubles voisins, beaucoup de déplacements des policiers dans la rue voisine...

Puis la porte a sauté, les vitres volaient en éclats, les policiers sont entrés. J'entendais encore des coups de masse à l'intérieur...

Peut-être vers 8 heures, les premières familles sont sorties, avec leurs enfants, des bébés pour certains pomponnés comme pour une cérémonie, des enfants au sein de leur mère, des parents hébétés avec leurs baluchons, leurs poussettes surchargées. Tout cela était visible, mais leur souffrance ne se voit pas, il n'y a eu aucun cri, rien qu'une désespérance alors qu'ils se regroupaient sur le trottoir d'en face, attendant les autres...

Deux familles dont les enfants sont scolarisés me demandaient d'avertir l'école. Et la carte de bus ? Car lundi c'était le 1er octobre et le rechargement de la carte était à faire... Cela me paraissait tellement secondaire par rapport à leur situation du moment... mais ils sont ainsi !

Je pouvais dire à certaines familles de ne pas oublier des rendez-vous qu'elles avaient avec divers organismes sociaux ou associations, ayant pu joindre par téléphone des personnes de CLASSES, de Médecins du Monde qui transmettaient des infos à leurs associations et au collectif rrom. Je servais de relais car dehors il y avait du monde, inquiets eux aussi de ce qui se passait loin d'eux.

Puis les familles partaient, traînant les enfants, les baluchons avec les affaires qu'elles avaient préparées...

Toutes les familles parties, j'attendis car je me demandais comment cela allait se passer avec les jeunes. Ils sont sortis, ils étaient assez nombreux car des copains qu'ils avaient avertis étaient venus les rejoindre. Devant des forces de police, déterminées à en découdre je suppose, surtout face à des jeunes qui résistent, tout était à craindre. Je repartis donc avec eux, mais alors que j'allais sortir du "dispositif policier", ceux de l'extérieur m'ont dit qu'une jeune femme avait oublié ses papiers dans sa chambre dans les affaires du bébé.

Je retournai demander au chef l'autorisation de retourner dans la maison. Il demanda à l'huissier de m'accompagner. Ne trouvant rien dans les étages, le chef accepta que la jeune femme nous accompagne : elle a retrouvé ses papiers et les affaires du bébé.

***

Que dire de ce qui s'est passé ?

Médecins du Monde a été interdit de pénétrer sur le site alors qu'il y avait des bébés, des personnes très fragilisées. Comme cela s'était déjà passé le 28 août 2012 sur le terrain de St Priest. Et comme cela n'était jamais arrivé avant mai 2012 ! ! !

Et ensuite ?

Nous nous sommes retrouvés tous ensemble, jeunes, familles rroms, sur le parvis de la mairie du 9ème avec demande de voir le maire.

Le secrétaire de mairie est venu discuter, disant qu'ils n'avaient pas de solutions, il est resté un certain temps... se réfugiant derrière leurs impossibilités à eux, mairie.

L'adjoint à la sécurité (je crois) était là également avec un discours plus radical.

Les jeunes sont allés chercher à manger, à boire... Ils étaient plus d'une vingtaine, avec une attitude très "chouette" avec les familles, très "responsables" avec les personnes de la mairie, avec un discours très constructif sur lequel nous étions d'accord.

Je suis partie pour aller faire les abonnements pour les transports au Bureau des Administrations et des Collectivités du centre commercial de Perrache qui n'est ouvert que le matin jusqu'à midi. Arrivée juste au moment de la fermeture, le personnel m'a gardée pour faire ce travail, sachant d'où je venais... cela fait du bien. Ensuite je suis allée distribuer les cartes dans les hôtels et écoles du quartier de Perrache afin que les enfants aient leur carte de transport dès lundi.

Puis je suis retournée devant la mairie du 9ème, redonner les cartes aux parents. Ils avaient changé de place, car la mairie avait obtenu de la préfecture la décision de les expulser du parvis de la mairie et ils s'étaient installés dans le jardin voisin.

J'ai su que par la suite les familles ont cherché un lieu, des lieux... actuellement elles sont quelque part... mais elles ont dû errer, dormir dehors...

Pourquoi ne pas avoir laissé les familles dans cet immeuble où il n'y avait aucun risque, il y avait de l'eau, de l'électricité ? Un bail précaire était possible comme à Montesquieu.

Un autre immeuble du même quartier a été expulsé le 17 décembre 2010. Les enfants étaient scolarisés à l'école d'à côté. On nous avait dit, pour justifier cette expulsion, qu'il devait être démoli pour un projet immobilier. Cet immeuble est toujours muré. C'est inadmissible, intolérable, inacceptable...

DISCORDE

L'étroitesse de la loi sur le séjour des étrangers crée les *sans papiers : des gens qui sont venus de partout, pour des raisons qui sont les leurs, qui gagnent difficilement leur vie et celle de leur famille, et qui veulent malgré tout tenetr de se faufiler dans les étroits créneaux de régularisation qui leur sont laissés.

De nombreux groupes et réseaux luttent pour que ces étrangers puissent accéder à un séjour légal. Si tous sont mus par une exigence de justice et de dignité, chacun à sa généalogie, chacun a ses méthodes et ses stratégies.

La tension de justice

Beaucoup de ces étrangers sont venus pour travailler, envoyés par leur famille ou leur village gagner ici de quoi les faire vivre là-bas. D'autres se voyaient sans avenir dans leur pays. La loi est ainsi faite qu'il faut être là depuis dix ans (et le prouver) pour avoir une chance d'obtenir un titre de séjour. Alors, s'ils ne l'obtiennent pas, ils en trouvent un. "C'est obligé, nous a dit l'un d'entre eux, tu en as besoin pour travailler". Dix ans d'insécurité, c'est long. Ces travailleurs se rassemblent dans des collectifs (voir **Collectif** et **Ici**) autour d'un mot d'ordre logique dans sa radicalité : *Régularisation de tous les sans papiers*[88]. Ils lancent des actions spectaculaires, telle l'occupation pendant 14 mois de la Bourse du travail à Paris en 2008-2009, ou la très longue grève de la faim à Lille fin 2012 (voir **Thé**). Poussant encore plus loin le défi, certains ont créé en 2009 un *Ministère de la régularisation de tous les sans papiers*[89].

Le rapport de force

Les syndicats représentent une deuxième attitude. Il s'agit de faire respecter le droit des travailleurs et de lutter contre l'emploi hors la loi. Les étrangers sans titre de séjour sont au travail sur des métiers pénibles que personne ne leur dispute, et leur situation de surexploitation pèse sur les conditions de travail de tous. Un de leurs slogans : *Français-es/Etrangers-e-s : Égalité des droits*. Et aussi le mot d'ordre *On vit ici, on bosse ici, on reste ici*. Le moyen d'action des syndicats est la négociation avec le pouvoir, sous la pression des grèves avec occupation des chantiers, des restaurants, etc. Le bilan de la grève de 21 mois commencée en octobre 2009 – 6800 grévistes, plusieurs milliers de régularisations – est contrasté, les préfets n'ayant montré aucune hâte à appliquer les accords

---

88 Tiens, un alexandrin, le vers françis par excellence!
89 www.ministere-de-la-regularisation-de-tous-les-sans-papiers.net.

arrachés au gouvernement. Ce combat utilise les mêmes armes que celles de travailleurs locaux; il restitue aux travailleurs sans papiers une dignité qui leur était déniée par l'emploi du terme *clandestin. De celle de *clandestins, en effet, ils passent à la figure noble du gréviste. Ce combat a connu des moments très forts, notamment en 2010 avec l'occupation de la Place de la Bastille à Paris, et l'occupation de la Cité nationale de l'histoire de l'immigration.

Le défi de visibilité

De nombreux groupes et associations interviennent aussi aux côtés de ces étrangers mal accueillis. Leur état d'esprit, qui n'a rien à voir avec la compassion qu'on leur prête parfois, se distingue de ceux des collectifs et des syndicats. Leur motivation est plutôt politique : la loi bafoue le droit des gens, son application crée des situations injustes et cruelles, elle ne correspond pas aux réalités de notre société. En même temps qu'ils assistent de leur mieux dans leur quête d'un titre de séjour, prêts au besoin à forcer le passage par des mobilisations (voir **Soutiens**), tous participent à une campagne permanente pour alerter la population française sur une situation et des comportements indignes de la République. Les mots d'ordre seraient *Plus une chaise vide à l'école* pour le °RESF, en se référant aux expulsions de lycéens devenus *sans papiers le jour de leurs 18 ans (voir **Bacheliers**), ou *Inventer une politique d'hospitalité* pour °La Cimade, ou encore, comme le °GISTI, *mettre son savoir sur le droit des étrangers à la disposition de ceux qui en ont besoin.*

***

Les différences entre approches se superposent aux différences d'options fondamentales sur les plans culturel, social, économique, philosophique, provoquant discordes et ruptures. Mais rien n'est perdu, puisque de nombreux participants à cette lutte sont actifs simultanément dans des groupes de différentes mouvances, parvenant souvent à faire confluer leurs organisations respectives sur des actions communes.

Le changement de majorité politique de 2012 a provoqué et continue à entretenir la recomposition permanente de ces équilibres instables. Les citoyens proches des étrangers n'ont pas tardé à comprendre qu'ils ne seraient pas mieux entendus par le nouveau pouvoir (voir **Collectif**), et même que les anciens opposants devenus gouvernants pouvaient se révéler encore plus déterminés dans le rejet des étrangers déclarés indésirables (voir **Manuel**).

Si certains mouvements hésitent encore à rompre avec un pouvoir dont ils espèrent malgré tout quelque écoute, d'autres sont déjà passés à une exogence radicale : "c'est le °CESEDA et le Code du travail qui sont à réformer, pour créer un titre de séjour unique avec droit au travail, stable, pérenne, donnant aux étrangers non pas des *autorisations* (voir **Parias**) mais les mêmes droits pour tous". Y compris le droit de vote.

71

DISCRÉTION

C'est le leitmotiv des lois et circulaires concernant le droit au séjour des étrangers : les préfets gardent un pouvoir discrétionaire d'appréciation de la situation des étrangers au regard de la loi (voir **Jeu de l'oie** et **Strabisme**). "Tout étranger souhaitant résider régulièrement en France, que ce soit pour rejoindre sa famille, travailler, se faire soigner, étudier ou fuir une situation difficile dans son pays d'origine, doit déposer une demande de titre de séjour auprès de la préfecture du département où il est domicilié. En vertu du pouvoir d'appréciation qui leur est conféré, les agents préfectoraux et, au-dessus d'eux, les préfets, jouent donc un rôle crucial dans le sort qui est réservé aux démarches entreprises par les candidats à l'immigration[90]". Il en résulte la répétition d'incohérences dans les réponses apportées aux demandes, qui ne peut que générer un sentiment d'arbitraire. Des personnes de bonne volonté qui accompagnent les migrants dans leurs démarches en témoignent.

***

Faouzia et Naïma sont deux soeurs jumelles, inséparables dans la vie ; pas un seul jour sans se voir ou se parler. Toutes les deux sont venues en France pour échapper à un mariage arrangé. Elles ont été accueillies par leur famille paternelle – française. Faouzia est arrivée la première en 2000 ; Naïma, malade à ce moment-là, a pu la rejoindre en 2002. Elles fuyaient une famille traditionnelle autoritaire qui ne leur laissait pas une once de liberté personnelle.

Arrivées en France, elles trouvent immédiatement du travail auprès de personnes âgées et se débrouillent pour vivre le moins mal possible. C'est pour elles une nouvelle vie, elles découvrent la liberté. Bien sûr elles font dès que possible des démarches à la préfecture pour demander leur régularisation, et reçoivent en réponse une obligation de quitter le territoire. Le retour au pays est impossible pour Faouzia : elle a eu deux enfants, mais elle n'est pas mariée ! Situation inacceptable au Maroc. D'ailleurs le père des enfants n'étant pas marocain, les enfants ne pourraient accompagner leur mère.

Aujourd'hui la situation est réglée... pour Naïma, pourtant arrivée la seconde ! Elle a obtenu un titre de séjour "Vie Privée et Familiale". Et Faouzia, avec ses deux enfants, est sous le coup d'une nouvelle obligation de quitter le territoire (voir **Casse-toi**).

A la préfecture, la gémellité ça n'existe pas !

---

90 *Cette France-là*, vol. 1, La Découverte, 2009, p. 160. www.cettefrancela.net/volume-1.

***

Une famille avait obtenu un rendez-vous en fin de matinée pour l'étude de sa demande de régularisation, avec un dossier qui entrait parfaitement dans les critères. Après avoir donné tous les documents au guichet, on leur a annoncé vers 15h30 (environ une heure après leur passage) qu'ils seraient rappelés ultérieurement. Motif : personne pour étudier leur dossier !

Le problème, c'est qu'on leur a rendu uniquement leur passeport et leur livret de famille, en leur disant : "C'est au cas où vous en auriez besoin !" Ils sont ressortis accablés car le couple qui était passé juste avant eux avait eu un récépissé avec autorisation de travail. Ils n'ont donc pas compris pourquoi eux n'avaient rien. De plus, tous leurs originaux ont été gardés par la préfecture !

Or la préfecture ne doit jamais garder d'originaux : cela nous a été dit et redit par la succession de chefs de cabinet du préfet. Il va falloir y retourner, demander que l'examen de situation soit fait ou alors avoir un rendez-vous très proche s'il s'agit de problème d'absence d'un chef. Mais il faut y aller accompagnés, ils vont se faire jeter s'ils y vont seuls

La famille est donc retournée au bureau de la préfecture, accompagnée par une personne du °RESF. Résultat : refus catégorique de leur rendre les originaux - "Vous comprenez, l'étude du dossier qui va être faite par le responsable doit être avec les originaux" - ou alors ils repartaient à zéro en revenant demander un rendez-vous ! Réponse à la demande de voir la responsable : "Pas de possibilité de voir la chef de salle, vous n'avez qu'à écrire une lettre de protestation en l'adressant au chef de service !"

Lorsqu'ils ont demandé quelle preuve ils avaient en cas d'arrestation suite à un contrôle d'identité, on leur a répondu "Si vous vous faites arrêter par la police, ne vous inquiétez pas, quand la police nous appellera, nous verrons bien sur notre ordinateur que votre dossier est en cours d'instruction !"

***

Ou bien encore la préfecture ajoute des exigences non prévues par la loi. Monsieur Tarima est marocain. Il s'est présenté à la préfecture pour une demande de régularisation au titre des 10 ans de présence en France, preuves à l'appui. Il a été refoulé avec le motif suivant : "Il nous faut votre promesse d'embauche ainsi que vos anciennes fiches de paie". Exigence étrange alors qu'il n'avait pas le droit d'être salarié, n'ayant pas de papiers, mais exigence courante, et qui est même officialisée dans la circulaire du 28 novembre 2012 (voir **Personne**)

Impatience des usagers : "L'examen des dossiers devient tellement aléatoire qu'il faudrait avoir un tableau ou on puisse croiser le CRE (centre de réception des étrangers, à Paris), les jours du mois, la nationalité des demandeurs, le type de dossier ! ! ! Je ne parle pas des pièces demandées qui varient d'un guichetier à l'autre, d'un jour à l'autre..."

***

Surtout, ne pas perdre patience. Ainsi selon l'Agence France Presse (AFP), à Dignes-les-Bains, le 26 février 2013, un homme âgé de 49 ans a tenté de s'immoler par le feu devant la préfecture. L'homme, présent en France depuis une dizaine d'années, a voulu s'indigner contre le blocage de ses démarches pour renouveler son titre de séjour. "Il était titulaire d'un récépissé valable jusqu'au 11 mars mais son passeport marocain était périmé depuis 2011. Faute de passeport en cours de validité, son dossier était incomplet, a précisé une source proche du dossier à l'AFP. Mais aucun élément ne s'oppose a priori au renouvellement de son titre de séjour, ce qui rend son geste incompréhensible".

Incompréhensible, vraiment ?

DJIZÎA

Traditionnellement, en terre d'Islam, les habitants non musulmans jouissaient d'un statut particulier, leur reconnaissant le droit de résider et leur assurant la protection du sultan contre les agressions extérieures, tout en les infériorisant d'un point de vue social et religieux. Et ils devaient acquitter un impôt spécifique, la *djizîa*.

En France, l'octroi à un étranger d'un titre de séjour se paie aussi par une multitude de taxes. La loi de finances pour 2013 en fixe le barème. Le tableau des taxes distingue plus de 100 catégories de titres de séjour selon l'article de la loi qui a donné lieu à son attribution[91].

- Dépôt d'une première demande de titre de séjour : 50 € qui seront perdus en cas de refus

- Première délivrance d'un titre de séjour (taxe perçue de nouveau quand le libellé du titre de séjour change, par exemple un "étudiant" qui devient "salarié") : 241 € dans la plupart des cas

- Visa de régularisation : 290 €

- Renouvellement d'une carte de séjour temporaire (valable un an) : 106 €.

- Non présentation de la carte de séjour temporaire échue au moment de son renouvellement : 122 €.

- Renouvellement de la carte de résident (valable 10 ans) : 241 €.

- Non présentation de la carte de résident échue au moment de son renouvellement : 269 €.

- Renouvellement de titre de séjour demandé après l'expiration du titre précédent : 180 €

- Taxe de fabrication de la carte (biométrique) : 19 €

En résumé, la personne qui parvient à obtenir la régularisation de son séjour, souvent à l'issue d'années de démarches administratives, paie sa régularisation environ 700 €, et elle devra payer 125 € chaque année pour son renouvellement, mais une perte de carte ou un retard peut lui coûter 122 €, voire 391 € supplémentaires.

Et pour ceux qui ont des enfants, la délivrance du document de circulation pour étranger mineur (DCEM), valable 5 ans et qui leur permet de participer aux voyages de classe dans l'UE : 45 €

De plus, l'employeur d'un étranger obtenant une première carte "salarié" doit verser une taxe valant 55% du salaire, dans la limite de 1,5 SMIC.

---

91 Le budget de l'État pour 2014 n'appporte pas de correction significative.

***

La Cour des comptes, dans son rapport public 2013[92], donne quelques détails chiffrés sur les quantités, les coûts et les recettes de ce petit commerce.

"Le nombre de titres de séjour délivrés par les préfectures est resté quasiment constant, entre 2005 et 2010, passant de 871 000 à 885 000 ; le niveau de 935 000 titres observé en 2011 est interprété comme un ressaut régulier, mais conjoncturel.

On observe ainsi une quasi-stabilité du volume de titres délivrés en même temps qu'une augmentation globale des effectifs chargés d'accueillir les demandes, de les instruire et de délivrer les titres, ce qui contraste avec la diminution, en général, du nombre d'agents de l'État".

Des effectifs en augmentation pour un nombre stable de titres de séjours délivrés. Comment est-ce possible ? On fait revenir les gens, encore et encore, avec une pièce déclarée manquante, puis une autre, et puis une autre[93]. Tout cela prend du temps aux agents, mais retarde d'autant la délivrance du titre de séjour.

"Le coût global de l'instruction des demandes de titres de séjour ou de renouvellement de ces titres est évalué, pour 2011, à 97,2 M€ environ (dont plus de 82 M€ de coûts de personnel). Le coût total des titres de séjour a atteint 112,5 M€ en 2011. Les recettes correspondantes, acquittées par les demandeurs, ont été en 2011 de 111,9 M€, soit presque exactement les coûts ci-dessus estimés".

D'où il ressort que les taxes acquittées par les étrangers couvrent les coûts du personnel d'État affecté à leur administration. Un bel exemple de PPP (Partenariat Public Privé) !

***

En ce qui concerne les visas délivrés par les consulats, leur nombre, là aussi, reste stable. "Le nombre de demandes de visas est passé, entre 2005 et 2011, de 2 411 000 à 2 431 000, soit une hausse globale de moins de 1 %, avec de fortes disparités selon les pays ; le nombre de visas délivrés, y compris les visas de long séjour valant titres de séjour [valables un an], est passé de 2 053 000 à 2 153 000, soit une hausse plus nette de près de 5 %, le taux de refus ayant sensiblement baissé (- 29 %)".

---

92 www.ccomptes.fr/Publications/Publications/Rapport-public-annuel-2013.

93 Dans un rapport remis au Premier ministre le 14 mai 2013 et intitulé « *Sécuriser les parcours des ressortissants étrangers en France* », le député Matthias Fekl rappelle qu'en 2011, le nombre de passages d'étrangers en préfecture s'est élevé à 5 millions, alors que le nombre d'étrangers résidant régulièrement en France ne dépassait pas 3,7 millions. Ce rapport considère que « *la grande majorité des ressortissants étrangers sont obligés d'effectuer des visites régulières en préfecture, généralement coûteuses et surtout anxiogènes* ». Il estime que ces passages ne sont pas toujours utiles, notamment parce que certaines préfectures procèdent à des renouvellements successifs de récépissés faute de pouvoir délivrer dans les délais requis les titres de séjour demandés.

"Le coût total pour l'État a été d'environ 54,3 M€ en 2011 (dont plus de 42 M€ de coûts de personnel), soit, rapporté au nombre de visas délivrés, un coût unitaire d'environ 22 € par visa. Les recettes encaissées par l'État au titre des droits de chancellerie s'élèvent à 116 M€, soit, en moyenne, 48 € par demande de visa ou 54 € par visa délivré".

L'État fait la culbute et même un peu mieux, et les recettes couvrent aussi ses frais de personnel.

"Les effectifs des services des visas des postes consulaires ont diminué. Toutefois, dans le même temps, de plus en plus de postes externalisaient des prestations. Environ 60 % des dossiers de demande de visas sont désormais déposés chez un prestataire de service.

Le coût de ces activités sous-traitées est directement facturé par les prestataires aux demandeurs de visa et n'est donc pas supporté par l'État".

Le lecteur-contribuable qui nous aura suivi jusqu'ici doit se sentir rassuré : l'étude des demandes de titre de séjour ou de visa, *salaire des fonctionnaires compris*, est entièrement financé par les étrangers concernés !

DUBLIN

L'Union Européenne, ou l'union sacrée contre ces sacrés Afghans, ces Arméniens, ces Géorgiens, ces Tchétchènes,... qui ne veulent pas se voir renvoyer en Pologne pour y mal vivre - au mieux - où y être persécutés - cela arrive souvent - et finalement expulsés vers le pays qu'ils avaient fui. Et qui persistent à espérer l'asile de l'UE, dans un pays où ils ont parfois déjà noué des contacts avec des citoyens hospitaliers.

Continuité de l'Union Européenne oblige : aujourd'hui comme hier, demander l'asile n'est pas toujours un droit. Selon les accords internationaux signés par la France, un étranger entrant en France n'a qu'à prononcer le mot "protection" pour être considéré comme un demandeur d'asile. Il doit alors être protégé, hébergé et nourri jusqu'à ce que l'°OFPRA statue sur sa demande de protection. Et pourtant, pour de nombreuses familles venues du Caucase, c'est loin d'être aussi simple. En effet, beaucoup sont entrées dans l'Union Européenne par voie de terre, souvent en Pologne. Or le règlement européen dit Dublin II[94] stipule que la demande d'asile doit s'effectuer dans le premier pays d'entrée dans l'UE. Si ce dernier a enregistré vos empreintes lors d'un premier contact avec les autorités, l'administration française vous interdira de demander l'asile. Sauf si vous avez réussi à vous maintenir en France plus de six mois, ou si vous êtes retourné dans votre pays et y êtes resté au moins trois mois.

Les préfectures sont intraitables sur ce point, et les mobilisations de leurs soutiens ne parviennent que rarement à leur faire obtenir la possibilité de demander l'asile en France.

***

C'est ainsi que depuis 2006, madame Daoudov et ses huit enfants, une famille tchétchène qui a fui la guerre et ses dangers, parcourent l'UE à la recherche d'un lieu où vivre en sécurité. Voici un résumé de leur odyssée.

2006-2008. Parcours n°1.

En 2006 départ de la Tchétchénie en guerre, pour la Pologne. Statut de toléré. En 2008, après une agression, départ vers la Suède. Mais ils retournent en Pologne, car ils allaient être expulsés dans le cadre de "Dublin II". La Pologne n'acorde l'asile qu'à un infime minorité de Tchétchènes. De plus, les enfants ne pouvaient être solarisés. La mère retourne donc en Russie avec les enfants.

---

94 www.gisti.org/spip.php?article1590.

2009-2011. Parcours n°2

Après l'enlèvement des deux aînés par des pro-russes, fuite au Danemark. Nouveau problème avec le règlement Dublin II. Pour éviter le retour en Pologne, ils partent en Suède. Même problème. Ils essaient de se réfugier en France (Strasbourg, puis la Roche sur Yon, en Vendée). Le père les rejoint. Expulsion *manu militari* vers la Pologne le 29 septembre 2011, dans un déploiement de forces de police démesuré : un avion avait même été spécialement affrété. Après avoir été déposée dans une gare de Pologne, sans ressources, sans hébergement, sans possibilité de scolariser ses huit enfants, rejetée par la société polonaise, cette mère de famille avait alors décidé, en désespoir de cause, de retourner en Tchétchénie.

2012. Parcours n°3

Mais de nouveau soumise, ainsi que ses enfants, aux persécutions des autorités qui sont à la recherche de son mari, combattant tchétchène, cette femme a choisi de revenir en Vendée. Le 23 juin 2012, madame Daoudov et ses huit enfants sont donc revenus à la Roche sur Yon où ils avaient gardé des liens et où les enfants sont scolarisés. Ils commencent à se reconstruire et à vivre normalement.

Le règlement Dublin II prévoit qu'un pays n'est plus responsable de l'examen d'une demande d'asile de la personne qui a quitté le territoire de l'Union européenne pendant trois mois. La famille avait l'espoir d'être débarrassée du maudit règlement Dublin II, puisqu'ils avaient passé plus de trois mois en Russie, dans des conditions où la vie de famille était impossible. Malheureusement la préfecture ne croit pas à ce retour en Russie et voudrait de nouveau les réadmettre en Pologne, pays où il est démontré par plusieurs ONG que les Tchétchènes n'obtiennent pas l'asile et qu'ils n'y sont pas en sécurité.

Le 24 octobre 2012, le préfet de Vendée remet à la famille Daoudov un arrêté de réadmission vers la Pologne, leur refusant le droit de déposer une demande d'asile en France.

La situation ubuesque de la famille Daoudov illustre l'iniquité du système de Dublin II. Des demandeurs d'asile sont renvoyés systématiquement dans le premier pays par lequel ils ont transité, même s'ils ne peuvent espérer y obtenir une protection. Ce qui les condamne le plus souvent à l'errance.

***

Début 2013, la famille en est au même point administrativement. L'arrêté de réadmission en Pologne court toujours. Leur logement et ses charges sont payés par une tontine de citoyens. Les enfants bénéficient de bourses pour la cantine et la mairie de La Roche leur a attribué une allocation hebdomadaire. Des bruits d'une expulsion prochaine ont provoqué un vent de panique dans la communauté tchétchène de La Roche et par précaution les enfants ont été dormir séparément chez des relations - cela réveille leurs angoisses à chaque fois. Ces enfants seront-ils jamais tranquilles ?

Juin 2013 : tous les enfants mineurs ont pu suivre une année scolaire normale et - enfin ! - la préfecture de région de Nantes autorise cette famille à présenter sa demande d'asile à l'°OFPRA. La France va donc enfin pouvoir examiner leur demande de protection.

ÉDUCATIONS

[*La loi, dit-on, est la protection des faibles. Sauf pour les enfants étrangers dont les parents ne parviennent pas à obtenir un titre de séjour, en créant angoisse et précarité. Deuxième adage : "Gouverner, c'est prévoir", prévoir que dans 20 ans ces enfants seront des Français parmi d'autres. Heureusement le peuple, lui, sait que c'est maintenant qu'il faut se soucier d'eux, les entourer, les éduquer.*]

Le pain et la lumière

Un enfant hurle en se tapant la tête par terre. Il bave d'indignation, les yeux blancs, dans la cour de récréation. Je me précipite, on se précipite, on le relève, on l'époussette, on essaie de le calmer. Il a le front gris de poussière, sa peau luit de transpiration. Il a quatre ans. Ses yeux, déjà noirs, se foncent de colère. Il ne supporte aucune contrariété, aucune contrainte. À l'école. Car, chez lui, sa vie justement n'est que contrainte. Sa mère l'a amené du Mali, encore bébé, le père est resté là bas. Elle vit dans un taudis avec la famille de sa sœur. La sœur a des tendances négrières, un comble. Elle utilise ses services pour le ménage, la cuisine, la garde des enfants contre un bout de matelas, et des restes à manger. Elle la supporte, car elle en a besoin.

On imagine mal la vie quotidienne de cet enfant et de sa mère. Elle n'a pas de papiers, donc pas de sécurité sociale, pas le droit de travailler, juste le droit de respirer, de se cacher, d'attendre. Fatimata a l'âge de ma sœur, mais elle en paraît quinze de plus. C'est une grande femme mince, élégante, toujours très bien habillée. Elle a de l'allure, elle ne veut rien avoir de commun avec les mamas boubous. Mais elle ne sait parler qu'en pleurnichant, en suppliant.

Je suis allée les voir, dans un ancien immeuble bourgeois déclassé, hall d'entrée noirâtre, encombré de poubelles puantes, escalier sale, murs suintants. L'appartement est plein de gens, de matelas, de sacs entassés. Des enfants courent partout, le bruit est permanent, on ne peut que survivre ici.

A l'école, nous commençons par essayer de calmer Mamadou, je suis consternée par le nombre d'enfants qui s'appellent comme ça, déjà voués à la caricature. On dit "les mamadous" pour parler des petits noirs qui ont des problèmes, c'est insupportable. Peu à peu, il sourit, se met à parler au lieu de frapper les autres ou de se frapper lui-même. Il est très beau, yeux charmeurs, peau de velours noir. Mais en dessous de ce front impeccable, la colère se construit, le destin forge ses chaînes.

Je ne sais pas pourquoi, mais une sorte d'amitié inégale naît entre Fatimata et moi, on est tellement différentes, nos vies sont sur des rails qui n'auraient jamais dû se rencontrer. Elle me raconte sa vie, petite fille misérable du Mali, jeune femme battue, quittée par ses maris, certains africains sont volages, peu responsables de la famille qu'ils engendrent. Elle a plusieurs enfants, restés au pays. Elle a dû les laisser à sa mère, car elle n'arrivait pas à survivre. Malade, elle ne pouvait plus travailler dans l'usine à matelas dont la poussière l'empêchait de respirer. Elle est cardiaque.

Elle sait lire, pas très bien écrire. Elle est courageuse. Je lui apprends à parler sans gémir. Et je l'aide comme je peux, pour les papiers, les démarches. Sa sœur est relogée dans le 14ème arrondissement [de Paris], elle a des papiers, un permis de travail. Les deux femmes cohabitent un certain temps, mais ça ne dure pas. La sœur leur fait vivre l'enfer, récriminations perpétuelles, avarice crasse, vexations mineures mais constantes. L'enfant et sa mère dorment par terre sur des matelas qu'il faut replier durant la journée, aucune intimité, la télévision marche jour et nuit. L'accès à la salle de bain et à la cuisine est réglementé. Les placards sont fermés à clé. Mamadou devient insupportable, il a un talent remarquable pour se mettre dans des situations difficiles, il est renvoyé de l'école, il agresse les autres, répond mal aux enseignants.

Fatimata quitte le logement, ce n'est plus possible. Pendant dix ans à peu près, elle va avec son fils errer d'hôtels en hôtels, d'un bout de Paris à l'autre, puis en banlieue. C'est comme si des roues l'écrasaient jour après jour, en l'éloignant de plus en plus. Elle trimballe des sacs, elle passe des heures dans le métro pour aller chercher son fils à l'école, pour aller acheter à manger au resto du cœur ou dans les bouibouis du 19ème. Les services sociaux s'en mêlent, une ordonnance du juge des enfants contraint Mamadou à continuer à habiter avec sa tante, il ne doit pas suivre sa mère dans ses pérégrinations d'exilée permanente. La tante le traite mal, il apprend à résister aux mauvais regards, au manque de sa mère, qui vient chaque jour lui porter à manger.

Régulièrement Fatimata reçoit des °OQTF, c'est très joli, ça veut dire "obligation de quitter le territoire français" (voir **Casse-toi**). Elle passe en jugement, j'assiste à une de ces séances au tribunal. Les cas défilent à grande vitesse. Les juges sont assis en habit derrière une grande table, la salle est bondée. De chaque côté, les avocats. Tout va très vite, l'immigré en situation irrégulière se lève à l'appel de son nom, se tient devant la cour, n'a pas le droit de parler, juste d'écouter son avocat défendre sa cause, cinq minutes pas plus[95], puis entendre le magistrat représentant l'État conclure à l'expulsion.

---

95 En ce qui concerne la parole de l'étranger, les pratiques sont variables selon les tribunaux administratifs et les audiences. Il arrive que l'étranger soit invité par le juge à présenter ses observations. D'autre part, la décision du tribunal étant fondée sur la procédure *écrite*, c'est le juge qui décide du temps accordé à l'avocat pour une courte défense du dossier.

Coupable d'exister donc, et condamné à attendre des papiers sans lesquels il n'est rien, l'immigré retourne à sa vie de cloporte. La République, cette femme irréelle, n'étend pas ses bras aux confins de la miséricorde, elle ne fait que les entrouvrir. Parfois, les hommes tombent accrochés à ses basques, heureux quand même des miettes dispensées. Prêts à mourir pour mourir ici. Un paradoxe vénéneux.

Pendant ce temps, les citoyens paient pour des taudis au prix des hôtels de luxe pour que des enfants y perdent leur vie, les soignants accompagnent ces gens, malades de la vie qui leur est faite, les enseignants essaient de transmettre une culture qui ne peut qu'apparaître irréelle à des enfants dont l'angoisse familière est de savoir comment ils vont pouvoir vivre, manger, dormir. Quand on a faim, est-ce qu'on s'intéresse à Molière ?

La colère me tient, une colère méchante et sourde contre ce gâchis quotidien, une vie d'enfant broyée, il y en a tant, pourquoi celui-ci ? Il va accomplir un parcours impeccable, redoublements, tribunal scolaire, livrets exécrables, expulsion du collège parisien, un placement en foyer en province, une classe relais, retour à Paris. Avec moi il est charmant, poli, je lui fais cours, il écoute, il travaille, il est intelligent, vif, un peu paresseux. Mais en classe, il se mue en bête sauvage, insulte les profs, bouscule les filles, se met dans toutes sortes de situations inextricables que sa mère et moi essayons de démêler.

Et tout le monde se demande pourquoi je fais ma mère Teresa. En vain, avec de mauvais résultats. Je m'en fous, je sais au fond de moi que j'ai raison. Je ne veux pas détourner le regard, je les ai vus, c'est trop tard. Je les ai vus, et j'ai pensé à l'Auvergnat de Brassens. La place auprès du père éternel, je n'y crois pas, mais j'ai ma dignité, j'ai commencé, je termine. Je ne fais pas la charité, je donne de l'oxygène à des gens qui s'étouffent, qui se noient. Une mère courage, déterminée à rester en France dans des conditions si difficiles qu'aucun des gens que je connais ne résisterait, et surtout pas moi. Qui de nous est prêt à tout abandonner pour vivre dans un pays qui nous méprise ?

Alors on lui donne des fringues, des tickets de métro, un peu de sous. Depuis 10 ans, à chaque rentrée j'équipe Mamadou contre le froid et l'échec scolaire. Il sait lire, écrire, il chausse du 46, il est beau, grand et en bonne santé. Mais il a toujours de mauvais livrets, accumule les retards. Il grandit, il s'est un peu calmé dernièrement.

La onzième année, Fatimata a reçu une carte de séjour avec droit au travail. Puis elle a obtenu un logement social, comme ils disent. Elle a regroupé ses enfants, maintenant qu'elle a "une maison", un garçon plus âgé qui tient lieu de père à Mamadou, une fille qu'on a voulu marier de force au pays.

Un réseau s'est monté autour d'elle, parents d'élèves, bonnes volontés, avocats, enseignants, retraités, membres de °RESF. Grâce à eux, elle maintient sa tête hors de l'eau avec son fils rebelle, tombé dans tous les pièges tendus. Je ne sais pas si j'ai bien fait, j'ai fait ce qui me semblait juste, j'ai calmé ma mauvaise conscience, je l'ai fait pour mes enfants, pour éloigner d'eux la colère des dieux devant tant d'inconscience, tant de misère.

Ça fait pompeux, mais en 1872 Victor Hugo écrivait, terrible visionnaire, "j'ai pris la résolution de demander pour tous le pain et la lumière" Il disait aussi "comment peut-il penser celui qui ne peut vivre ?"

[*Fatimata se rendait pour la quatrième fois à la préfecture pour la délivrance de sa carte de résidente (valable 10 ans). La quatrième fois parce qu'il manquait toujours un papier dans le dossier. Malentendu au guichet à propos du dernier document réclamé. Le ton monte. L'amie qui l'accompagne essaie de calmer tout le monde. Elle raconte.*

"Trop tard, cela explose, Fati crie, au bord des larmes, Mamadou se lève menaçant lui dit "tu me fais honte", je le tire pas la manche, quel spectacle ! En sortant de la salle, deux messieurs africains, un jeune d'abord, charmant, a abordé Mamadou en lui faisait discrètement et fermement la leçon sur le comportement inadmissible qu'il avait eu avec sa mère, et l'autre monsieur avec un bébé dans les bras, en notre présence, dans les mêmes termes lui a tenu le même discours".]

ÉMERAUDE

Aymen est né en France, où il est resté jusqu'à l'âge de huit ans. Son père, reparti au pays, la Tunisie, et qui l'avait confié à une tante n'a pas fait les démarches nécessaires pour confirmer qu'il était français.

Reparti en Tunisie à huit ans puis revenu à 19 ans, Aymen n'a pas pu réintégrer la nationalité française. En effet, avant ses 18 ans, il n'a pas vécu en France cinq ans pendant une période continue ou discontinue d'au moins cinq ans depuis l'âge de onze ans (Article 21-17 du Code civil).

Il est le seul de ses frères et sœurs à ne pas avoir la nationalité française associée au droit du sol.

Malgré de nombreuses démarches de demande de régularisation, il est actuellement sans papiers.

Assurément il est déclaré tunisien et n'arrive pas à devenir français ni *a fortiori* franco-tunisien (voir **Racines**).

Cette histoire renvoie à l'énigme de Goodman où une émeraude est bleu-vert, mais déclarée bleue à une certaine date, ce qui induit des anticipations, alors qu'elle est déclarée verte à une autre[96]. Cette énigme nous plonge étrangement au cœur des déclarations de nationalités.

D'une certaine manière un enfant né en France de deux parents étrangers est bleu-vert : il est de la nationalité de ses parents avant d'avoir demandé un certificat de nationalité française, certificat qui à ses 18 ans dira qu'il est français, à moins que ses parents n'aient fait une démarche anticipée.

Au-delà de ces changements, il y a des appréciations collectives qui mériteraient d'être examinées de plus près : en effet qu'y a-t-il de commun entre un Limousin, rencontré en bord de Loire à la fin du XVIIIème siècle et un Malien du début du XXIème siècle, rencontré à Paris ? Ce sont des travailleurs du bâtiment sans papiers. L'un, le Limousin, a construit les levées de la Loire, ou les canaux, l'autre, le Malien, travaille pour un sous-traitant de multinationales de travaux publics (voir **République**).

*Sans papiers est une catégorie extensible ou réductible qui nourrit l'imaginaire collectif et qui peut s'apparenter à une énorme vague (raz de marée), à un fleuve (flux) à un phénomène qui transporte le feu (appel d'air) de toute façon à une métaphore physique et indifférenciée au détriment de la

---

96 Nelson Goodman, *Faits Fiction et prédiction* (1954), Éditions de Minuit 1985 et Ian Hacking, *Le plus pur nominalisme, l'énigme de Goodman :"vleu" et usages de vleu"* édition de l'éclat 1993.

diversité humaine qui la compose[97]. Ce que ne connaît pas cet imaginaire, c'est que la catégorie des *sans papiers peut se gonfler d'anciens régularisés redevenus *sans papiers, rejetés de leur situation régulière lors de leur renouvellement de titre par la complexité et la perversité des textes.

Il y a donc les *sans papiers qui viennent d'arriver et ceux dont la situation administrative a cessé d'être régulière, et qui sont par conséquent *devenus* des *sans papiers.

L'hétérogénéité de la catégorie *sans papiers ressemble fort aux catégories reliées à la médecine ou à la délinquance qui favorisent les prédictions alarmistes (pathologies sociales).

Au lieu d'être reliée à un phénomène, le droit de se déplacer et de s'installer, garanti en principe par la Déclaration universelle des droits de l'homme[98] (voir **Zoom**), la migration est reliée à la pathologie sociale et associée à la délinquance, par l'usage du mot "clandestins", d'une part, mais aussi par l'insistance mise à l'accoler à la criminalité ou au trafic (de main d'œuvre par exemple).

Il est ainsi assez curieux de constater que les catégories "migrants" ou "sans papiers" conduisent à des anticipations inflationnistes, comme cela a été le cas pour la catégorie "enfance maltraîtée", analysée par Ian Hacking[99].

Il faut retenir du rapprochement avec l'émeraude de Goodman qu'un *sans papier peut être relié à des situations différentes au regard de sa présence sur le territoire français. Il ne relève d'une entité ni narturelle ni essentielle. En second lieu, compte tenu de l'arbitraire de la loi et de ses fluctuations, toute visée destinée à constituer dans les discours cette catégorie comme une catégorie juridique est un leurre.

---

97 Hervé Le Bras, *L'invention de l'immigré*, L'aube 2012, Emmanuel Terray, *La politique officielle de l'immigration et son langage*, Institut de recherches de la FSU, 2011.

98 Article 13-1. Toute personne a le droit de circuler librement et de choisir sa résidence à l'intérieur d'un État.
Article 13-2. Toute personne a le droit de quitter tout pays, y compris le sien, et de revenir dans son pays.

99 Ian Hacking, *Entre science et réalité, La construction sociale de quoi* ? La Découverte 2001.

ETAT CIVIL[100]

Mamadou Diallo a déposé un dossier de demande de titre de séjour dans le cadre du dépôt collectif effectué par la CGT. Il s'agit des dossiers des grévistes non encore régularisés après la grande grève des travailleurs sans papiers démarrée en 2008 et qui s'est étalée sur plusieurs années avec des temps forts en 2009, 2010 et 2011. Ce jour-là environ 120 dossiers sont examinés dans une annexe de la préfecture de police de Paris.

Ce Mamadou habite dans un foyer où réside aussi Mahamadou Diallo.

Il y a eu quelques mélanges dans les courriers contenus dans le dossier de Mamadou. En fait, très peu si l'on tient compte du fait que ce travailleur ne sait pas lire, pas plus que Mahamadou. On se demande même parfois comment ils arrivent à se retrouver dans la quantité de documents qui sont exigés.

Certains des papiers produits dans le dossier de Mamadou portent le prénom de Mahamadou.

Ces documents ont pourtant sa date de naissance et d'autres éléments permettant de vérifier qu'ils appartiennent à lui, Mamadou, et que c'est vraiment LUI.

La préfecture demande de vérifier que Mamadou est bien Mamadou et non pas Mahamadou.

Mamadou est allé faire certifier au consulat qu'il est bien Mamadou, mais cela n'a pas suffi. Sous prétexte que certaines preuves apparaissent douteuses quant à leur propriétaire (Mamadou ou Mahamadou), la préfecture lui impose de trouver un employeur qui acceptera de l'embaucher à raison de 35 heures par semaine et de payer une taxe de 730 euros - c'est-à-dire troquer une demande de titre lié à ses dix ans de présence contre une demande de titre salarié, titre beaucoup plus précaire[101].

Sinon, il va devoir raser les murs pendant encore toute une année, se faire exploiter pour avoir le droit de vivre dans le pays qu'il a choisi et où il réside depuis dix ans, en travaillant sans être déclaré "parce que c'est la crise".

On est très loin des paradis fiscaux et de leurs milliards de fraudes, mais un sou est un sou et puis, l'appel d'air, et puis le raz de marée !... Et puis, surtout,

---

100 Compte tenu de la complexité des démarches et des situations, nous renvoyons à *L'état civil*, Notes pratiques du °GISTI, 2011 ou au dossier www.gisti.org/textes-etat-civil.

101 En effet, le titre "salarié", valable un an, limite le droit au travail à une branche d'activité et à une région. De plus, le premier renouvellement n'est accordé que si les conditions du contrat de travail initial ont été strictement respectées et à condition que le travailleur n'ait pas changé d'employeur durant l'année. Voir **Parias**.

la question n'est évidemment pas là : il faut afficher qu'on se débarrasse de tous ces gens. Plus on dit qu'on s'en débarrasse et plus on peut les faire travailler comme des esclaves, c'est-à-dire au noir, donc on ne leur accorde ni droit au séjour ni droit au travail (voir **Cynique**).

Faut-il alors s'étonner qu'ils travaillent sous un nom d'emprunt ?

Parce que les travailleurs sans papiers n'ont pas le droit... de travailler et parce qu'on exige d'eux des bulletins de salaires(!) et des promesses d'embauche articulés à une ancienneté professionnelle. La situation se complique. Kafka ni Ubu ne sont loin.

***

Mais les problèmes d'identité n'ont pas fini de nous surprendre !

Eh oui, les choses se compliquent encore, car il y a les erreurs de transcription dans les documents mal recopiés, ou recopiés à la hâte.

A l'occasion de chaque dépôt de dossier de demande de régularisation, les actes d'état civil doivent être produits, ainsi que le passeport en cours de validité et tous les autres documents précisant l'état des personnes : acte de mariage, livret de famille et autres documents, certificat de scolarité des enfants, carnet de santé et aussi les documents d'aide médicale de l'État.

Bien entendu, tous ces documents doivent correspondre entre eux et les noms, prénoms et dates ne peuvent souffrir d'erreur de transcription.

Or les erreurs de transcription surviennent beaucoup plus souvent qu'on ne l'imagine et ceci pour de multiples causes.

Une des causes, et non des moindres, des mauvaises transcriptions résulte de la rencontre de plusieurs logiques économiques qui font partie du même système d'exploitation. Elles semblent se contredire mais se renforcent entre elles, et nombre de personnes en font les frais. Incohérence des exigences de l'administration française adossée au soupçon généralisé à l'égard des étrangers d'un côté et, en face, réalité de l'administration de pays soumis aux ajustements structurels du FMI[102], souvent anciennes colonies françaises, dont l'état civil a été saccagé par les mesures d'austérité imposées à ces pays.

Une autre cause d'erreur de transcription résulte des changements de langue, d'alphabet ou d'écriture.

Elles sont innombrables les histoires de noms mal transcrits ou transcrits diversement du cyrillique, ou d'idéogrammes asiatiques, ou de l'arabe, ou de noms où le *ch* est transcrit *cz* ou *tch*, de *a* en *e* ou de *e* en *a*, et qui brisent des vies, ou simplement des projets importants, pour ceux chez qui elles surviennent.

---

102 FMI. Fonds Monétaire International, qui conditionne des prêts aux pays pauvres à des réductions des dépenses de l'État.

Autres histoires innombrables, et presque toujours insolubles, celles des Français nés à l'étranger, ou dont les parents, français, sont nés à l'étranger et pour lesquels il n'est pas possible de se procurer d'acte de naissance.

Depuis l'introduction de la carte d'identité "infalsifiable", en effet, nombre de Français, jusque là totalement insouciants quant à leur nationalité, se sont retrouvés sans possibilité de prouver qu'ils étaient français.

Le soupçon empoisonnant le renouvellement des documents d'identité pourrait servir d'illustration au danger des lois sécuritaires : elles s'étendent aussi à ceux qui s'en croyaient protégés.

Mais ces histoires n'arrivent qu'aux autres…

EXTERNALISER

On trouve sur le site internet *Un autre regard sur la Terre*[103] toutes sortes d'observations de notre planète, ses terres, ses mers, son atmosphère. On y découvre ainsi le destin de la mer d'Aral. Au milieu du XIXème siècle, "La guerre de Sécession aux États-Unis a amené l'empire russe à développer la culture cotonnière en Asie centrale afin de faciliter et sécuriser son propre approvisionnement. Le régime soviétique a accentué la politique amorcée par le tsar : le coton, "l'or blanc", est devenu une priorité pour l'exportation. Combinée à des années de pénuries d'eau, l'intensification de l'irrigation à partir des rivières Amu-Darya et Syr-Darya a causé une forte diminution de la surface de la mer d'Aral et une baisse du niveau de l'eau".

Aujourd'hui, ce qui était la mer d'Aral est devenu un lac salé cerné par un désert empoisonné. "La salinité de l'eau a augmenté, détruisant progressivement la biodiversité de la mer d'Aral : l'activité de pêche, qui était une importante source d'emplois, s'est effondrée. La pauvreté a augmenté avec la baisse de la nourriture fournie par la pêche. Ainsi, Muyniak, qui fut un port de pêche de 40 000 habitants, se retrouve aujourd'hui au milieu des terres et a perdu les trois-quarts de sa population".

Voilà comment un choix économique "rationnel" dans un contexte de mondialisation a tué une société par assèchement.

***

Du coq à l'âne ? Voire.

L'Union Européenne a entrepris depuis le début des années 2000 de mettre en place une digue protectrice de ses frontières, en s'assurant la collaboration de pays tampons, notamment les pays du nord de l'Afrique. Illustration symbolique, les barrières-frontières de Ceuta et Melilla, enclaves espagnoles en terre marocaine.

Cette externalisation des frontières est la mission de l'agence Frontex[104], dont le nom à consonance française rend hommage, dit-on, à la belle attitude de notre pays dans la guerre aux migrants extra-européens. Frontex est une machine de guerre contre "l'invasion" de la plantureuse Europe par de prétendues hordes de mendiants.

---

103 regard-sur-la-terre.over-blog.com.
104 frontex.europa.eu.

Un budget en croissance très rapide en période d'économies, pour une externalisation qui consiste pour les États européens, selon Claire Rodier[105], "à sous-traiter la gestion de l'immigration irrégulière aux pays limitrophes (Maghreb, Europe de l'Est) [ce qui] a plusieurs avantages : d'une part, elle opère un transfert du "sale boulot" (déportations de masse, détentions arbitraires, tortures) dans des pays dont les standards sont moins élevés qu'en Europe, en permettant de s'affranchir des obligations que les lois européennes imposent en matière de respect des droits de l'homme ; d'autre part, elle participe du rapport de dépendance que l'Union Européenne entretient avec son voisinage proche. Car, aux pays concernés, on promet, en échange de leur collaboration, le financement d'actions de coopération ou des contreparties de nature politique ou diplomatique. Mais, en réalité, ils n'ont en général ni la capacité matérielle, ni le cadre juridique, ni la volonté politique d'assumer le rôle de cordon sanitaire de l'Europe qu'on leur assigne".

***

Frontex est surtout un marché lucratif pour les entreprises de sécurité[106], "qui déploient des forces humaines (des policiers "nationaux") et techniques (des hélicoptères, des avions, des navires, des radars, des caméras thermiques, des sondes mesurant le taux de gaz carbonique émis, des détecteurs de battements de cœur et bientôt... des drones) en Méditerranée et à l'est de l'Europe".

Ces dispositifs de blocage obligent les candidats à la migration vers l'Europe à emprunter des routes nouvelles, plus longues et plus dangereuses. De ce fait, on estime à plusieurs milliers par an le nombre de morts. En effet, comme le souligne Claire Rodier, "il est clair qu'il faut être un peu naïf pour penser qu'on peut empêcher des populations entières de bouger, alors qu'elles sont poussées par des motifs que, par ailleurs, on ne supprime pas. On ne peut se mettre en travers du chemin de gens qui doivent absolument quitter un endroit, sauf à les exterminer – on n'en est pas encore là. Les dispositifs de contrôles frontaliers ne prennent absolument pas en compte cette réalité-là, ou font semblant de ne pas la prendre en compte".

***

Frontex est un organisme vivace qui participe à la recherche internationale dans son domaine. En témoigne l'organisation d'un *Workshop on innovation in border control* en août 2013 à Uppsala. Au programme :

- Détection, identification et authentication des étrangers "à risque"
- Communication entre les équipes opérationnelles et les autorités locales de contrôle des frontières

105 alencontre.org/europe/frontex-son-budget-a-ete-multiplie-par-15-en-5-ans.html.
106 Claire Rodier, *Xénophobie business*, La Découverte, 2012.

- Partage de l'information concernant la sécurité des frontières, interopérabilité
- Acquisition, fusion et utilisation des données relatives à la sécurité des frontières. Evolutions technologiques, acceptabilité et intégration. En *newspeak* (novlangue) dans le texte[107] : "*CHALLENGE : Various new technologies with border control application potential are emerging, however, their integration into the border control processing chain poses administrative, technical, societal, privacy and human-machine optimisation issues*". La prise en compte des transgressions de toute nature attendues des évolutions engagées fait partie intégrante de la réflexion qui les programme !

Le développement galopant de cette armada (19 millions d'euros en 2006, 118 en 2011, mais seulement 85 en 2013) s'accompagne inévitablement d'un questionnement sur la nature de ses interventions. Un consortium d'une quinzaine d'associations de sept pays (Belgique, Cameroun, France, Italie, Mali, Maroc, Mauritanie) et deux réseaux euro-africains ne se font pas d'illusions. "Symbole de la politique sécuritaire en matière migratoire et bras armé des États membres de l'UE, Frontex pose question notamment concernant la violation des droits lors de l'interception et du renvoi forcé de migrant-e-s. Que se passe-t-il véritablement aux frontières ? Et qui est responsable de ce qui s'y passe ?

Lors de ces opérations, le respect des droits humains est mis en danger, particulièrement le droit d'asile, le droit à un traitement digne et au respect de l'intégrité physique. L'opacité des opérations - maritimes, aériennes et terrestres - conduites par Frontex et la dilution des responsabilités qui les caractérise portent atteinte aux principes fondamentaux reconnus par l'UE, ses États membres et les États tiers partenaires de l'agence".

A l'initiative du réseau Migreurop[108], les opposants à cette entreprise étrange ont lancé en mars 2013 une campagne d'information et de protestation, Frontexit[109], avec un double objectif : "informer un large public sur les dérives auxquelles donnent lieu les opérations de Frontex en termes de droits humains, et dénoncer ces dérives auprès des représentants politiques directement impliqués". Par un travail d'enquête, de contentieux judiciaire et d'interpellation politique, cette campagne vise à faire la lumière sur les mandats, les

---

107 Traduction. "DEFI: des technologies nouvelles apparaissent, susceptibles d'être appliquées au contrôle des frontières ; cependant, leur intégration dans le dispositif de contrôle soulève des questions administratives, techniques, de respect de la vie privée et de l'optimisation de l'interaction homme-machine". La construction souple de la phrase anglaise n'interdit pas de comprendre que l'optimisation concerne l'ensemble des questions soulevées, et pas seulement l'interaction entre l'homme et la machine.

108 www.migreurop.org.

109 www.frontexit.org.

responsabilités et les actions de Frontex, faire suspendre les activités de l'agence identifiées comme contraires aux droits humains, et jusqu'à l'annulation du règlement créant l'agence Frontex, s'il est démontré que le mandat de l'agence est incompatible avec le respect des droits fondamentaux.

***

Mais le migrant est motivé (voir **Zoom**), et il peut tout aussi bien entrer dans l'UE avec un visa de quelques semaines et oublier de repartir. La Commission Européenne y a pensé et, en févier 2013, elle a présenté une proposition de règlement créant le dispositif Entry/Exit System (EES), une base de données dans laquelle chaque non européen entrant avec son visa se trouvera fiché, sa date limite de départ enregistrée. Le dispositif comporterait un mécanisme d'information repérant les personnes dont la durée de séjour autorisée aurait expiré avant l'enregistrement d'une date de sortie. Une liste contenant les données relatives à ces personnes serait ainsi générée et mise à disposition des autorités nationales compétentes. La Commission présente sa nouvelle invention comme une *frontière intelligente*. Car, en parallèle, un programme complémentaire d'enregistrement des voyageurs (RTP) aura pour vocation de permettre aux voyageurs à "faible risque" (c'est-à-dire les hommes d'affaires et les touristes aisés) d'entrer plus facilement sur le territoire européen que ceux censés représenter une "menace"...

FABLE

Posons la question : le "problème de l'immigration" serait-il une fable, une histoire colportée et répétée par presque tous ? Si c'est le cas, à qui profite le mensonge ? On peut aussi se demander pourquoi la droite comme la gauche semblent la trouver pertinente (voir **Charnière**), sans trop se soucier des accomodements avec le respect dû aux Droits universels de l'Homme.

Dans *Xénophobie d'en haut*[110], Michel Feher avance une hypothèse que l'on peut résumer ainsi : la pression croissante que le renforcement du capitalisme et l'affaiblissement de la protection de la collectivité, présentés comme inéluctables, impose aux travailleurs de toutes catégories une souffrance de plus en plus intolérable. Pour pouvoir accentuer impunément ces pressions, il faut proposer une cause à ce qui pourrit la vie des gens : ce sera la faute des autres, les étrangers parmi vous (voir **Parias**). Et la xénophobie, cette recette vieille comme la civilisation mais inusable, reprend du service.

Les auteurs détaillent les résultats des études qui démontrent que les idées reçues sur les méfaits supposés de la migration vers les pays riches n'ont aucune justification - économique, démographique, ou même électorale. Détail piquant : l'une des situations de souffrance non mentionnée dans le livre est celle des gens qui ont choisi de s'endetter pour avoir une habitation à eux, mais qui ont dû partir loin des centres urbains parce qu'ils ne pouvaient pas payer plus ; ils se retrouvent privés des services publics de base et dépendants du prix de l'essence. Certes, ils sont propriétaires, mais ligotés. Et voilà que les analystes du premier tour de l'élection présidentielle de 2012 s'aperçoivent que bien des électeurs dans cette situation ont voté pour la candidate la plus ouvertement opposée à l'immigration !

Quelques uns s'attellent à faire entendre à leurs concitoyens, et d'abord aux élus qui votent les lois, que l'on est en présence d'un corpus compact d'idées fausses. Or, une action fondée sur une analyse faussée n'a aucune chance d'être utile. Parmi les initiatives qui se multiplient dans ce sens, outre l'abondant dossier de Mediapart[111], signalons celle de Terra Eco[112] qui détricote dix idées reçues sur le "coût de l'immigration", ou encore ATD Quart Monde qui

---

110 Cette France là (auteur collectif), *Xénophobie d'État*, La Découverte 2012.
111 www.mediapart.fr/journal/international/100511/immigres-une-boite-outils-pour-repondre-marine-le-pen-et-nicolas-sarkoz.
112 www.terraeco.net/Immigres-ce-qu-ils-rapportent-a-la,12412.html.

proclame "Les idées fausses, ça suffit ![113]".

Les auteurs d'une étude économique de l'Université de Lorraine, après avoir donné beaucoup de réponses chiffrées (voir **Participations**), interrogent : "Et si l'on se trompait de débat ? Combien coûte l'immigration ? Combien rapporte-t-elle ? Au fond, ces questions doivent-elles être posées ? "C'est indispensable, estime Xavier Chojnicki, économiste à l'université de Lille, car ce genre d'études permet de remettre en cause un certain nombre de clichés. Ça montre que des discours politiques sont infondés". L'approche purement quantitative a toutefois ses limites. Résumer l'apport d'un être humain à une collectivité par sa contribution ou son coût, "c'est être dans une pure logique comptable et c'est déjà mettre un doigt dans l'engrenage du Front National, regrette Eloi Laurent, économiste à l'OFCE (Observatoire Français des Conjonctures Économiques). On ne pourra pas mesurer, par exemple, l'apport culturel des migrations".

Et pourquoi faudrait-il que ça rapporte ?

---

113 www.atd-quartmonde.fr/Les-idees-fausses-ca-suffit.

FILS

Paris, le 1 décembre 2009

à Monsieur le Ministre de l'immigration, de l'intégration,
de l'identité nationale et du développement solidaire
101, rue de Grenelle
75323 Paris cedex 07

Monsieur le Ministre,

Je soussigné, Monsieur K... Moussa, suis né le ... à ... (Mali). Je suis entré en France le 1er août 2006 avec un visa étudiant de long séjour. J'étais venu pour suivre mes études et sortir à la fin de mes études avec un métier qui me garantirait dans la vie. C'était aussi pour m'intégrer en France pour toute ma vie entière, aider ma famille, mon père qui est en France depuis à peu près 20 ans qui a pu se régulariser en août 2009, aider ma mère et mes frères et sœurs au pays.

Aujourd'hui grâce à ma motivation je suis prêt à m'investir dans la vie et dans la société française, ce qui me pousse à aller jusqu'au bout. C'est pour cela que je me permets de vous écrire, Monsieur le ministre. Je vous demande votre aide auprès du préfet de Paris pour qu'il accepte ma régularisation, et que je puisse m'intégrer dans la société et avoir une vie normale, avec toutes mes excuses si l'une de mes paroles vous touche.

Je fais partie de la CSP75, Collectif des Sans Papiers de Paris pour la régularisation de tous les *sans papiers.

Aujourd'hui je suis en train de me faire exploiter par un employeur. Je sais que je suis hors la loi mais je suis très très désolé car je n'ai pas le choix. Je suis obligé de faire comme ça pour vivre. Je me sanctionne moi même auprès de vous. Je voudrais qu'on me donne une chance pour vivre dans de meilleures conditions.

Veuillez agréer, monsieur le Ministre, l'expression de mes sentiments distingués.

Cette lettre a été écrite par moi même.

Moussa

[*Moussa accomplit son devoir de fils en venant prendre le relais de son père pour le soutien à sa famille au pays. On est dans une certaine logique de l'économie réelle malienne. La solution pour être dès le début en séjour légal a été la demande, et l'obtention, d'un visa de long séjour pour des études universitaires. Il na pas trouvé sa place à l'université, mais il l'a prise auprès de son père. Après l'expiration de son visa il a demandé un titre de séjour, ne pouvant imaginer que la loi ne lui offrait aucune chance. Ni le refus d'autorisation de séjour ni l'obligation de quitter le territoire qui l'accompagnait ne lui ont fait changer sa trajectoire. Simplement, alors qu'avec un titre de séjour il aurait travaillé et payé ses impôts normalement, le refus l'a envoyé directement dans le vivier des travailleurs au noir, un élément essentiel de l'économie réelle.*

Fin 2013 : la loi sur le séjour des étrangers n'a toujours pas changé ; Moussa doit donc attendre août 2016 pour espérer la régularisation de son séjour, s'il a bien gardé des preuves administratives de sa présence en France. Comme il n'a pu travailler qu'au noir (un seul employeur depuis 5 ans), il ne poura pas bénéficier des "assouplissements" de la circulaire du 28 novembre 2012 (voir **Personne**).]

FISCALITÉ

La majorité des personnes sans papiers déclarent leurs revenus. Mais le traitement de leur déclaration fait l'objet d'injustices persistantes et ne leur ouvre jamais les droits de citoyenneté associés à la contribution fiscale, acte citoyen inscrit dans la Déclaration des droits de l'homme de 1789 (article 14).

Parfois, la déclaration de revenus n'est volontairement pas "taxée" suite à des ordres reconnus illégaux par le ministère, comme lors d'une audience, où un membre de la délégation a produit un courrier de la Direction générale des finances publiques (DGFIP) refusant la prise en compte de sa déclaration au motif qu'il n'avait pas de titre de séjour. Parfois, le quotient familial et le barème de taxation ne sont pas correctement appliqués. Quand un travailleur prête son "identité" à d'autres, tous les revenus des trois, quatre ou cinq personnes travaillant sous la même identité sont imprimés sur la déclaration de revenus préremplie du "prêteur". Même si la somme due est répartie entre eux, de fait elle n'est pas calculée conformément aux lois de la République et aux dispositions du Code général des impôts (CGI).

Depuis de nombreuses années, la campagne anti racket (voir **Racket**) pose la question de l'injustice fiscale et a demandé à Woerth[114] comme à Moscovici[115] qu'ils interviennent au sein du gouvernement et proposent une loi de régularisation de tous les *sans papiers, à partir du moment où leurs services ont suffisamment de données sur leur existence fiscale et sociale (nombre de *sans papiers reçoivent une déclaration de revenus pré imprimée à leur nom et adresse) et sur leur apport à l'économie nationale (voir **Participations**). Ne pas le faire revient à favoriser le travail au noir, donc la fraude fiscale et sociale des chefs d'entreprise qui les exploitent (voir **Personne**).

Enfin, en pleine période d'examen de la loi de finances 2013 par le Parlement, il est demandé de revoir considérablement le montant des taxes (708 €) que doivent acquitter les étrangers pour pouvoir bénéficier d'un titre de séjour (voir *Djizîa*) alors qu'un Français paie 89 € pour obtenir un passeport…

---

114 Éric Woerth, ministre du Budget de 2007 à 2009.
115 Pierre Moscovici, ministre des Finances à partir de mai 2012.

Suite aux rencontres "fiscalités et *sans papiers" au ministère des Finances, une note comportant quatre paragraphes sur le traitement des déclarations des *sans papiers a été envoyée en 2012 aux agents des impôts[116], jusque là sans aucune instruction.

En parallèle, le collectif et des militants du syndicat Solidaires Finances Publiques organisent chaque année des permanences fiscales militantes pour aider les *sans papiers à déclarer leurs revenus.

---

116 Note reconduite en 2013. On y lit notamment : "La nécessaire vigilance sur les domiciliations incertaines ne doit pas constituer pour le service une manière de s'assurer que le contribuable qui a déposé une déclaration dispose effectivement d'un titre nécessaire pour le séjour sur le territoire (cas des travailleurs sans papiers)".

FRÈRE

[Idrissa a 20 ans. Il a obtenu en France un CAP de couvreur et il poursuit ses études en alternance en vue d'un brevet professionnel. Il envoie de quoi vivre à ses petits frères et à sa sœur, recueillis par une tante au pays.]

Je suis né le 10/06/1993 au Mali, à Bamako.

Toute mon histoire commence dans ce pays-là, ma propre autobiographie, mon parcours de ma naissance à aujourd'hui. Je viens d'une grande famille historique à l'Ouest du Mali, région de Kayes. Mon village s'appelle Moussala. C'est là que mon histoire commence, parce que mes parents viennent de ce village.

Mes parents étaient partis du village en 1987 pour s'installer dans la grande ville, la capitale du Mali, Bamako. Après sept ans je suis né. Je suis l'aîné des enfants de mes parents, trois garçons et une fille. J'ai été scolarisé à l'âge de 6 ans grâce à ma mère. Depuis que j'étais tout petit, ma mère était la seule personne que je voyais toujours présente à la maison et au dehors. Toute la maison était à sa charge. J'étais bon à l'école, jusqu'à 12 ans j'étais le premier de ma classe. Puis j'ai commencé à comprendre [les difficultés de ma mère] et je séchais les cours pour aider ma mère dans son petit commerce et pour m'occuper de mes frères et de ma sœur.

A 14 ans j'ai pensé à quitter le Mali pour aller travailler dans un pays voisin, la Mauritanie ou le Sénégal, tout ça pour aider la pauvre maman à assurer l'avenir de mes frères. En attendant, je faisais des bricoles au marché.

Quand j'ai eu 15 ans, je me rappelle encore, le soir j'appelle ma mère dans sa chambre. Je dis "Ecoute-moi, maman, je sais combien vous êtes importants pour moi, mais laisse-moi aller tenter ma chance à l'étranger". Elle a pleuré, ma mère, ce jour-là. "Oui, mon fils, je te laisse aller à l'étranger, mais il ne faut jamais prendre les bateaux des émigrés pour tenter d'aller en Europe". "Je suis d'accord, maman". Elle m'a fait sa bénédiction. Après deux jours je suis parti.

J'ai bricolé pendant trois mois en Mauritanie. De ce jour-là je me suis renseigné sur comment faire pour aller en Europe. Je pris ma décision d'aller en Europe, mais il fallait absolument aller voir ma mère. Je fus de retour à la maison. Elle était super contente de me retrouver. Et puis j'avais ramené un peu d'argent pour l'aider dans ses dépenses. Comme les écrivains disent que c'est le meilleur qui part, ma mère m'a dit "Bon, je vais voyager pour aller à

Kayes pour chercher des marchandises. Mon départ, c'est le samedi 23 avril 2009". Je l'accompagne. Ils sont partis - quatre heures de route - il y a eu un accident et subitement, c'est là où ma mère a perdu la vie. C'était le 24 avril 2009 ; c'est une date que je ne peux pas oublier à vie.

Après, les choses se sont retournées contre moi, la responsabilité à ma charge : deux petits frères et une petite sœur - mon père est là physiquement, mais il ne pense qu'à lui et il ne fait rien pour nous. C'est ainsi qu'à 15 ans je suis devenu un homme responsable. Je dis à mes frères : "la route est longue, mais je vais aller à l'étranger". Je suis parti du Mali, retour en Mauritanie, justement à la ville de Nouadhibou[117].

Les choses ont commencé là, à Nouadhibou. Je décide de prendre la pirogue pour aller en Espagne. On était plus de cent personnes dans la pirogue et l'aventure était partie pour deux semaines. Avec un bout de pain, une boîte de sardines dans un sac et une bouteille d'eau. Vous imaginez, de Mauritanie en Espagne dans l'Océan[118], pas assez de carburant, pas de boussole, orientation zéro. A une semaine je vois déjà mourir dans la pirogue. On jette les corps dans l'eau. Nous sommes perdus au moins trois jours sur la mer. Je vous jure, plus de la moitié des personnes ont disparu. Le moteur est arrêté. Mais c'est un miracle que je raconte. Quand la nuit tombe c'est une autre étape de l'enfer. C'est la pire chose que j'ai vue de ma vie.

Je ne sais pas comment j'en suis sorti. La pirogue s'est écroulée et j'ai nagé. Quand je vis la terre, j'étais à moitié mort. Je ne reconnaissais plus rien. J'ai été hospitalisé en Espagne pendant une semaine avant de pouvoir parler. Je ne crus pas moi-même que j'étais vivant, que j'étais en Espagne.

Après, c'est une autre bataille. Je ne parle pas espagnol et demande des Maliens en Espagne pour me rendre à leur résidence. Ils m'ont trouvé des Maliens qui vivaient en Espagne depuis longtemps. J'explique que j'ai seize ans, je suis très jeune. Et puis j'ai été à l'école logiquement, je parlais un peu français. Ils m'ont dit d'aller en France. Mon but, c'était d'arriver en France. C'est une terre accueillante et qui respecte le droit humain. Ils m'ont montré la route.

Bon, j'arrive en France. J'ai rencontré un foyer de travailleurs. La première chose que je dois trouver, c'est des gens qui peuvent me loger dans une chambre. J'ai fait un mois à droite et à gauche. A la fin du mois j'étais SDF. Je me suis contenté de la cour du foyer pendant plus de deux mois.

Un jour je suis allé voir le recteur de Paris pour m'inscrire à l'école. J'ai passé des tests oraux et écrits. Après deux semaines j'ai eu un premier cours. J'ai trouvé une chambre dans un foyer d'accueil[119]. Je suis allé à l'école et le premier

---

117 Ville côtière, capitale économique de la Mauritanie (Port-Étienne à l'époque coloniale).

118 Ces pirogues sont adaptées à la navigation fluviale, mais trop légères pour affronter la pleine mer.

119 Grâce à sa prise en charge par l'°ASE en sa qualité de mineur isolé (voir **Seize ans**).

jour je n'étais pas comme les autres, je ne parlais pas et je n'avais pas d'argent pour manger. C'est là que j'appris à connaître la France et j'eus des projets très sûrs.

J'ai compris qu'il y a toujours parmi les Français des personnes accueillantes. Grâce à ma professeure principale, j'ai connu °RESF à la Mairie du 14ème arrondissement de Paris. De ce jour jusqu'à aujourd'hui, ils étaient là pour [pour faire face avec moi à] tous mes problèmes personnels et professionnels. C'est grâce à eux que je vis en France et que j'ai du travail. Merci et encore merci - je ne peux pas donner de noms - merci à toutes les personnes qui travaillent dans ce bénévolat.

Mon point de vue sur la France. Avant, sa politique était diamétralement opposée à ce qu'elle est aujourd'hui. Après la deuxième guerre mondiale, M. De Gaulle a appelé les étrangers à venir aider la France pour sa reconstruction. Aujourd'hui la France est construite, elle ne veut plus d'étrangers sur le territoire. S'il n'y avait plus d'étrangers en France il y aurait beaucoup de travail pas fait parce que les Français ne le font pas. La France a besoin des travailleurs étrangers aujourd'hui, demain et pour toujours.

Je m'arrête là.
Merci.

FRONTIÈRE

[Le terrible compte à rebours du demandeur d'asile mineur isolé placé en zone d'attente]

Soit une jeune femme de 16 ans qui arrive en France depuis le Congo (RDC) avec un passeport d'emprunt sur lequel elle apparaît majeure. Elle a transité par la Turquie, puis arrive à l'aéroport de Lyon Saint-Exupéry. Au contrôle aux frontières, l'officier de police judiciaire ne se laisse pas abuser et la demoiselle se voit opposer un refus d'entrée sur le territoire français et notifier un placement en zone d'attente pour quatre jours. La jeune femme expose alors immédiatement être en réalité mineure, se nommer autrement, et vouloir déposer une demande d'asile en France car sa mère a été tuée sous ses yeux par les miliciens du M23[120] à Goma à la fin du mois de novembre au Congo, et elle expose avoir fait l'objet de violences physiques intimes très graves de la part de deux de ces miliciens. Son corps est couvert d'ecchymoses, elle est très émue à l'évocation des derniers jours qu'elle a vécus au Congo et qui ont précédé sa fuite. Un administrateur *ad hoc* est désigné pour la représenter compte tenu de sa minorité, et pour l'assister.

La jeune femme est entendue par les services de police. Elle est ensuite soumise à une expertise osseuse (voir **Seize ans**) demandée par l'°OFPRA et soumise à un examen gynécologique, ces deux examens étant pratiqués hors la zone d'attente, avec conduite sous escorte. A aucun moment les officiers de police judiciaire n'ont cru bon d'avertir le procureur de la République ou un Juge pour enfants qu'ils faisaient pratiquer ces examens. Ces mêmes officiers ont entendu la jeune femme pendant quarante minutes en évoquant exclusivement avec elle le fond de sa demande d'asile, alors qu'ils ne sont pas l'autorité compétente pour le faire, l'examen de la demande d'asile relevant uniquement de l'°OFPRA. Le juge des libertés et de la détention ne voit aucune difficulté à prolonger pour huit jours le maintien en zone d'attente. La Cour d'appel de Lyon confirmera cette décision, considérant qu'à son entrée la jeune fille était majeure et que l'excuse de la minorité n'entre pas en ligne de compte.

Pendant ce temps, le pré-examen de la demande d'asile de la jeune femme prospère. L'°OFPRA téléphone à la jeune femme et s'entretient avec elle pendant quinze minutes seulement pour ensuite rendre un avis négatif sur sa situation, estimant que "c'est sans la moindre émotion qu'elle décrit les

---

120 M23. Mouvement du 23 mars (2009), mouvement rebelle créé en 2012 en République Démocratique du Congo (RDC), accusé de nombreuses violences contre les populations civiles.

circonstances dans lesquelles elle prétend avoir perdu sa mère il y a dix jours, tuée sous ses yeux par des soldats". L'°OFPRA constate après cet entretien expéditif au téléphone, sans contact physique ou visuel avec la jeune femme qui n'était déjà pas dans un rapport de confiance, que "l'ensemble de ces éléments ne permet pas de faire ressortir un vécu personnalisé". L'°OFPRA, établissement public indépendant en théorie, doit éclairer le ministre de l'Intérieur afin que ce dernier se prononce sur le caractère fondé ou non de la demande d'asile.

Suite à cet avis, le ministre de l'Intérieur prend une décision de refus d'entrée sur le territoire français au titre de l'asile, qu'il oppose à la jeune femme. Six jours se sont écoulés depuis son arrivée en France, que la jeune femme a passés en zone d'attente sans accès aux informations, sans vêtements de rechange, sans quasiment de compagnie amicale, sans distraction, avec comme seule nourriture des plateaux repas, entourée d'officiers de police judiciaire. Cette décision est contestée devant le tribunal administratif de Paris alors compétent puisqu'il s'agit d'une décision du ministre, qui saisit le Conseil d'État, lequel renvoie sur le tribunal administratif de Lyon[121]. Mais le juge du tribunal administratif de Lyon confirme la décision du ministre de l'Intérieur. Malgré une audience d'une heure, au cours de laquelle le Juge n'aura pas questionné la jeune femme sur son récit, et après avoir choisi de prolonger le délibéré d'une journée afin de rendre une décision éclairée, le tribunal administratif confirme la décision du ministre.

Nous sommes le 7 décembre 2012, il est 14h30, un vol semble être prévu pour la jeune femme à 17h30, pour la ré-acheminer au Congo via la Turquie[122]. Elle ne s'est vu remettre aucun plan de voyage. Elle est informée oralement par les officiers de police judiciaire de ce qui l'attend. Personne n'a d'information officielle sur ce qui est prévu exactement, sur les horaires, sur la destination et la compagnie aérienne. La jeune femme s'est vu notifier le sens de la décision au tribunal, mais elle n'a pas en main les motifs exacts de la décision du tribunal, elle ne sait pas suivant quel raisonnement le juge a confirmé cette décision. Son recours n'est donc pas effectif car si le renvoi ne doit pas avoir lieu avant que le tribunal ne se prononce, il a lieu avant qu'elle ait pu avoir connaissance de l'intégralité de la décision du tribunal administratif.

Pour faire obstacle au renvoi de cette jeune femme, la Cour européenne des droits de l'homme (°CEDH) est immédiatement saisie, le 7 décembre 2012 à 15h40, d'une requête sur article 39 du règlement, qui prévoit que la Cour peut ordonner des mesures provisoires aux États lorsqu'il semble qu'ils violent des

---

121 Une modification procédurale a eut lieu depuis qui impose une compétence territoriale du tribunal selon le lieu où se trouve la zone d'attente.
122 Le Code de l'entrée et du séjour des étrangers prévoit que c'est le même chemin qui se fait en sens inverse lorsqu'il y a un refus d'entrée

dispositions de la Convention. La °CEDH ordonne immédiatement aux autorités françaises de suspendre l'éloignement forcé de la jeune femme. Elle indique au Gouvernement français *"de ne pas expulser la requérante vers la République Démocratique du Congo"*.

Mais les autorités françaises ont été très efficaces et la jeune femme est dans l'avion au moment même où son entourage apprend que l'affaire est gagnée grâce à la Cour européenne.

A son retour au Congo, à Kinshasa, elle a été de nouveau retenue pendant plusieurs jours dans un commissariat. A ce jour, elle est à Kinshasa, mais n'a pas de nouvelles de son père ni du reste de sa famille demeurée à Goma. La Cour administrative d'appel de Lyon et la Cour Européenne des Droits de l'Homme sont saisies au fond et les actions pendantes. Le défenseur des droits des enfants a également été saisi de la question. Lorsque les décisions seront rendues, et que la jeune fille disposera d'un passeport valide, il sera envisagé d'engager une procédure en référé contre l'État afin qu'un visa de régularisation lui soit délivré. Mais combien de mois encore pour obtenir gain de cause ?

La zone d'attente est en réalité une zone de non droits puisqu'ils ne sont pas effectifs pour la plupart.

A Lyon il n'y a pas encore de permanence d'avocats en zone d'attente, pas de permanence d'association constamment sur place pour aider aux démarches en vue d'un accès effectif aux droits et à l'exercice de recours. Cette mineure étrangère isolée y est demeurée seule, entourée d'officiers de police judiciaire qui l'ont traitée de façon hostile, ajoutant à la tension, à sa peur, à sa vulnérabilité.

Cette jeune femme n'était poursuivie pour aucun délit.

GALE

[*La procédure d'expulsion du territoire (voir* **Casse-toi***) se déroule sous le contrôle de la justice. La personne interpellée est tout d'abord enfermée dans un Centre de Rétention Administrative (voir* **Retenue***), à la disposition de la police aux frontières qui prépare l'expulsion. Le juge des libertés et de la détention a le pouvoir de mettre fin à la rétention de l'étranger s'il constate des irrégularités dans la procédure. Les deux comparutions obligatoires se déroulent 5 jours après l'arrivée en rétention, puis 20 jours plus tard. Deux occasions pour le °JLD de libérer la personne, ou de prolonger sa rétention de 20 jours. Au delà de 45 jours (5+20+20 jours), si l'expulsion n'a toujours pas été effecruée, il y a obligation de libérer la personne. La police a tout ce temps pour parvenir à ses fins. Si elle a réussi à se saisir de la personne avec son passeport, la tâche est relativement aisée. Dans le cas contraire, il lui faut s'assurer que la personne reconduite sera acceptée par le pays de destination, au moyen d'un laissez-passer délivré par son consulat. Une démarche pas si aisée que cela, car les consulats ne coopèrent pas toujours. Sans compter les cas où la police ne peut déterminer la nationalité de la personne...*

Il existe autour des centres de rétention des avocats, et dans les centres des associations mandatées pour l'aide juridique, qui sont experts dans l'art de trouver la faille libératrice : au 5ème jour, les erreurs de procédures lors de l'interpellation ou du transfert de la personne, au vingtième jour les défauts de diligences, par exemple le retard à présenter la personne devant son consulat ou à un médecin. Cependant, le passage devant le °JLD reste un espoir souvent déçu, comme en témoigne le sobriquet "Bonjour, vingt jours !" qui le désigne dans les °CRA.

Croquis d'audiences publiques du °JLD le 29 octobre 2012 au Palais de Justice de Paris, qui abrite aussi la Sainte Chapelle, lieu très fréquenté par les touristes.]

Il y avait de subtiles différences dans l'air ce jour de vacances.

Dès l'entrée, le passage séparé entre touristes[123] et justiciables n'était pas respecté, vingt minutes pour entrer en passant devant, au risque de pugilat.

Les gendarmes étaient plutôt nouveaux (le gros des troupes de surveillance change toutes les trois semaines).

Donc, on nous demandait notre identité à l'entrée, ce qui est bien sûr illégal, et un chef, au demeurant fort aimable sur d'autres sujets, a voulu m'interdire la prise de notes en cour d'appel du °JLD. "Madame, seuls les journalistes ont le droit d'écrire ici", ce qui bien sûr est faux.

Mais il faudrait bien être journaliste pour raconter ce qu'on voit, parce qu'on voit parfois des choses qui ne devraient pas être tolérées.

---

123 L'entrée pour la Sainte Chapelle jouxte celle du Palais de Justice.

***

Retour au 35 bis[124], la juge est tout de même l'une des titulaires.

Aujourd'hui, à nouveau, c'est une journée plus lourde qu'à l'habitude qui se profile, mais un escorte me rassure : "vous voyez bien, il n'y a que deux vrais avocats, et un qu'on ne connaît pas. Il reste 13 personnes pour les avocats de permanence, vous allez voir ils vont aller vite".

Effectivement.

Deuxième prolongation, l'avocat commis d'office, pour son premier client : "au °JLD de samedi, on avait conclu que les diligences avaient été faites". Sans surprise, il reste en rétention.

Encore une deuxième prolongation. Une belle avocate commise d'office aux longs cheveux qui s'affale sur sa table. C'est la juge qui lit la requête préparée pas l'association. Monsieur aurait la gale et n'aurait pas vu le médecin, entre autres.

Votre conseil a la parole... "Moi quand je l'ai vu, j'ai eu peur d'attraper la gale. Comment ça se soigne ?"

L'avocate ne dira rien d'autre, c'est la juge qui fait tenir l'audience. 10 minutes.

La juge explique que le samedi précédent, une autre personne du même petit centre de région parisienne avait dit avoir la gale.

Elle a appelé dimanche, l'infirmière a répondu "il n'y a pas de gale, il n'a pas vu le docteur, je lui donne des pilules matin et soir".

Le retenu explique à son tour, via son interprète, qu'il a la gale.

Un avocat de la préfecture d'un autre département glisse perfidement tout haut "ça se voit bien qu'ils mentent, ils sont deux maintenant".

La juge espère avoir enfin l'infirmation qu'elle recherche "et comment on vous la soigne, votre gale ?"

"L'infirmière me donne une gélule le matin, une gélule le soir".

Pilule rose, en fait, qui "soigne le stress" depuis 25 jours, et qui n'a pas été prescrite par un médecin.

Sans qu'on l'avertisse que sa dépression ne sera pas soignée, mais masquée, qu'entre autres effets secondaires de cette benzodiazépine bien connue, il souffrira sans le savoir de son sevrage, et que les irritations, fourmillements, tremblements qu'il ressent peuvent venir de ce psychotrope plutôt que de la gale. Mais gale ou abus de médicaments n'ont jamais été un prétexte de libération.

Et l'abus de médicaments n'achète visiblement pas non plus la paix sociale.

---

124 Nom de la salle d'audience du juge des libertés et de la détention, en référence à l'article de l'ordonnance du 2 novembre 1945 définissant les conditions de son intervention en cas de mise en rétention d'un étranger.

GAMINE

[*Anaëlle, entrée toute gamine dans la société française, est aujourd'hui étudiante en sociologie.*]

Bonjour, je m'appelle Anaëlle, je suis née le 14 novembre 1991 au Cameroun. Ma mère est venue s'installer en France quatre ans à peu près avant de revenir nous chercher au Cameroun, mon frère et moi. Les voyages, dans la famille, on s'y connaît, balloté de gauche à droite, un coup chez la tante, un coup chez la cousine éloignée, les voyages se répètent ainsi de génération en génération. Ainsi, mon frère et moi vivions chez ma grand-mère maternelle.

Je me présente par cette brève introduction car il est important pour moi de me définir en tant qu'individu à part entière, qui vit, respire, a des sentiments… Je dis tout ceci car j'ai eu l'impression que parfois on oublie ce petit détail qui pourtant est très important[125]. Derrière chaque geste se cache un être humain qui prend certaines décisions ; par son geste anodin (car dans sa fonction, répétitif) il peut changer la vie d'un autre être humain du tout au tout. Mais celui-ci, dans sa position de dominant, oublie que le dominé n'est autre que son semblable.

Bon, je disais, les voyages, on a l'habitude dans la famille. Alors quand ma mère est venue nous chercher, on savait qu'on ne reverrait pas la famille de si tôt. Moi j'avais entièrement confiance en ma maman, elle était déjà installée en France, elle avait réussi à faire quelques économies et venir nous chercher en peu de temps (oui quatre ans ce n'est rien lorsqu'on cherche à aider sa famille).

Nous sommes arrivés en France le 11 septembre 2001, jour de l'attentat de World Trade Center aux États-Unis. Autant vous dire que c'était la panique dans la famille. J'entends encore ma grand-mère terrifiée à l'idée de nous voir partir. La panique mais en même temps l'excitation, les vœux de réussite, les conseils de tous, les au revoir et nous voilà dans l'avion pour la France. Nous avons laissé derrière nous notre famille, nos amis, nos souvenirs pour nous tourner vers un avenir plus radieux. Voilà ce qu'espère l'immigrant lorsqu'il abandonne tout ce qui lui est cher pour la "terre promise" : terre des rêves impossibles.

Ma mère avait eu par sa sœur, qui quittait la France pour aller s'installer au Canada, un petit studio. En arrivant dans l'appartement, je me suis dit : "Ben dis-donc, on a quitté une grande maison pour s'entasser. Mais bon en tout cas c'est sympa, maman a tout bien organisé pour qu'on s'y plaise". Dans un T1

---

125 Voir **Critères**.

dans le 91, ma mère avait effectivement tout bien aménagé, nous avions déjà nos vêtements, nos chaussures, notre sac d'école et quelques fournitures. Trois jours après, nous voilà inscrits à l'école sans que maman ne paie quoi que ce soit. Là je me suis dit que ce pays était vraiment génial car j'ai toujours trouvé ça cher de payer l'école et qu'on ne permette pas à tous les enfants d'y aller.

J'avais des maîtresses et des maîtres très sympas et très patients avec nous, ce que je n'avais jamais vécu au Cameroun. Là-bas, soit tu sais la réponse, et donc tu es doué, soit tu ne la sais pas et donc tu es un cancre. Les enseignants ne perdaient pas de temps. Ce n'était pas facile pour moi car j'ai, de par mon albinisme, une mauvaise vue et donc en Afrique, j'avais toujours des mauvaises notes. Une fois arrivée en France, je me suis rendu compte que je n'étais pas un cancre mais que j'avais un handicap qui ne me permettait pas de réussir comme les autres. L'école nous a aidés à trouver des assistants qui pouvaient m'aider pour mieux comprendre et mieux vivre avec mon handicap. Nous nous sommes fait des amis et la vie était très sympa. Puis, nous avons déménagé pour aller dans un bel appartement du deuxième arrondissement de Paris.

Mon frère et moi ne partions pas souvent en vacances. Alors maman nous faisait des petits cadeaux tout au long de l'année grâce au salaire miséreux qu'elle gagnait en faisant le ménage, garde d'enfant, la coiffure… des petits boulots qui s'enchaînaient. Nous avons dû aller deux fois en colo et maman nous inscrivait dans les animations qu'il y avait dans le quartier. Pendant que mes amis dépensaient leur argent dans des friandises et autres, moi je le gardais au cas où maman n'en aurait plus.

Plusieurs fois je n'ai pas pu aller en vacances avec la classe parce que je n'avais pas ma carte de séjour. Je ne comprenais pas trop ce que cela pouvait bien signifier. Pour simplifier je me disais : je ne suis pas française, c'est pour ça que je ne peux pas partir. J'étais jalouse de mon frère qui lui était français et pouvait partir avec le clan des Français. Quand j'étais triste, ma mère me disait : va à l'école, travaille dur, et tu réussiras ta vie et tu feras tous les voyages que tu voudras. Alors, malgré toutes mes lacunes, je me suis appliquée à l'école dans l'espoir d'être acceptée un jour par le clan des Français. C'est ainsi que j'acceptais toutes les difficultés de la vie.

Jusqu'à cette °OQTF[126].

J'avais passé un séjour au Canada auprès de ma grand-mère et je suis rentrée en France avant mes 18 ans et j'ai poursuivi ma scolarité. Le jour de mes 18 ans, j'attendais une lettre, un présent de la part de ma famille. Comme tous les matins, je suis allée voir dans la boite aux lettres s'il y avait tout simplement du courrier. En regardant les enveloppes une par une, je suis tombée sur une où il y avait le drapeau de la France. J'ai d'abord pensé que c'était les impôts de

---

126 Voir **Casse-toi**.

maman mais lorsque j'ai vu mon nom, j'ai directement ouvert. Maman avait fait une demande de carte de séjour pour moi et je me suis dit que c'était la réponse donc sur l'excitation, j'ouvre et je découvre en lisant la lettre que non seulement je n'aurais pas ma carte, mais en plus, je serais expulsée.

C'est d'abord une colère qui m'a envahie. Je me suis dit : ok, je suis expulsée mais quand même, ce n'est pas la peine cette brochure explicative sur les moyens, les aides que l'État peut m'offrir pour me permettre de quitter le territoire. Pour qui ils nous prennent ? Nous ne sommes pas des fourmis qu'il faut exterminer. Qu'est-ce que j'ai fait ? Pourquoi moi ? Pourquoi maintenant ? Non c'est une blague, quelqu'un a fait une erreur[127] ! En plus ils disent qu'ils m'expulsent, que je n'ai pas de famille en France ? Mais si, j'en ai une : ma mère, mon frère, mes oncles et tante… et ils disent que je n'ai pas non plus d'enfants. Ils sont fous heureusement que je n'en ai pas à 18 ans ! C'est quoi ces conneries ? Qu'est-ce que j'ai fait ? Je vais à l'école, je ne vole pas, je ne fais rien de mal.

Je suis montée à l'appartement, j'ai appelé ma mère qui m'a dit de ne pas m'en faire et qu'ils n'avaient pas le droit de venir me chercher comme ça, parce qu'il y a des droits en France. Là je me suis dit : elle ne se rend pas compte. Si elle voyait la lettre super impersonnelle qu'ils m'ont envoyée !

Avec l'aide d'une amie j'ai écrit, malgré les conseils de ma mère, à une association. Mon amie avait trouvé l'adresse sur internet et m'a dit d'agir si je ne voulais pas gâcher ma vie. J'ai donc écris un mail à SOS sans frontières[128]. Le mail a tourné et c'est une personne que je croyais ne plus jamais revoir, mon ancienne professeure de collège qui vient à mon secours ! La course est enclenchée. Je préviens mon lycée (le Lycée Autogéré de Paris), toujours sur ses conseils, de ma situation. C'est ainsi que j'ai pu récolter l'aide financière pour payer ma carte de séjour. Ils m'ont tous soutenu lors de mon procès[129]. Et quelques mois plus tard, j'ai obtenu mon premier titre de séjour.

Je pense encore au jour de notre départ du Cameroun, à cet angoisse, à ces ambitions, à ces rêves et je fais automatiquement le lien avec tout ce qui m'arrive depuis que j'ai posé le pied sur le sol de la France. C'est un pays

---

127 Ce n'était pas une blague, mais bel et bien une "erreur d'appréciation" que son avocate n'a eu aucun mal à faire reconnaître par le tribunal adminsitratif devant lequel elle contestait la décision de refus de séjour du préfet.. La jeune fille remplissait strictement toutes les conditions d'une régularisation automatique à 18 ans. Disposait du document lui permettant d'aller et venir, à 17 ans elle était allée rendre visite à sa grand-mère au Canada. Sous-estimant, comme beaucoup, la capacité de l'administration à ne pas comprendre les demandes qui lui sont soumises (voir **Discrétion, Strabisme**), elle avait déposé sa demande en toute confiance. Le préfet considéra que son entrée en France remontait à quelques mois, au retour de la visite au Canada et refusa donc de lui donner un titre des séjour.

128 En fait, le Réseau Éducation Sans Frontières, °RESF.

129 Il s'agit de la requête au tribunal administratif d'annuler la décision de refus de séjour.

merveilleux qui nous a accueilli mais d'un autre côté nous fait subir des choses inhumaines. Un avenir incertain où tout est un combat.

Pourquoi les gens ne comprennent pas que l'immigration a toujours eu lieu ? Que par elle, s'est créée la mondialisation ? Il faudrait arrêter de croire s'il vous plait que la France est constituée de Français de souche. Il y a des migrations et il y en aura toujours[130]. Qu'elles soient Nord-Nord, Nord-Sud, Sud-Nord ou encore Sud-Sud, les migrations existent et favorisent les échanges à l'échelle planétaire.

***

Arrêtez de croire que l'immigré pique le boulot ou le pain du Français, parce que l'immigré lui aussi travaille et est même prêt à faire le travail le plus ignoble pour survivre. L'immigré paie sa carte de séjour chaque année[131]. L'État ferme les yeux sur le travail au noir que certains sont prêts à faire pour une misère car l'essentiel est que le travail soit fait. Sans sa carte de séjour, l'immigré ne peut faire autrement que d'accepter un travail inhumain sans horaire ni salaire fixe[132]. Non seulement, il n'a pas de reconnaissance sociale, mais en plus, il doit subir au quotidien les regards qui le jugent sans savoir, la police, les vigiles qui le condamnent d'avance. Traqué, persécuté, il se rabaisse par rapport aux autres, alors qu'il devrait marcher la tête haute car il a le droit de rester là. C'est sa place et il la mérite.

Ne craignons pas la haine là où il ne devrait pas y en avoir.

Ne croyons pas que nous savons tout sur un sujet parce que nous l'avons vu à la télévision.

Ne condamnons pas l'autre parce que nous croyons qu'il ne nous ressemble pas.

---

130 Voir **Herbe**.
131 Voir **Djizîa**.
132 Voir **Incandescence**.

GANGRÈNE[133]

Le corps électoral est un tout indivisible ; quand la gangrène s'y met,
elle s'étend à l'instant même à tous les électeurs.
Jean Paul Sartre, Septembre 1958

Lors d'un cercle de résistance organisé dans le quatorzième arrondissement à Paris, devant une banderole déclarant "Nous soutenons les étrangers sans papiers", un homme s'avance, les yeux exorbités : "Avez-vous l'autorisation d'être là et de dire ce que vous dites ?"

Oui, j'ai l'autorisation demandée à la préfecture de Police et la lui montre.

Il vacille de colère.

Au cercle de résistance[134], et avec beaucoup d'autres - qu'ils soient organisés ou non -, nous avons dénoncé sans relâche les mensonges de ceux qui ont voulu faire des étrangers les boucs émissaires responsables de tous nos maux. Je pourrais d'ailleurs demander à ce monsieur si un ministre en exercice ou toute autre personne a l'autorisation de proférer des discours discriminatoires, voire racistes condamnés par le droit commun et le droit international.

Mais tout est inversé. Le fond de l'air est infecté. La gangrène se propage à partir d'une plaie ou d'une fracture infectée et le racisme décomplexé s'est répandu. Les lois sécuritaires ou lois d'exception se posent sur un abcès de fixation qui permet d'oublier la cause de l'infection : la misère, la guerre, la faim. Elles sont liberticides mais surviennent dans un moment de choc qui fait passer le coup de force ou l'iniquité[135].

Le passage n'est pas nécessairement brutal, il peut se faire en douceur, pour le plus grand soulagement de ceux qui se croient à l'abri. Ça commence par des caméras vidéo, appelées vidéo-protection, puis ça se poursuit avec des prélèvements d'ADN. Puis, ou simultanément, des arrestations pour délit de solidarité[136], pour faits de grève, des gardes à vue sans avocat, des "rétentions", dans des "centres", etc.

Pas encore la torture, ni surtout les chambres à gaz. Mais on s'habitue, doucement...

Des gens dorment dehors : beaucoup. De plus en plus. On n'a pas les moyens d'accueillir..., etc...

---

133 Anonyme, *La gangrène*, Éditions de Minuit, 1959.
134 cercideresistance-parissud.jimdo.com.
135 Naomie Klein, *La stratégie du choc*, Actes Sud, 2008.
136 Voir **Soutiens**.

C'est difficile d'avoir une pensée autonome au cœur même de la pensée collective, jusqu'à ce que se dessinent les premiers gestes d'une conduite de résistance[137]. Difficile de ne pas penser qu'on délire, et de garder un territoire singulier pour la réflexion. Difficile de faire de l'économie poétique[138] dans une économie néolibérale hégémonique.

La pente naturelle, c'est l'acquiescement ou le refus de voir ou de savoir ou de chercher d'autres voies.

Alors on préfère la gangrène des discours convenus du Vingt heures et celle des gros titres qui font bien peur. L'instrumentalisation d'autrui rejaillit sur la société toute entière

Pendant la guerre d'Algérie, la loi sur les pouvoirs spéciaux en Algérie et en France permettait aux préfets et aux ministres d'assigner n'importe quel suspect à résidence pour une durée indéterminée. Des étudiants algériens à qui la métropole avait dit vouloir accorder la protection de ses lois, ont été torturés à Paris par l'armée et la police. Ils ont porté plainte en décembre 1958 et janvier 1959, contre celui qui était alors le directeur de la DST (défense et sécurité du territoire) pour "complicité de coups et blessure". Aucune de ces plaintes n'a donné lieu à la moindre confrontation. La suspicion est la règle mais nous n'en sommes pas à la torture.

Toute ressemblance....

---

137 Pierre Bayard, *Aurais-je été résistant ou bourreau ?*, Éditions de Minuit 2013.
138 Du verbe grec *poiein*, faire.

GÂTEAU

Elle est arrivée les yeux plissés d'un grand sourire venu d'Asie, toute menue, avec ce gros gâteau totalement décalé : une énorme tarte aux fraises, dont personne n'avait que faire, qu'elle avait payé très cher, en tout cas très cher pour son budget. Une tarte absurde mais chère à hauteur de ce qui lui paraissait être sa dette envers ceux qui l'avait aidée dans ce pays hostile.

Dans la permanence on ne savait pas où mettre ce gâteau, humide et crémeux, au milieu des papiers si nombreux des *sans papiers, ni même comment le partager, sans assiettes ni couverts. Alors, ce don si généreux est surtout devenu gênant, de son humidité, de sa possibilité de tacher les papiers des *sans papiers, de ne pas savoir où le mettre, de son caractère festif au milieu des difficultés et des drames qui venaient s'exposer là. Il a été escamoté, devenu importun, tant il était décalé, exagéré, mal élevé presque.

Elle voulait remercier de ce qu'on l'ait aidée pour avoir ses papiers, auxquels elle avait pleinement droit après un parcours fou ; un parcours de harcèlement, d'angoisse, de ruptures successives avec les siens, avec les autres, avec sa propre image, avec celle qu'on voulait lui imposer.

Les aidants se sont forcés à sourire et à la remercier. Ils auraient sans doute préféré qu'elle s'achète quelque chose pour elle, quelque chose de plus raisonnable.

A-t-elle senti leur gêne ? On est dans l'indicible décalage du malentendu. Il ne faut pas sortir des codes, ou bien savoir, très vite, improviser.

Allez, les aidants, encore un effort !

GREFFIÈRE

Les étrangers en attente de régularisation de leur séjour en France n'en poursuivent pas moins une vie normale : ils travaillent, déclarent leurs revenus, mettent leurs enfants à l'école, se pacsent ou se marient, comme tout le monde. Mais souvent, ils se heurtent à ce qui semble être une politique de déni d'accès aux droits.

Tribunal d'instance de S. Un couple attend à la porte. Elle est française, il est tunisien en séjour irrégulier en France, ils m'ont demandé de les accompagner : ils veulent conclure un PACS et ils ont peur d'affronter l'administration. Nous entrons dans le tribunal et allons vers la porte du PACS. La porte est encore ouverte. A l'intérieur, trois dames enfilent leur manteau. L'une d'elles s'approche :

- C'est pour quoi ? Remarquez, c'est sans importance, revenez demain, c'est fermé !

- Ce monsieur et cette dame voulaient conclure un PACS...

- Madame la Greffière...

De la porte du fond, une dame sort, le manteau à la main.

- ... C'est pour un PACS !

- Je pars, je ne peux plus...

- Je comprends Madame, que votre journée est terminée, mais je pense que vous ne pouvez pas empêcher ces gens de faire leur vie ensemble ?

Elle s'approche et, à voix forte :

- Revenez demain, je m'occuperai de vous !

A voix presque inaudible :

- Attendez-moi dans le couloir, je vais vous appeler !

Nous sortons, les trois dames sur nos talons La porte s'ouvre et la greffière nous fait signe d'entrer, en mettant son doigt sur la bouche comme pour un complot, elle nous ouvre la porte, enlève son manteau déjà enfilé, nous conduit à son bureau, allume un ordinateur avec son imprimante et, au couple :

- Votre dossier est complet, avec vos papiers ?

La jeune femme tend une pile de papiers puis une autre en disant "les photocopies !"

La greffière jette un coup d'œil aux deux amoureux, esquisse un sourire et tape, tape...

On entend crépiter l'imprimante… Elle en retire deux feuilles qu'elle tend au couple :

- Voilà, signez, tous les deux.
Sans regarder, ils signent.
- C'est fait ! dit-elle à haute voix.
Un large sourire illumine son visage… La jeune femme, incrédule :
- Qu'est-ce qui est fait, on n'est pas pacsés quand même…
- Je ne peux pas porter d'écharpe tricolore, mais j'affirme au nom des pouvoirs qui me sont conférés, Monsieur, que vous pouvez embrasser la pacsée ! Le jeune Tunisien embrasse la Française avec ferveur puis, la voix un peu émue :
- Madame la Greffière, notre vie commence grâce à vous !
- N'exagérons rien, mais aujourd'hui j'ai dû passer mon temps à refuser des PACS avec des étrangers pour atteindre le nombre de refus qu'on m'impose, comme si j'étais une employée de commissariat, alors qu'ici je ne dépends que de la Justice ! Donc, vous venez de me rendre service en me permettant de LEUR DIRE NON ! Puis elle enfile son manteau, le boutonne et nous abandonne dans son bureau en disant :
- Tirez la porte derrière vous, elle se bloquera toute seule !

HERBE

La tomate, originaire du Mexique, a été rapportée en Europe par les conquistadores au XVIème siècle. Son "intégration" en France a pris un siècle : on se méfiait de cette intruse, soupçonnée d'être toxique. Une immigration "choisie" qui a pris tout son temps pour porter ses fruits.

Pendant ce temps-là, la pomme de terre était rapportée de la Cordillière des Andes par ces mêmes conquistadores. Avant son adoption par la population, il a fallu attendre deux siècles, et une roublardise de Parmentier[139] : "Pour faire de la pomme de terre un légume précieux, il plante des champs aux alentours de Paris et obtient de Louis XVI qu'ils soient gardés le jour par des soldats, attisant ainsi la curiosité des passants. Profitant de la nuit, les curieux volent des tubercules et en assurent ainsi une excellente publicité. Le couronnement de la pomme de terre à la table royale finit d'assurer son développement. Sa culture se généralise avec la famine de 1789".

Sous nos yeux, les plantes migrent en altitude en réponse au réchauffement climatique[140] : "Toutes les espèces ne migrent pas à la même vitesse : les espèces végétales à durée de vie courte, comme les herbacées, ont tendance à migrer plus vite en altitude que les espèces végétales dont la durée de vie est plus longue comme les arbres ou les arbustes.

L'ensemble de ces résultats fournissent la preuve que les plantes sont en train de migrer avec le changement climatique actuel pour conserver les températures nécessaires à leur survie. Les différentes vitesses de migration entre arbres et herbacées devraient conduire à un changement de la composition des communautés végétales et de leurs relations avec les espèces animales qui interagissent avec elles".

***

Je migre, tu migres, nous migrons.

Aujourd'hui même, en France, les migrations internes sont incessantes et changeantes[141] : "Les migrations internes observées en France entre 1954 et 2004 suivent la même évolution, marquée par une augmentation de la mobilité de 1954 à 1975, suivie d'une baisse de 1975 à 1990. Depuis le début des années 1990, la mobilité résidentielle augmente à nouveau. Le sens des courants

---

139 www.fnsea.fr/espace-jeunesse/fermes-ouvertes/les-plantes/la-pomme-de-terre.
140 www.actualites-news-environnement.com/16840-plante-migre-altitude-rechauffement-climatique.html.
141 www.cairn.info/revue-population-2007-1-page-143.htm.

migratoires a profondément changé au cours des cinquante dernières années, des régions attractives étant devenues peu attractives et inversement". On quitte le Nord et l'Est pour les régions atlantiques, ou le Sud, selon l'âge de la vie. On vient en Île de France pour les études et un premier emploi et on en repart pour trouver ailleurs une vie meilleure.

Il en est de même partout dans le monde et à toutes les échelles. Une carte interactive[142] fort astucieusement conçue permet de connaître, pour chaque pays, d'où viennent les résidents étrangers et où les nationaux sont partis s'installer. Un voyage autour du monde riche en surprises. On découvre ainsi que, de toute l'Amérique latine, excepté l'Argentine et le Chili, on part s'installer au Pakistan ! Ou le rôle d'attracteur de l'Allemagne, de l'Arabie Saoudite, les migrations régionales et celles à l'autre bout du monde, par exemple entre le Japon et le Brésil...

Un voyage qui n'aide pas à comprendre la volonté de fermeture de l'Europe (voir **Externaliser**), ni l'obstination de nos gouvernements successifs à ne voir d'autre réponse à ce mouvement perpétuel que la tentative de contrôle (voir **Lave-linge**), quelles que soient les intentions proclamées. Le gouvernement issu des léections de 2012 dit rechercher "l'équilibre indispensable entre le respect des libertés individuelles et les exigences de maîtrise des flux migratoires". Etrange programme, alors que l'usage du terme *flux migratoire* sonne comme un déni des *libertés individuelles*.

***

Qui dit migration dit adaptation réciproque permanente dans une production commune de la société à venir. Dans un livre écrit en 1950, mis sous le boisseau puis retrouvé bien des années plus tard, et finalement publié en 2012[143], Lucien Febvre, l'historien novateur du siècle passé, et François Crouzet affirment pourtant "Les Français ne sont pas une race "pure" ? Tant mieux pour eux". Aujourd'hui, on parle moins de race pure qu'au sortir des désastres du nazisme, mais plutôt d'identité nationale, de Français "de souche". Les auteurs s'adressent "A un petit Français" : "Tu sais ce qu'on appelle les terrains d'alluvions. Ce sont les terrains qui constituent les dépôts terreux qu'abandonne une rivière sur ses bords et qui ne cessent de grossir avec le temps. La population française est ainsi le fruit d'un grossissement alluvionnaire poursuivi pendant des millénaires. Et ne crois pas que le mouvement se soit ralenti dans les derniers siècles. De fortes colonies étrangères n'ont cessé de s'établir sur le sol de la France".

"Qu'est-ce qu'un Français ? *Le* Français n'est pas une espèce morte ; *le* Français continue de vivre, c'est-à-dire de changer et de se transformer. C'est le

---

142 migrationsmap.net/#/FRA/departures.
143 Lucien Febvre, François Crouzet, *Nous sommes des sang-mêlés. Manuel d'histoire de la civilisation française.* Albin Michel, 2012.

résultat, le produit d'une prodigieuse suite de métissages ethniques dont nous ne saurons jamais ni mesurer l'ampleur, ni fixer la succession, ni doser exactement les éléments. C'est l'artisan laborieux d'un perpétuel travail de remaniement, d'adaptation, de synthèse - qui d'une somme disparate d'individus de provenance diverse, d'habitudes contractées une fois pour toutes, mais aussi d'idées et de croyances venues, parfois, du bout du monde, réussit à forger, à reforger, à maintenir une unité perpétuellement changeante elle aussi, mais toujours marquée d'une marque connue. Et cela, vraiment, est un grand miracle".

L'UNESCO, peu après sa création en 1946, avait eu le projet de "fournir aux hommes, et tout d'abord aux jeunes, les données qui leur permettront d'accéder à la conscience de la solidarité humaine[144]". C'est à sa demande qu'avait été rédigée cette description d'une civilisation locale en constant échange avec les autres (voir **Panurge**), préfigurant une histoire déseuropéanisée, libérée des enjeux politiques de la puissance. La pensée de Lucien Febvre était trop novatrice et, surtout, trop dangereuse pour les vainqueurs du moment, qui ont fait dériver le projet de l'UNESCO vers "une histoire qui était avant tout celle de l'Europe actrice des transformations du monde depuis les temps de la civilisation grecque[145]". Histoire dont nous avons aujourd'hui bien du mal à nous extirper.

Pendant plus de cinquante ans, ce petit manuel a attendu son heure, oublié dans une valise. Resurgi du passé, il nous propose une utopie d'avenir.

---

144 Déclaration de Jaime Torres Bodet, Directeur Général de l'UNESCO, décembre 1949.
145 *op. cit.*, Postface, p. 343.

HISTOIRE

Témoins du renforcement continu du rejet des étrangers par la loi et l'administration françaises (voir **Avatar**), et maintenant - nous disent les instituts de sondage - de la part des habitants, on peut s'étonner d'une évolution paradoxale dans un pays qui, depuis des siècles, s'est construit par apports successifs de populations. On peut, surtout, s'inquiéter pour l'avenir ; sommes-nous dans une phase transitoire, qui sera suivie d'une intégration réciproque comme ce fut le cas au XXème siècle pour les Italiens, les Russes, les Polonais, les Espagnols, etc ? Ou bien, dans un monde encore plus ouvert, va-t-on assister à un blocage mortifère (voir **Externaliser**), la population locale rejetant sur des étrangers/boucs émissaires la responsabilité symbolique de ses difficultés ? Que ces difficultés soient plutôt le résultat de la succession de gouvernements imprévoyants importe peu.

***

L'Europe a connu, il n'y a pas si longtemps, une période noire durant laquelle l'incapacité de gouvernants à combattre et résorber une crise majeure l'a précipitée vers la xénophobie d'État et des massacres de masse. Le souvenir de ces années terribles reste très vif, au delà de la génération qui les a vécues. Ainsi quand, sur réquisition du Parquet, un quartier ou une station de métro est le théâtre d'arrestations systématiques de personnes sans papiers, c'est le mot "rafle" qui semble convenir. Ce mot est attesté dans la langue depuis le XIVème siècle, et pourtant son usage provoque immanquablement le reproche d'évoquer la rafle de la honte, par laquelle, en juillet 1942, la police et les gendarmes ont envoyé à la mort des milliers de juifs.

Depuis, la France a connu les ratonnades, la brutale répression par la police de la manifestation d'octobre 1961 et ses dizaines, peut-être ses centaines, de noyés dans la Seine. Pourtant, on n'évoquait pas à leur sujet les crimes du nazisme ou de la collaboration.

***

Qu'est-ce que cette mémoire qui refait surface à l'occasion de l'usage d'un simple mot ? Quelle relation avec les témoignages sur ces persécutions ? Comment la prise en compte aujourd'hui des réalités d'*un passé qui ne passe pas*[146] peut-elle éclairer le présent ? Une chose apparaît : il est très difficile de communiquer à ceux qui ne côtoient pas les étrangers et leurs difficultés,

---

146 Éric Conan et Henry Rousso, *Vichy, un passé qui ne passe pas*, Fayard, 1996.

quelque chose qui puisse ressembler simplement à de l'intérêt avant même d'espérer de la sympathie. Un voile (c'est le cas de le dire !), de la peur, de la culpabilité refoulée ? L'enquête est ouverte. En tout cas toute incitation au rejet peut faire resurgir la bête immonde.

***

De retour des camps de la mort, les anciens ou anciennes déporté-e-s ont exprimé des attitudes diverses qui sont plusieurs faces d'une même expérience. Selon Charlotte Delbo, *Une connaissance inutile*[147] dit ce qui ne peut être partagé après une expérience limite de l'inhumanité engendrée par un système qui s'emballe dans l'extrême logique du refus de l'altérité et du cynisme froid de l'exploitation qui en découle.

> "Je suis revenue d'entre les morts
> et j'ai cru
> que cela me donnait le droit
> de parler aux autres
> et quand je me suis retrouvée en face d'eux
> je n'ai rien eu à leur dire
> parce que
> j'avais appris
> là-bas
> qu'on ne peut pas parler aux autres".

***

Le *Savoir déporté*[148] décrit par Anne Lise Stern est ce qui traque à chaque instant dans la vie ordinaire les éléments de ce système, alors même qu'il n'est pas encore là, mais déjà tout entier à l'œuvre. "On attend de nous, on exige de nous de témoigner "avant qu'il ne soit trop tard". Quel savoir est espéré là, quel aveu sur nos lits de morts, de quel secret de famille ? Où pourront mener toutes ces écoutes de survivants par des gens un peu ou beaucoup trop psy-formés, ou psy-informés ? A des clips je le crains, dont joueront, jouiront, les générations futures. Car toute pédagogie de l'horreur ne peut éviter de pousser à produire de la jouissance. Et ne faudrait-il pas aux trois métiers impossibles désignés par Freud - éduquer, gouverner, psychanalyser - ajouter ce quatrième : témoigner ?"

***

Germaine Tillion, déportée pour faits de résistance, a réagi en ethnologue : il lui fallait absolument analyser et comprendre ce qui les écrasait, elle et ses compagnes de captivité. Elle leur faisait des conférences pour exposer le fonctionnement du système qui les détruisait. Plusieurs ont témoigné ensuite

---

147 Charlotte Delbo, *Auschwitz et après* (tome 2) *Une connaissance inutile*, Minuit, 1970.
148 Anne Lise Stern, *Le savoir déporté*, Seuil, 2004.

qu'elles y avaient puisé la force de vivre. Elle-même a déclaré "Si j'ai survécu, je le dois d'abord et à coup sûr au hasard, ensuite à la colère, à la volonté de dévoiler ces crimes et, enfin, à une coalition de l'amitié, car j'avais perdu le désir viscéral de vivre[149]".

Trois quarts de siècle plus tard, le "savoir déporté" tel qu'il nous est transmis permet d'être vigilant à l'égard de toute exploitation de l'autre en tant qu'autre, met en garde contre les systèmes d'oppression trop bien rationalisés par la loi, aide à identifier les ressorts du système d'oppression des étrangers pour mieux contribuer à les réduire.

---

149 Germaine Tillion, *Ravensbrück*, Seuil, 1944.

ICI

C'EST PAS UNE VIE !
Lettre ouverte au préfet d'Indre-et-Loire
Par le Collectif des Travailleurs Sans Papiers d'Indre-et-Loire (CTSP 37)
15 novembre 2011

Monsieur le Préfet,

Le Collectif des Travailleurs Sans Papiers d'Indre-et-Loire (Collectif TSP37, voir **Collectif**), composé d'un peu plus de 20 personnes, a décidé, le vendredi 4 novembre, de manifester publiquement son existence et ses revendications par un premier dépôt de demandes de régularisation, qui sera suivi d'un deuxième le 17 novembre. Deux communiqués de presse successifs de la préfecture d'Indre-et-Loire, publiés les 5 et 9 novembre dans *La Nouvelle République du Centre-Ouest*, montrent que notre situation exacte reste fort mal comprise de vos services, malgré les informations précises qui ont été données au chef de cabinet adjoint qui nous a reçus le 4 novembre avant notre manifestation.

C'est pourquoi nous pensons indispensable de rappeler les difficultés de tous ordres qui font notre quotidien depuis que ce que nous avions commencé à construire ici s'est effondré, du seul fait de votre refus de nous renouveler nos cartes de séjour (voir **Parias**).

Soudain tout a basculé !

Nous sommes devenus des "indésirables", nous vivons dans l'angoisse constante d'être arrêtés ; trois d'entre nous ont été envoyés en centre de rétention, l'un en avril dernier ; l'autre en octobre ; le troisième il y a 5 jours. Ils ont été finalement libérés tous les trois, sans pour autant être soulagés de l'angoisse permanente de l'expulsion vers les pays qu'ils ont fuis, angoisse que nous ressentons tous.

On nous traite comme des délinquants, des criminels, bons à alimenter la machine à faire du chiffre et à remplir les quotas d'expulsion, quel qu'en soit le coût humain. A la fin de l'été, l'un d'entre nous n'a pas supporté de n'avoir comme alternative que le retour vers l'enfer auquel il croyait avoir échappé, ou le basculement dans la misère et la mort lente dans la rue. A son suicide, nous pensons tous, tous les jours. A tout moment nous nous sentons traqués. Nos nuits sont une longue insomnie. Nos rêves sont des cauchemars. Et au matin, toujours les mêmes questions : allons-nous pouvoir manger à notre faim ?

Comment ne pas se faire repérer ? Où trouver un lieu sûr ? Cette menace perpétuelle sur nos têtes, finalement, n'est-ce pas le moyen de nous pousser vers la sortie ?

Nous rendre la vie intenable ici, n'est-ce pas la meilleure arme de la machine à expulser ? Car ce que vous appelez "l'aide au retour" (on nous promet jusqu'à 2 000 euros), nous n'en voulons pas ! Vous êtes-vous jamais demandé pourquoi un tel pactole ne nous intéresse pas ? Pourquoi les demandeurs d'asile déboutés ne retournent pas "chez eux" alors qu'on leur promet des poches pleines ? La réponse est très simple : nous ne voulons pas rentrer "chez nous", car nous ne voulons pas y revivre ce que nous avons subi. Chez nous, maintenant, c'est ici !

On bosse ici, on vit ici, on reste ici !

Ce slogan peint sur la banderole qui symbolise notre mouvement, nous allons, Monsieur le Préfet, vous expliquer ce qu'il veut dire.

Nous sommes en France depuis 3, 4, 5 ans et même plus pour certains d'entre nous. Demandeurs d'asile, le premier choc que nous avons subi fut de nous voir refuser le statut de réfugié. Ne pas voir reconnues les persécutions, les souffrances, voire les tortures subies, lors même qu'elles ont laissé des traces toujours sensibles dans nos corps et nos esprits, est en soi une épreuve terrible.

Nous avons pourtant pu déposer des demandes d'autorisation de séjour pour raison de santé, ce qui nous permit de recevoir, plusieurs années de suite, des titres de séjour "Vie privée et familiale" qui nous autorisaient à travailler. C'était pour nous comme une compensation, qui est venue atténuer les conséquences du déni de nos souffrances passées. Nous avons alors cherché du travail nous avons accepté d'occuper ces emplois pour lesquels les entreprises peinent à recruter : travail dans le bâtiment, le nettoyage, la sécurité etc. Les sociétés d'intérim savaient qu'elles pouvaient compter sur notre disponibilité et notre mobilité. Nous avons payé notre part d'impôts et de cotisations sociales, contribuant ainsi au financement de nos dépenses de santé. Nous avons eu accès au logement. Nous avons progressivement reconstruit notre vie professionnelle, sociale et privée ici. Certains d'entre nous ont trouvé ici leur compagne ou leur compagnon, éduquent ici leurs enfants.

Après tant d'épreuves, d'instabilité, de difficultés accumulées, face à votre refus de renouveler nos titres de séjour, nous osons vous le dire : **nous voulons rester vivre en France !**

Monsieur le préfet, comme nous venons de le montrer, nous ne sommes pas "des personnes qui se maintiennent de manière irrégulière sur le territoire au seul motif qu'ils ont, pendant l'instruction de leurs dossiers, bénéficié d'un droit au travail". C'est pourquoi nous vous demandons, à vous, parce que vous en avez le pouvoir, d'annuler les décisions par lesquelles vous voulez nous chasser, et nous vous demandons de nous "régulariser".

INCANDESCENCE

Ibrahima est né en 1978 au Mali, Sud Kayes[150]

Il est arrivé en France le 17 juillet 2005, avec un visa de tourisme, en avion. Toute la famille s'était cotisée. Il avait perdu son père et il fallait à sa mère un soutien financier suffisant pour subvenir à l'entretien des membres de la famille dont elle avait la charge.

Il savait où aller car il avait des cousins qui ont pu l'accueillir.

Son arrivée s'est bien passée mais très vite on lui a fait comprendre qu'il coûtait cher.

Ibrahima avait suivi une formation d'électricien au Mali.

A son arrivée, il travaille en intérim pendant six mois, il fait des remplacements d'électricien à la RATP, dans le tunnel du métro parisien. Il travaille à la ventilation et à l'aération.

Ensuite il travaille dans les Yvelines pendant deux ans dans le nettoyage.

Puis dans le bâtiment. Il travaille un mois puis est licencié, et ainsi de suite pendant 10 mois de janvier à octobre 2007.

En 2007, il travaille sur le chantier de la Tour Montparnasse, comme manœuvre en bâtiment au 55ème étage. Il ne savait pas que c'était du désamiantage. La police n'enquêtait pas auprès des opérateurs d'amiante. Lui même se satisfaisait de cette situation car ce qui l'inquiétait d'abord, c'était la police.

Il continue ainsi jusqu'en en janvier 2008 avec une succession d'embauches et de licenciements quasiment tous les mois jusqu'au 12 octobre 2009, date de déclenchement de la grève des travailleurs sans papiers[151].

En 2008, un changement de loi[152] lui fait espérer un changement dans sa situation. Il fait alors une demande de titre de séjour "salarié" avec une promesse d'embauche. Il accomplit cette démarche avec d'autres travailleurs. Un sur deux obtient un titre de séjour. Pas lui.

---

150 Région à l'ouest du Mali, d'où sont originaires beaucoup de travailleurs maliens présents en France.

151 Une grève des travailleurs sans papiers a duré d'octobre 2009 et juin 2011. Elle a été suivie par près de 7 000 personnes. Les résultats en termes de régularisations, obtenues de haute lutte avec le soutien de plusieurs syndicats, sont assez décevants. En 2013, les négociations se poursuivent entre syndicats et préfectures pour tenter d'arracher encore quelques titres de séjour.

152 La loi Hortefeux de fin 2007 introduit dans le °CESEDA une possibilité de régularisation exceptionnelle du séjour sur la base du travail.

En fait il est arrêté en 2008 et son passeport est gardé par la préfecture. Après la grève[153] on lui a rendu son passeport.

Il est alors licencié et sera repris le 19 juillet 2009, toujours par la même entreprise

Du 19 octobre au 20 novembre 2009 il est au Centre de rétention administrative de Vincennes[154], ayant été arrêté... Il rejoindra la grève à sa sortie de °CRA. Il est sur le piquet de grève du FAF-SAB[155]

Ibrahima a travaillé dans l'amiante de septembre 2008 à 2012. Successivement : Tour Montparnasse, Grand Palais, Maternelle de Belleville, différents bureaux de poste, Centre commercial de Vélizy (78), Tour de Manhattan à la Défense.

Le 14 décembre 2010 il fait un dépôt individuel de demande de titre de séjour "salarié". Son patron n'a pas payé la taxe due.

Il a un accident de travail, non déclaré.

En novembre 2011 il reçoit un refus de titre de séjour, avec une °OQTF (voir **Casse-toi**). Contestée devant le tribunal administratif le 14 mars 2012, l'°OQTF est confirmée en mai 2012. L'avocate fait appel.

La CGT reprend son dossier et le 2 octobre 2012 Ibrahima dépose sa demande de titre de séjour avec un formulaire administratif de promesse d'embauche. Il obtient une carte "Sacko" (carte qui autorise à chercher du travail). Le 20 décembre il a l'accord de la °DIRECCTE[156] ; il obtient un récépissé avec autorisation de travail : il retire enfin sa carte "salarié" le 28 janvier 2013.

Il fait une demande de sécurité sociale avec son contrat de travail et 12 bulletins de salaires (de janvier 2011 à décembre 2012).

En mai 2013, la situation d'Ibrahima est liée à celle d'un patron qui l'apprécie, et pour cause : il fait le désamiantage de différents bâtiments et utilise le goudron sans protection. Sur les chantiers où il travaille la part amiante n'est pas déclarée et ainsi le patron ne fournit pas les protections nécessaires.

---

153 Il y avait eu en 2008 une première grève de quelques mois des travailleurs sans papiers, conduisant à un certain nombre de régularisations, notamment pour les employés au noir de restaurants des beaux quartiers de Paris et à Neuilly-sur-Seine.

154 A l'époque, la durée maximale de la rétention était de 32 jours (45 jours depuis la modification de la loi de 2011). La police n'ayant pas son passeport, et n'ayant pas obtenu du consulat du Mali le laissez-passer nécessaire, a dû le relâcher.

155 FAF-SAB. Siège d'une fédération professionnelle d'entreprises du bâtiment, rue du Regard à Paris, où se tint l'un des plus gros piquets de la grève des travailleurs sans papiers de 2009-2011.

156 °DIRECCTE : Direction régionale des entreprises, de la concurrence, de la consommation, du travail et de l'emploi. Cet organisme valide la promesse d'embauche (et contrôle au passage que l'entreprise est à jour de ses cotisations patronales) et donne (ou pas) l'autorisation de travail qui permet au préfet de délivrer le titre de séjour "salarié" pour un an.

Pour renouveler une carte d'un an il faut rester sur le même emploi et par conséquent respecter les conditions du patron (voir **Parias**).

L'Aide Médicale d'État a été retirée à Ibrahima en 2010 lors de son premier dépôt de dossier à la préfecture[157]. Pour avoir une carte vitale il faut un contrat de travail et 12 bulletins de salaires. Il y a un retard dans l'attribution de sa carte vitale de sorte qu'Ibrahima n'a aucune couverture médicale et a dû payer tous les frais de son accident de travail ; il n'a pas les moyens de se faire opérer pour réduire une fracture au dessus du pied qui en est la conséquence.

L'amiante commence a faire ses effets et Ibrahima a de l'asthme. Il doit passer de nombreux examens. Il va être suivi à l'Hôpital Saint-Antoine mais sa situation n'est pas éclaircie.

***

Ce que ce récit infernal ne montre pas, c'est l'élégance et la finesse d'Ibrahima qui s'est fait un grand nombre d'amis. Il se bat pour lui-même et pour les siens à qui il envoie de l'argent tous les mois. Ils sont dans une région du Mali qui n'est pas directement touchée par la guerre mais où les denrées ont doublé de prix depuis le début du conflit en 2012.

La galère n'entame pas le charme d'Ibrahima. Ceux qui l'ont perdu de vue pendant plusieurs mois restent pantois de tous les malheurs qui lui sont arrivés mais presque aussi surpris de son équanimité, comme si rien n'arrivait à entamer son énergie. Bien sûr, c'est une façade. Nous allons nous battre pour ses droits et pour sa santé que tant de dangers menacent.

---

157 L'°AME est destinée aux étrangers sans titre de séjour, avec une condition de plafond de ressources. Mais dès qu'il dépose une demande de titre de séjour, l'étranger passe à la Couverture Maladie Universelle (CMU). En cas de refus de séjour, retour à l'°AME. Sinon, CMU jusqu'au passage au régime général (avec carte Vitale) quand les ressources sont suffisantes. Chaque changement de régime s'accompagne, bien entendu, d'un hiatus dans la protection de plusieurs semaines, ou mois. Tout cela est très simple.

JEU DE L'OIE

[*Faire avancer une demande de titre de séjour auprès de la préfecture demande de nombreuses visites, de nouvelles pièces étant sans cesse demandées (voir* **Discrétion**). *On se demande parfois si les personnes placées aux guichets ont reçu la formation ad hoc. Les citoyennes et citoyens qui accompagnent les étrangers sont, eux, très au fait de la législation.*]

Retour de la préfecture, assez mécontente...

Madame Farouki était convoquée ce matin avec ses feuilles de paie pour un renouvellement de son Autorisation Provisoire de Séjour (°APS) sans autorisation de travailler.

Elle avait tous les documents, plus ses avis d'imposition, plus les certificats de scolarité des enfants pour les quatre dernières années.

Et nous avons demandé que son dossier soit examiné dans le cadre de LA circulaire[158].

Il a fallu alors faire une lecture expliquée de ladite circulaire ; et à la demande de la personne - charmante d'ailleurs - du guichet j'ai fourni une photocopie de la page concernant madame Farouki

Madame Farouki est présente en France depuis sept ans et demi, ses trois enfants sont scolarisés : cela me paraissait simple, d'autant plus que nous avions fourni les preuves de présence sur les huit années lors du premier rendez-vous en janvier 2012.

Mais curieusement le "vérificateur" ne retrouvait pas ces documents dans son dossier.

Il nous a été demandé de faire une lettre expliquant pourquoi nous demandions un titre "Vie Privée et familiale" (°VPF).

Nous l'avons faite et remise immédiatement.

Et comme les chefs n'étaient pas là... Nous sommes ressorties sans rien, avec promesse d'un appel téléphonique aujourd'hui ou demain. L'°APS se termine à la fin de la semaine.

***

26 décembre 2012. Nous sommes allées à la préfecture avec Micheline, jeune majeure[159] prise en charge par l'°ASE.

---

158 Circulaire du 28 novembre 2012, qui permet la régularisation des parents d'enfants scolarisés depuis au moins trois ans, et qui vivent en France depuis au moins cinq ans. Voir **Personne**.

159 Les jeunes étrangers présents en France n'ont pas besoin de titre de séjour tant qu'ils sont mineurs. Ils sont tenus de demander à la préfecture un examen de leur situation administrative dans l'année qui suit leur dix-huitième anniversaire.

Convoquée pour un examen de situation administrative en juin 2012, elle est toujours sans réponse de la préfecture.

Ce matin il lui a été dit qu'en octobre 2012 avait été faite une "fiche de suivi"(????). Et qu'elle devait attendre la réponse par courrier...

***

Retour ce matin à la préfecture avec Maria Graciela. Elle devait avoir un message téléphonique mercredi ou jeudi (c'était PROMIS !). Pas de message : nous sommes donc allées aux nouvelles.

Pas de renouvellement de son °APS, puisqu'elle va recevoir une convocation, son dossier étant examiné dans le cadre de la Circulaire.

Il n'y a plus qu'à attendre ; mais on nous a PROMIS... que la convocation devrait arriver TRÈS vite.

Si pas de convocation dans six mois, on avisera.

Petit problème : demain j'accompagne Grecia, sa fille, qui a aussi un dossier de régularisation en cours d'examen ; elle ne pourra présenter le titre de séjour de sa mère...

Pas grave ; comme le passeport de Grecia arrive à expiration[160], ça sera de toute façon pas simple.

***

Les tentatives relatées ci-dessous en mai 2013 concernent une même préfecture.

7 mai 2013. Madame Chen a un titre de séjour d'une durée d'un an, valable jusqu'au 6 novembre 2013 (dans six mois). Pour faire renouveler son titre elle a essayé au début du mois d'avril de prendre un rendez-vous par internet ; la réponse était qu'on ne donnait pas de rendez-vous plus de six mois avant la fin de validité de la carte. C'est-à-dire qu'il fallait attendre le 6 mai 2013 pour la demande. Aujourd'hui 7 mai 2013, elle vient donc d'obtenir un rendez-vous par internet : le 30 janvier 2014, c'est-à-dire dans neuf mois, près de trois mois *après* la date d'expiration de son titre actuel.

10 mai 2013. J'ai obtenu ce matin la préfecture au téléphone (après une dizaine de tentatives infructueuses) pour un rendez-vous pour renouveler une carte qui expire le 26 septembre prochain. Rendez-vous fixé au 3 octobre, aucune date disponible avant ! Devant mon étonnement, la personne qui m'a répondu m'a dit qu'il ne fallait pas hésiter à faire la demande de rendez-vous six à sept mois avant la date d'expiration de la carte

Question : Madame Urbano a un titre de séjour de durée un an, qui expire le 22 août 2013. Faut-il demander un rendez-vous pour le renouvellement et où ? Où et comment avoir un récépissé pour la soudure ?

---

160 Quand elles délivrent un titre de séjour, les préfectures exigent souvent que le passeport présenté ne soit pas trop proche de sa date d'expiration.

Réponse : Pour prendre ce rendez-vous par internet, il faut se munir des informations suivantes. Nom, Prénom, date de naissance, numéro du titre de séjour (le n° à 10 chiffres[161]) et date d'expiration du titre. Un "choix" de dates est proposé, madame Urbano sélectionne une date, elle imprime la convocation et la liste des documents demandés. Comme sa convocation sera, suivant la nationalité, à une date bien postérieure à la date de validité du titre, madame Urbano pourra, si elle en a besoin (travail, formation, prestations sociales, etc) aller au centre de réception des étrangers dont elle dépend à la date de fin de validité du titre, on lui fera un récépissé. Si elle n'en a pas vraiment besoin, le titre périmé plus la convocation suffisent en cas de contrôle policier. Jusqu'à maintenant...

***

Madame Li est arrivée en France en 1998, son fils est né en France en 2002, il a eu des problèmes de santé et son mari a eu des °APS en tant que parent d'enfant malade. Son mari étant mort en août 2007, madame Li a fait des démarches pour faire transférer à son nom ces °APS pour pouvoir continuer à soigner son fils. Après dix ans de séjour, elle a voulu changer de statut pour une carte °VPF (vie privée et familiale), au titre d'une admission exceptionnelle au séjour prévue par le °CESEDA (voir **Discrétion**). Elle y est finalement parvenue en décembre 2011, après bien des embûches. En quatre ans, de la première présentation de son dossier à la préfecture en décembre 2007 au rendez-vous de décembre 2011 où elle a obtenu sa première carte °VPF, elle a dû se rendre 21 fois dans un bureau de la préfecture.

Et donc, à chaque fois : préparer son dossier, passer au moins une demi-journée à la préfecture et, surtout, perdre au moins une demi-journée de travail, si ce n'est une journée entière quand les rendez-vous sont tardifs dans la matinée ! Sans parler des nombreux rendez-vous médicaux pour son fils malade. Elle est mécanicienne dans la confection et certains de ses patrons en avaient assez qu'elle soit souvent absente. Son salaire était diminué d'autant !

Sans oublier que des °APS de trois mois ne donnent pas droit aux prestations familiales ! Sans oublier non plus que les récépissés sans autorisation de travail en attendant de passer devant la Commission du titre de séjour[162], alors qu'avec les °APS elle avait le droit de travailler, l'ont mise dans une situation financière catastrophique qui l'a obligée à avoir recours à diverses aides sociales pour faire la soudure.

---

161 Il s'agit du numéro °AGDREF, du nom du fichier national dans lequel tout étranger ayant contacté une préfecture est référencé.

162 Selon la loi, après validation des preuves de présence pendant 10 ans, un préfet qui envisage de délivrer (à titre exceptionnel) un titre de séjour d'un an fait comparaître la personne devant une commision du titre de séjour (CTS), composée d'élus locaux et de représentants de l'administration, qui évalue le degré d'intégration de la personne dans la société d'accueil.

LARMES

Dans *Une politisation feutrée*[163] Sylvain Laurens, décrivant l'évolution de la politique de l'immigration de 1962 à 1981, nous montre une haute fonction publique fécondée par le retour en métropole, à la suite des indépendances, de fonctionnaires coloniaux reconvertis en spécialistes de l'immigration. Cet apport n'est sans doute pas étranger à un regard surplombant sur les migrants, venant conforter le sentiment naturel aux gouvernants que l'État a tous les droits sur les étrangers[164]. Le "problème de l'immigration" a ainsi été construit peu à peu à la faveur des évolutions politiques (voir **Avatar**, **Charnière**), avec le concours "de ces hauts fonctionnaires qui n'ont pas eu nécessairement à croiser des travailleurs étrangers pour prescrire un cadre législatif, refuser le financement de logements sociaux, signer des accords de circulation avec des pays d'émigration". Mise en avant d'un *problème* qui permettait accessoirement à ses spécialistes de valoriser leur propre parcours professionnel.

Ce souci de valorisation de l'appareil réapparait dans un rapport sur la refondation des politiques de l'intégration, commandé par le premier ministre en août 2012. L'auteur du rapport, Conseiller d'État, tout en proposant plusieurs pistes peu conventionnelles pour reconstruire *La grande nation pour une société inclusive*[165], insiste sur l'importance de *fonctionnaires d'élite*: "Pour s'adresser aux problèmes identifiés - un manque de savoir-faire social, un insuffisante maitrise culturelle, ou de la langue, une mutilation partielle des capacités sociales - lorsqu'ils reposent sur l'origine attibuée ou réelle, il faut un savoir-faire et des connaissances distinctes de celles ordinairement requises". En termes plus crus : le *problème* que posent les migrants, c'est qu'ils sont des déficients sociaux, des ignorants qui parlent mal le français. Face à eux, l'administration doit aligner des spécialistes formés au contact avec un public décourageant. Cette proposition est-elle plus insultante pour des étrangers jugés de qualité inférieure, ou pour les fonctionnaires présumés incapables de traiter de façon égale tous les administrés?

---

163 Sylvain Laurens, *Une politisation feutrée. Les hauts fonctionnaires et l'immigration en France*, Belin, 2008.

164 A titre d'exemple des droits que s'arrogeait le colonisateur, Georges Simenon (*45° à l'ombre*, Gallimard, 1936) évoque la construction du chemin de fer Congo-Océan entre 1921 et 1934: "Ce n'était pas la première fois qu'on embarquait des Jaunes (indochinois). On en avait amené des milliers à Pointe-Noire pour travailler à la ligne de chemin de fer, parce que les nègres ne résistaient pas".

165 Thierry Tuot, *La grande nation pour une société inclusive*. Voir note 9 page 10.

Redescendant de ces hautes sphères au niveau des guichets au contact des étrangers, Alexis Spire[166] évoque "la situation de relégation qu'occupent les institutions chargées du traitement ordinaire de l'immigration dans le champ bureaucratique. Rares sont les volontaires pour travailler aux guichets de réception en préfecture, dans les bureaux de la main d'œuvre étrangère du ministère du Travail, ou encore dans les centres chargés d'octroyer les visas". La dévalorisation du public accueilli engendre le déclassement de fonctionnaires de l'immigration? "La dévalorisation de ces services est ancienne. Cette forme de relégation n'est pas seulement symbolique. Elle se manifeste aussi par des conditions de travail plus difficiles qu'ailleurs : les services chargés d'accueillir des candidats à l'immigration gèrent un nombre considérable de dossiers dans le cadre d'une pénurie de moyens matériels et humains".

***

Scène de guichet. Un membre d'une association d'aide juridique aux migrants accompagne un étranger venu déposer une demande de régularisation de son séjour. La guichetière doit examiner en détail, année par année, les documents administratifs prouvant la présence en France de puis 10 ans - d'un côté les originaux qui seront conservés par la personne, de l'autre les photocopies destinées à la préfecture et dont il faut vérifier la conformité. La guichetière interpelle l'accompagnant : "Vous êtes qui, vous ?". L'accompagnent donne le nom de son association. "Ah ! les emmerdeurs !". "Mais non, madame, je suis là pour vérifier que le dossier est bien rangé, pour vous aider dans votre travail". La guichetière poursuit son examen en silence. Tout à coup, l'accompagnant s'aperçoit qu'elle pleure. "Que se passe-t-il, madame ?". "Ecoutez, monsieur, j'ai été naturalisée il y a deux ans, l'année où mon père a été expulsé vers le Cameroun. Et ici, je dois passer mon temps à dire aux étrangers qu'ils ne seront pas régularisés".

Quelque temps plus tard - c'était la période des printemps arabes - de graves incidents se produisirent plusieurs jours durant entre des centaines d'étrangers excédés et la police venue en renfort. Un colonel vint remettre de l'ordre parmi les étrangers, mais aussi dans le personnel d'accueil, dont notre guichetière. "Et vous (les employés de la préfecture), qu'avez-vous fait ?". Elle, toute fière : "On a fait comme eux ! Le colonel est venu nous dire de reprendre le travail, on a répondu qu'on n'obéissait pas à la police et qu'on n'avait pas d'étoile jaune !"

Etoile jaune. Le sentiment de relégation décrit par Antoine Spire éclate dans dans ce cri de la guichetière. Comment se fait-il que cette Africaine si récente Française se réfère à un passé européen dont on n'imaginerait pas qu'elle l'ait à ce point intégré. Étrangement, ce passé tragique reste très présent, en dépit du temps et de la distance (voir **Histoire**).

---

166 Alexis Spire, *Accueillir ou reconduire. Enquête sur les guichets de l'immigration.* Raisons d'Agir, 2008.

LAVE-LINGE

Empêcher le mouvement immémorial des migrants de passer par la France, est-ce possible ? Nos gouvernants s'y emploient pourtant depuis longtemps (voir **Charnière**), avec plus ou moins de méthode, plus ou moins de cynisme, mais avec constance.

De la Libération jusqu'au milieu des années 1960, la migration de travailleurs étrangers, surtout algériens et marocains, est encouragée pour les besoins de la reconstruction et du développement de la France (voir **Avatar**). Les services de l'État concernés par leur accompagnement sont en partie les mêmes que pour les autochtones : ministères du Travail, des Affaires sociales, du Logement, de l'Éducation nationale, de la Santé, de l'Economie et des finances, de la Justice, de l'Intérieur, auxquels s'ajoute le ministère des Affaires étrangères.

L'indépendance des anciennes colonies, puis celle de l'Algérie, entrainent le développement d'administrations spécialisées : Direction de la main d'œuvre étrangère au ministère du Travail, Direction de la population et des migrations au ministère des Affaires Sociales, Direction de la réglementation au ministère de l'Intérieur. Ces administrations vont peu à peu formaliser un *problème de l'immigration* et conseiller les gouvernements successifs en vue d'une gestion de l'immigration prenant en compte le ralentissement économique de ces années-là mais aussi, en partie, "pour faire vivre, au delà de 1962, le besoin de [leurs] propres compétences en matière de migration algérienne[167]". Dans les années 1970, les ministères concernés multiplient les tentatives de contrôle de l'immigration, notamment par la conclusion d'accords bilatéraux avec les pays nouvellement indépendants.

Avec les lois Pasqua 1 (1986), Pasqua 2 (1993) et Pasqua Debré (1997), les années 1980 et 1990 voient un durcissement progressif, puis un verrouillage de l'entrée des étrangers, comme de la régularisation administrative de ceux qui sont entrés sans visa ou restés au delà de sa validité. Le droit de la nationalité est, lui aussi, réformé dans un sens plus restrictif.

En même temps on assiste progressivement à un changement de sens. D'abord par un regroupement, fin 1995, des compétences des directions d'administration centrale dans un pôle intégration insertion au sein du ministère de l'Aménagement du territoire. A ce ministère de l'Aménagement du territoire en effet étaient échues la Direction de la Population et des Migrations,

---

167 Sylvain Laurens, *op. cit.*

la Délégation interministérielle à la Ville, la Délégation à l'intégration et, conjointement avec le ministère du Travail et des Affaires sociales, la Délégation au RMI et la Délégation à l'insertion professionnelle des jeunes en difficulté[168].

Ces rattachements sont lourds de sens. Lorsque les migrants font partie de la population prise dans le circuit du travail, de la santé, de l'action sociale, ils sont pris dans le circuit de la vie ensemble. Dès qu'ils commencent à devenir un groupe qu'il faut intégrer, la question devient plus complexe car les migrants se retrouvent amalgamés malgré leur extrême diversité, et rapidement ciblés comme une population à risque qui peut devenir dangereuse. Le rattachement au ministère de l'Intérieur couronne l'évolution institutionnelle.

La première décennie du XXIème siècle a vu un ministre de l'Intérieur parachever ce processus, notamment en reprenant la campagne des accords bilatéraux avec les pays d'émigration. Accords qu'il n'est pas excessif de résumer ainsi : "tu empêches tes nationaux de venir en France sans visa, tu m'aides à expulser ceux qui sont passés entre les mailles, et je maintiens quelques aides économiques plus ou moins symboliques".

Mais cette politique souffrait encore d'un handicap insupportable : la délivrance des visas et l'octroi de l'asile restaient des prérogatives du ministère des Affaires étrangères. Le ministère de l'Immigration, créé en 2007, s'est opportunément vu confier ces deux missions. Un peu plus tard, dans un tour de bonneteau trop peu remarqué, le tout a été réintégré dans le ministère de l'Intérieur, en charge de la police et de la sécurité. L'asile et le droit d'asile qui relèvent des conventions internationales, étaient désormais sortis de la solidarité internationale et devenaient un problème de police (voir **Toit**) conformément aux vœux de Georges Mauco (voir **Möbius**).

La forteresse en charge de l'ordre public s'est refermée sur la vie des étrangers, et le changement de majorité en 2012 en apporte la confirmation[169].

***

L'échange suivant s'est produit lors d'une séance de la commission élargie de la loi de finances en octobre 2012. Le député Marc Dolez déclare regretter "le choix du Gouvernement de continuer à attribuer l'ensemble des compétences en matière d'immigration, dont l'asile et l'intégration, au seul ministère de l'intérieur, alors qu'elles étaient réparties sur plusieurs ministères avant 2007. Nous souhaitons en tout cas qu'une telle décision ne traduise pas la persistance d'une conception sécuritaire de l'immigration, que nous réprouvons".

---

168 Bernard Friot, Les ministères sociaux et leurs services centraux, *Revue Française des affaires sociales*, n°1 janvier 1996, pp 141-171.

169 Processus couronné par la création en 2013 de la Direction Générale des Etrangers en France au ministère de l'Intérieur. Voir **Vocables**.

Réponse du ministre de l'Intérieur : "Monsieur Dolez, comme j'ai déjà eu l'occasion de le dire aux associations, je n'admets pas que le ministère de l'Intérieur soit perçu uniquement comme celui de la police et de la répression. La police et la gendarmerie assument, certes, l'ordre républicain, car sans cet ordre il n'y a ni progrès social, ni droits, ni possibilité de vie commune. Qui, sinon les policiers et les gendarmes, pourrait assurer la régulation des flux migratoires ? Voulez-vous que ce soient les élus, les associations, les gardes champêtres, les curés ? Soyons sérieux ! C'est aux forces de l'ordre d'assumer pleinement ces responsabilités. Mais le ministère de l'Intérieur c'est aussi le ministère des droits, et c'est sous le régime de la loi et de la Constitution qu'agissent ses fonctionnaires. Je le dis avec fermeté, car j'en ai assez de cette vision répressive du ministère de l'Intérieur. Cette position fait l'objet d'un débat au sein de la gauche, mais pour ma part, je l'assume".

Ainsi, c'est aux forces de l'ordre d'assurer la régulation des flux migratoires. L'accueil des étrangers qui tentent de faire leur vie en France n'est qu'un problème de robinets.

Alimentation, filtrage, essorage, évacuation,... c'est la logique du lave-linge.

LIBÉRATION

Je me prénomme Ai Fei, je suis de nationalité chinoise. Au moment où je vous écris, j'ai 22 ans. Je suis arrivée en France en l'an de grâce 2007.

J'ai choisi la France comme pays où je finirais mes études et où je débuterais ma carrière professionnelle pour deux raisons. La première, la Fille aînée de l'Église, la France, m'a toujours été présentée comme un pays où la liberté est constamment présente, et où il faut saisir toute les opportunités qui nous sont présentées. La seconde, un bouleversement qui a fait que mes parents m'ont laissée dans l'ombre, derrière eux, pendant une certaine période. C'est surtout cette période, pendant laquelle j'étais oubliée, qui me poussa à quitter ce foyer pour me tourner vers une tante française. C'est avec l'accord de mes parents que je suis là, en France.

Voilà comment débute une longue histoire. Celle de ma vie en France.

Je ne connaissais rien de la France. La culture, la langue, tout m'était inconnu. Pendant ces longues années, j'ai changé. En 2012, j'ai obtenu mon baccalauréat. Maintenant, je prépare mon BTS. Après tout ça, je chercherai un emploi.

A première vue, je ne suis plus la même personne, et tout ça grâce à la France. Je voudrais terminer cette courte biographie en remerciant la famille de ma tante, mes professeurs, mes camarades, mes amis et toutes les personnes qui m'ont aidée.

MANUEL

Sur la chaîne de télévision Canal+ le 20 janvier 2013, le ministre de l'Intérieur était interrogé sur ce qu'il est convenu de nommer la politique de l'immigration[170]. L'entretien était introduit par un reportage qui détaillait sans complaisance les leurres et lacunes de la circulaire de régularisation du 28 novembre 2012 (voir **Personne**), insistant sur l'étroitesse des conditions de régularisation des travailleurs puisqu'on leur impose de présenter des fiches de paie alors qu'officiellement ils n'ont pas le droit de travailler.

***

Premier commentaire du ministre à l'issue de la projection : "Cette circulaire ne doit pas amener un afflux de régularisations supplémentaires". Puis l'entretien commence, donnant l'occasion au ministre de détailler certains aspects de son petit manuel de gestion des flux migratoires.

Question. Pas question de régulariser des salariés qui n'auraient travaillé qu'au noir ?

- Non, ce n'est pas le cas. Dans la circulaire, ces cas sont euh[171] évidemment traités, ils ont fait l'objet d'une très longue discussion entre d'une part le ministère de l'Intérieur et celui du Travail et la plupart des associations[172]. Et par ailleurs, la lutte contre le travail illégal, le travail au noir, est une priorité du gouvernement. Donc il y a à la fois la circulaire, et la lutte contre le travail illégal[173].

---

170 player.canalplus.fr/#/793706.

171 Les réponses du ministre, bien qu'énoncées sur un ton ferme, sont parsemées de marques d'hésitation, notées ici "euh".

172 La plupart des associations sollicitées ont souligné que c'est la loi définissant le droit au séjour des étrangers qui doit être réformée en profondeur, pour répondre à leurs situations de vie réelles. Une circulaire ne peut que préciser les conditions d'application de la loi en cours ; ses dispositions ne sont pas opposables devant la justice en cas de contestation.

173 Il s'agit, bien sûr, de l'*emploi* illégal - c'est l'employeur qui est en infraction s'il ne déclare pas son employé, pas le travailleur. Une circulaire interministérielle du 11 février 2013 (www.gisti.org/spip.php?article3034) reprend la litanie traditionnelle des menaces contre les employeurs qui s'y livreraient. Associations et syndicats de l'inspection du travail ont mille fois dénoncé l'hypocrisie de ces menaces, le nombre des contournements possibles par les entreprises, et dit que dans les faits ce sont en général les *sans papiers qui trinquent davantage que les patrons.

Q. Dans la circulaire, on demande des fiches de paie à ceux qui voudraient être régularisés.

- Oui, il faut des fiches de paie.

Q. Ceux qui travaillent au noir n'ont aucune chance d'être régularisés ?

- Oui, parce qu'on lutte contre le travail illégal, mais il y a parfois d'autres critères qui peuvent concerner ceux qui travaillent au noir[174].

Q. Parce que ceux qui ont des fiches de paie ne sont pas plus dans la légalité que ceux qui n'en ont pas ?

- Mais le sens de la politique d'immigration du gouvernement et de la circulaire euh que j'ai signée et qui a fait l'objet de l'arbitrage du président de la République et du premier ministre - ça n'est pas <u>ma</u> politique, c'est celle du gouvernement - c'est que cette politique soit à la fois <u>ferme</u> et respectueuse des gens. Ferme parce que y faut des critères qui s'appliquent partout dans notre pays[175], et en même temps respectueuse du droit, qu'il n'y ait pas, comme c'était le cas jusqu'au mois de mai dernier, l'arbitraire qui soit la règle dans euh de nombreuses préfectures[176].

Q. Et dans le cas des sans papiers lillois[177], on leur a promis une certaine bienveillance - c'est pas de l'arbitraire, la bienveillance ?

- On n'a pas... On a regardé les dossiers, les dossiers vont être regardés, au cas par cas, à condition évidemment que ces dossiers soient complets[178], ce qui n'était pas le cas jusqu'à maintenant. Il y a des dossiers qui peuvent être très complexes, je pense euh à celles des femmes qui sont battues, euh à des familles qui sont en très grande difficulté, mais il y a des critères, et s'il y a des critères c'est pour permettre à la fois la régularisation mais aussi le fait qu'il n'y aura pas de régularisation donc il y aura des reconduites à la frontière. Vous savez, sur ce sujet là, il faut être très clair vis à vis, à la fois de nos compatriotes, de ceux qui aujourd'hui demandent des papiers comme de ceux qui <u>voudraient</u> demain venir en France. La politique de la France, elle est faite de <u>fermeté</u> et de respect des personnes.

---

174 Une part non négligeable des étrangers sans papiers cantonnés dans le travail au noir (dans le bâtiment, le nettoyage, l'agriculture, la restauration) sont des célibataires qui envoient une partie de leur paie au pays. Leur organisation de vie n'offre donc pas de prise aux autres critères de régularisation de la circulaire du 28 novembre 2012. Ils sont les grands perdants de l'affaire (voir **Personne**).

175 L'observation de l'interprétation de cette circulaire par les préfectures un peu partout en France mène au constat de disparités importantes, entre préfectures, entre guichets d'une même préfecture, dans une même préfecture à des dates différentes. L'objectif d'uniformisation du traitement des demandes reste un leurre.

176 L'arbitraire dans les préfectures n'a pas cessé après mai 2012. Voir **Discrétion**.

177 Sur la grève de la faim des travaillleurs *sans papiers lillois, voir **Thé**.

178 Sur la fiction déshumanisante des dossiers, voir **Critères**.

Q. Justement, vous avez assoupli certains critères dans la circulaire, sur le temps passé en France, le nombre de mois travaillés, ça ouvre la porte à des régularisations plus nombreuses, et pourtant vous maintenez l'objectif de 30 000 régularisations ; vous allez donc appliquer des quotas ?

- Je ne suis pas sûr que cela ouvre la porte à plus de régularisations, c'est pas une question de souplesse.

Q. A priori, c'est logique.

- Non, c'est une question de règle.

Q. Si c'est moins restrictif qu'auparavant, on se dit qu'il y a plus de personnes qui rentrent dans les critères.

- Non, il y a des règles, et ces règles, elles doivent euh euh s'appliquer donc il y aura à la fois des régularisations, je le répète, mais aussi des reconduites euh à la frontière.

Q. Donc, ce n'est pas un quota, 30 000 ?

- Non, il n'y a pas euh de quota, mais on sait en fonction aussi des dossiers, qui sont euh déposés, du travail des préfectures depuis des années, on peut imaginer que c'est, effectivement, ce type de chiffre qui demain euh s'imposera.

Q. C'est un chiffre à ne pas dépasser parce qu'il y a déjà trop d'immigrés en France ?

- Je n'aime pas cette question - en tous cas cette remarque - même si euh euh ce n'est pas votre idée.

Q. Ce n'est pas une remarque, c'est une question.

- Oui c'est une question, mais je connais cette question. Faisons attention : dans la situation économique que nous euh vivons, la capacité aujourd'hui de notre pays à accueillir n'est pas la même que celle que nous avons pu connaître euh par euh le passé. Puis faut se poser, par exemple, un certain nombre de questions. Nous avons sans doute besoin d'accueillir plus d'étudiants, et je voudrais qu'on rappelle que nous avons, par exemple, abrogé la circulaire Guéant concernant euh les euh étudiants. Nous allons avoir au Parlement un débat sur l'immigration euh économique, avec les partenaires sociaux. Mais là, attention, il y a deux choses différentes. On parle soit de la politique d'immigration, et là elle doit avoir aussi un certain nombre de principes, de critères, et puis là on parle des régularisations et, là aussi, la France ne peut pas accueillir toute la misère du monde, elle prend sa part, comme disait Michel Rocard, mais elle peut pas accueillir toute la misère du monde[179], et donc il y aura des reconduites à la frontière - et elles seront nombreuses - et il faut assumer cette politique quand on gouverne.

---

179 "Misère" ? Ceux qui viennent sont plutôt ceux qui ont un minimum de ressource pour entreprendre le voyage et assumer le dépaysement. La misère, ils la trouvent ici, du fait du rejet institutionnel dont ils sont l'objet.

Q. Vous ne battrez donc pas le record de régularisations, allez-vous battre celui d'expulsions de Rroms cette année[180] ?

- Pourquoi vous me posez cette question ?

Q. Parce que ce qu'il se dit, c'est que vous avez expulsé plus de Rroms que euh Nicolas Sarkozy.

- Pourquoi ces comparaisons toujours avec Nicolas Sarkozy ? La différence majeure...

Q. Parce que ces expulsions ont été stigmatisées sous Nicolas Sarkozy.

- Oui mais ce gouvernement, et moi parmi d'autres euh dans la responsabilité qui est la mienne, ne stigmatise euh personne[181]. Et la situation des Rroms, originaires notamment de Roumanie ou de Bulgarie, est une situation extrêmement difficile. Suffit euh de se rendre dans des secan... dans des campements où ces êtres humains vivent dans des conditions euh effrayantes. Et donc, les Rroms ont vocation à rester en Roumanie, euh ou à retourner en Roumanie. Par ailleurs...

Q. Donc, pouvez-vous me répondre sur cette question simple : avez-vous expulsé plus de Rroms que Nicolas Sarkozy ?

- Mais moi, je... c'est pas ce chiffre qui m'intéresse. Il y a beaucoup de Rroms qui ont été expulsés, qui continuent à l'être, y compris parce qu'il y avait une aide au retour que nous avons supprimée, et qui accentuait les circuits entre Roumanie et not' pays. Je me suis rendu en Roumanie, parce que c'est avec ce pays qu'il faut bâtir des solutions, faut bâtir des solutions, aussi, au niveau eutopéen pour v'nir en aide aux Roumains pour qu'ils puissent intégrer ces euh populations, et faut surtout mettre fin à ces campements qui sont indignes de la République, mais à condition de trouver aussi des solutions, en matière de travail, en matière de logement, en matière de scolarisation. Mais il suffit de voir dans quelle situation vivent ces gens, et souvent dans des quartiers populaires, pour se dire que ces situations ne peuvent pas durer.

Q. Donc vous ne me répondrez pas sur cette question : avez-vous expulsé plus de Rroms que Nicolas Sarkozy ?

- Je vous dirai qu'il y aura des reconduites à la frontière. Elles seront importantes, mais à partir du moment ou nous avons supprimé l'aide au retour, je pense qu'il y aura moins de Rroms ou de populations d'origine rrom qui viendront dans notre pays.

---

180 Voir **Déplacements** et **Romitude**.

181 Le 14 mars 2013, dans une entretien publié par *Le Parisien*, le ministre déclarait cependant "*des familles sont désireuses de s'intégrer, mais elles sont une minorité*", affirmation fermement démentie par les associations proches des Rroms roumains et bulgares. Voir **Romitude**.

MAQUILLAGE

Aziza est née au Maroc. Elle a aujourd'hui 28 ans.

Elle avait été violée par son cousin d'une vingtaine d'année alors qu'elle avait cinq ans. Ce viol faisait peser le déshonneur sur la famille car Aziza n'était plus vierge.

D'une famille traditionaliste et rurale, elle a rencontré en 2005 son mari Malek, citoyen français de cinq ans son aîné, dont le frère était marié à la cousine d'Aziza. Malek est d'une famille très religieuse et le père d'Aziza, pourtant rigoriste, a mis sa fille en garde contre le caractère très étroit de la pratique religieuse de son fiancé. Mais Aziza était très amoureuse. Elle n'avait pas rencontré d'autres jeunes hommes qui lui permettent de surmonter ses craintes à l'égard des hommes, et Malek était plutôt beau garçon.

Elle a su que Malek avait déjà été marié mais, en pleine cristallisation amoureuse, Aziza n'a pas prêté attention à ce fait. Aziza et Malek se sont mariés au Maroc en décembre 2005 et leur mariage a été enregistré comme mariage civil au consulat de France en mars 2006.

Malgré les craintes du père d'Aziza, le mariage a été vécu comme une fête et un soulagement par la famille d'Aziza. Par le mariage d'Aziza, en effet, la "réputation" de sa famille s'est trouvée restaurée.

Aziza est venue en France en avril 2006. Le jeune couple s'est installé chez les parents de Malek, alors sans emploi. Dans le pavillon périurbain, outre les parents de Malek, vivaient aussi ses trois frères.

La situation devient très difficile. La jeune femme se retrouve dans un état de subordination qu'elle n'avait jamais connu chez son père, pourtant traditionaliste, comme on l'a déjà compris. Sa belle mère lui fait vivre des vexations permanentes au sujet de l'entretien de la maison. Aziza n'a pas le droit de sortir sans être accompagnée de quelqu'un de la famille ; elle n'a pas le droit de téléphoner. Son mari est violent et lui impose des relations sexuelles forcées. Elle souhaite continuer ses études mais Malek l'en empêche. A la mi-juin, ils vont chez l'oncle d'Aziza où Malek la laisse ; huit jours plus tard, il lui apporte une valise avec ses vêtements. Il entame alors une procédure de divorce qu'il accompagne d'une dénonciation à la police disant qu'Aziza s'est mariée pour avoir des papiers. Aziza et son oncle déposent une main courante.

Avec une certaine ambivalence à l'égard de sa nièce dont il décèle les qualités intellectuelles, l'oncle d'Aziza l'inscrit à l'Ecole Irakienne pour qu'elle passe son baccalauréat.

Aziza découvre alors que le premier mariage de Malek s'est déroulé dans des conditions de relations avec sa première épouse très proches de celles qu'elle est en train de vivre. Le premier mariage de Malek a en effet duré trois semaines au bout desquelles il a demandé le divorce.

Malek aurait-il des problèmes ? S'il en a, il les fait payer cher aux femmes qu'il épouse et l'administration française, tellement donneuse de leçon sur l'émancipation des femmes, la parité et j'en passe, se frotte les mains d'avoir une expulsion de plus, celle d'Aziza, à ajouter à son palmarès de fin d'année.

N'y a-t-il pas en effet rupture de la vie commune ? On se demande ce qu'elle fait encore en France, cette Aziza qui, une fois rentrée au bled, devra subir tout l'opprobre et les vexations sans nombre réservés aux femmes répudiées ?

Aziza se croit soutenue par sa famille. Mais ses parents au téléphone, son oncle et l'épouse de celui-ci lui disent qu'elle doit demander pardon à son mari et reprendre la vie conjugale avec le mode de vie qui l'accompagne.

Lorsqu'elle vient à la permanence du °RESF, Aziza est voilée.

La situation se tend lorsqu'elle veut s'inscrire à l'Université, car à la suite de la dénonciation de Malek, Aziza a reçu une °OQTF et les ennuis commencent du côté du droit au séjour[182]. Quelques universités seulement acceptent les inscriptions d'étudiants sans titre de séjour.

Aziza qui a parfaitement intégré quels étaient les réseaux de lutte contre l'injustice est soutenue par le Réseau Université Sans Frontières (RUSF) et l'Union Nationale des Etudiants de France (UNEF). Elle peut alors s'inscrire et obtient son diplôme d'admission à l'Université.

Suite au parrainage républicain où sa marraine est la première adjointe du maire de Paris, ses démarches sont accompagnées par un courrier de cette

---

182 Voici, aujourd'hui, quelle suite l'administration tellement soucieuse du droit des femmes et de la vision occidentale de l'égalité homme/femme donne à ces événements :

Par décision du ....2007, le préfet de Seine-Saint-Denis a opposé à Madame Aziza ..... un refus à sa demande de titre de séjour sollicitée sur le fondement de l'article L 313-14 du Code de l'entrée et du séjour des étrangers et du droit d'asile en l'absence de communautés de vie effective avec son conjoint.

L'application de l'article L 313-12 al. 2 du °CESEDA qui prévoit la possibilité de renouveler la carte de séjour temporaire à un ressortissant étranger conjoint d'un ressortissant français "lorsque la communauté de vie a été rompue(...) en raison de violences conjugales qu'il a subies" n'a pu être mise en œuvre en l'absence d'éléments suffisants permettant d'établir que Mme Aziza ....avait subi de la part de son conjoint des violences conjugales.

En outre Mme Aziza ... ne peut être admise au séjour sur le fondement de l'article l313611 7°du °CESEDA. En effet, elle n'est pas démunie d'attaches familiales dans son pays d'origine où résident ses parents ainsi que ses frères et sœurs.

Compte tenu de ce qui précède et en l'absence d'éléments nouveaux, je ne peux que confirmer la décision prise par le préfet de Seine-Saint-Denis.

En conséquence, j'invite Mme Aziza ....à se conformer à cette décision, dans les plus brefs délais, faute de quoi elle encourt des sanctions administratives et pénales.

dernière et d'un courrier du président de la Ligue des Droits de l'Homme et du président de l'UNEF

Grâce aux soutiens divers, Aziza obtient un titre de séjour "étudiant". Son oncle et son épouse lui mènent la vie dure, mais elle tient bon et sa procédure de divorce arrive à son terme, malgré l'ambiguïté de son avocat.

Elle tient bon, en effet, a retiré son voile et trouve un travail de vendeuse dans une boulangerie.

Elle est fortement soutenue par les réseaux féministes et a commencé une psychothérapie par l'intermédiaire du COMEDE[183], où les intervenants sont très alertés sur les décompensations possibles liées aux situations de rupture familiale et traditionnelle.

Son titre de séjour étudiant est changé en titre Vie Privée et Familiale, de sorte qu'elle peut travailler et suivre des cours du soir.

Les choses alors se gâtent.

L'oncle d'Aziza, chef de clan, a échangé un champ donné au père de la jeune femme, contre son autorité sur elle. Il est manifestement affecté par ce qui arrive à Aziza et veut, dans son code à lui, trouver pour elle une réparation.

Il attendait qu'elle ait divorcé pour la marier avec une "homme riche qu'elle n'a jamais vu". Il veut maintenant mettre ce projet à exécution

Dans une justice et une administration normale, tout cela pourrait se débattre et s'argumenter au grand jour et ne pas laisser une jeune femme prisonnière d'une nasse entre Modernité et Moyen Age. Mais il faut faire "comme si", jouer avec la fiction mortifère des textes réglementaires et législatifs, faire d'Aziza une victime, ce qu'elle est effectivement mais certainement pas passive car elle se bat et a parfaitement intégré tous les circuits qui peuvent être mobilisés pour se défendre.

Son oncle ne veut plus qu'elle rentre tard le soir à cause de sa "réputation". Il accepte cependant les ragots que fait courir le cousin qui a violé autrefois Aziza et qui rôde dans la cité.

Grâce à une femme qui a connu le même sort qu'Aziza et qu'elle a rencontrée dans le réseau Femmes Egalité, Aziza trouve une place dans un foyer. Elle peut enfin quitter l'appartement de son oncle, qui l'y avait enfermée plusieurs fois : elle n'avait pas les clefs. Elle change aussi de numéro de téléphone pour ne pas être retrouvée par sa famille.

Elle trouve un contrat de travail à durée inéterminée (CDI[184]) dans une nouvelle boulangerie.

Va-t-elle pouvoir y rester ?

Elle a dû saisir l'inspection du travail parce qu'elle était exploitée de façon

---

183 COMEDE. Comité médical pour les exilés. Depuis sa création en 1979, le Comede travaille à la promotion de la santé, de l'accès aux soins et de l'insertion des exilés. CDI.
184 Contrat de travail à durée indéterminée.

éhontée, devant travailler bien au-delà du temps de travail conforme à son contrat, et ne pouvant de ce fait aller le soir à ses cours.

Elle perd donc son emploi ; la Caisse d'Allocations Familiales et les assurances chômage lui demandent alors de patienter entre trois et quatre mois durant lesquels elle devra renouveler son titre de séjour, avec l'aléa de ne plus avoir d'emploi au regard du renouvellement du titre de séjour.

Entre temps, dans la même boutique, un client lui dit :"Tu es marocaine ? Comment se fait-il que tu te maquilles ? Tu ne sais pas que c'est Ramadan ?"

MÖBIUS

Un ruban de Möbius est une surface obtenue en raboutant deux extrémités d'un ruban rectangulaire avec une torsion d'un demi-tour. En le parcourant sans changer de côté, on arrive au bout d'un tour à la face opposée à celle de départ.]

Un retournement réussi, mais dont le poison continue à faire son œuvre.

"Impossible n'est pas Mauco" disait le pédopsychiatre André Berge, co-fondateur du centre médico-psycho-pédagogique Claude Bernard au lendemain de la deuxième guerre mondiale. Né en 1899 à Paris, instituteur puis professeur à l'école normale de la Seine, Georges Mauco est mort en 1988. Celui qui a exercé une influence considérable sur la politique française à l'égard des migrations a eu en quelque sorte deux vies : tout d'abord spécialiste des migrations puis, après 1945, psychanalyste, fondateur des premiers centres français de psychopédagogie d'inspiration freudienne, destinés à la réintégration des enfants en situation d'échec scolaire.

Ce second souffle lui fut permis par le soutien du général De Gaulle, dont une des enfants était handicapée mentale. En 1941, pendant la guerre, au procès de Riom où étaient jugés les dirigeants de la Troisième République, Georges Mauco avait mis en cause les tendances politiques égalitaires des gouvernements "qui leur avaient interdit d'agir en conséquence et d'assurer la protection ethnique du pays". Il dénonçait aussi "les principes politiques d'égalité et de respect absolu de la personne humaine s'opposant à des mesures de qualité en matière d'immigration". Mauco s'indigne et ajoute même : "de tous les étrangers venus en France les réfugiés sont les plus indésirables du point de vue ethnique, sanitaire, économique et présentent le plus d'inconvénients du point de vue national".

Rien n'était impossible à ce personnage, quelle belle réussite en effet d'avoir su catalyser toutes les aigreurs et les stéréotypes les plus éculés en leur donnant un vernis de scientificité ! Comme spécialiste des migrations, il publie en 1932 une thèse de doctorat en géographie sur les étrangers en France, dont il tirera un ouvrage pionnier, publié en 1933, *Les étrangers en France, leur rôle dans l'activité économique* (Armand Colin). Il y décrit les courants migratoires en France dans les années récentes, leur répartition territoriale et professionnelle selon la nationalité. Il évalue le degré d'assimilabilité des étrangers selon leur origine, soutenant que certains étrangers ne sont pas intégrables à la société française ; il établit une hiérarchie des ethnies à partir d'un sondage effectué auprès des chefs de service d'une entreprise de construction automobile ; il dresse un classement des aptitudes de chaque nationalité. En moyenne, les Arabes sont classés au plus bas de l'échelle, puis les Grecs, les Arméniens, les Polonais, les Espagnols. Les Italiens, les Suisses et les Belges viennent en tête. En 1938, au classement par origine nationale ou ethnique, Mauco ajoute la distinction entre réfugiés et immigrés, entre immigration voulue (celle des travailleurs) et l'immigration imposée (celle des réfugiés).

L'ouvrage est bien accueilli par la droite, sensible au préjugé inégalitariste et aux statistiques sur la valeur des étrangers par nationalité, leur criminalité et leur danger sanitaire, qui alimente le discours xénophobe et raciste. Il est également bien accueilli par la gauche qui l'approuve pour son approche quasi anthropologique de l'immigration et son souci que des mesures d'aide au profit des immigrés soient prises. Enfin, il obtient la reconnaissance des spécialistes de la démographie qui trouvent là une étude réelle des liens entre immigration et identité nationale, ce qui vaut à l'auteur de plus en plus d'engagements institutionnels : secrétariat général du Comité d'études du problème des étrangers puis du Comité Français de la Population, puis secrétariat général de l'Union scientifique internationale pour l'étude de la population. En 1939 et 1940, Mauco participe en tant qu'expert aux réunions du Haut comité de la population présidé par Adolphe Landry.

Dans un article intitulé "Révolution 1940", Mauco, qui a adhéré au parti populaire français (PPF), loue le fascisme et les gouvernements autoritaires. Il oppose le fascisme, "qui fait la révolution socialiste dans l'ordre", au communisme, "qui le fait dans la destruction et la ruine générale", et conforte un antisémitisme qui se développe contre les réfugiés politiques.

Pendant l'occupation nazie, Mauco collabore avec Georges Montandon à la revue *L'Ethnie française*. Il y écrit deux articles dont l'un, publié en 1942, reprend presque mot pour mot le texte de son témoignage au procès de Riom.

A la Libération, Mauco arrive à dissimuler son passé collaborationniste et propose en 1944 à De Gaulle, chef du gouvernement, de réactiver le Haut comité de la population sous la forme d'un Haut Comité Consultatif de la Famille et de la Population. Ce comité, dont Mauco est nommé secrétaire général, est notamment chargé d'élaborer le texte préparatoire de ce qui deviendra l'ordonnance du 2 novembre 1945 sur l'entrée et le séjour des étrangers (voir **Avatar**). Ce texte fondateur est, malgré toutes ses limitations, beaucoup plus favorable aux étrangers que ne l'est aujourd'hui le °CESEDA qui s'y est substitué. Cette ordonnance a constitué la toile de fond de la politique migratoire de la France pendant plusieurs décennies ; les éléments des débats qui l'avaient précédé ont constamment été réactualisés.

***

Georges Mauco a été l'un des ardents défenseurs de l'opposition entre deux catégories d'immigrés : les *quantitatifs* introduits à titre temporaire et qui seront rapatriés quasi automatiquement au bout d'un an et les *qualitatifs*, sélectionnés ethniquement, à l'égard desquels il prône, de la part de l'État, un contrôle sanitaire, physique et mental avant l'admission à travailler, ainsi qu'un contrôle de l'employeur, qui est tenu de déclarer l'embauche d'un étranger. Il s'est constamment montré très restrictif quant à l'accueil des réfugiés et préconise que "les réfugiés, les fugitifs, les apatrides qui deviendraient indésirables en étant dans l'impossibilité de quitter les territoires français [soient] dirigés dans des camps de travailleurs surveillés" ; ils y seraient rejoints par les étrangers soumis à un arrêté d'expulsion. Ces propositions ne furent pas retenues par le Conseil d'État de l'époque mais elles sont revenues, hélas, et se sont concrétisées aujourd'hui, avec une douloureuse actualité. Ceci confirme la constatation du psychanalyste Jacques Hassoun : "rien, de siècle en siècle, ne semble venir apporter la moindre modification dans le discours de celui qui [est la proie de ses fantasmes à l'égard de] l'étranger".

Sources :

Patrick Weil, Georges Mauco, expert en immigration : ethnoracisme pratique et antisémitisme fielleux, in *L'antisémitisme de plume 1940-1944, études et documents*, dir. Pierre André Taguieff, Paris, Berg International Editeurs, 1999, pp. 267-276.

Patrick Weil, *Liberté, Egalité Discriminations, L'identité nationale au regard de l'Histoire*, Grasset, 2008.

Elisabeth Roudinesco, Georges Mauco (1899-1988) : un psychanalyste au service de Vichy. De l'antisémitisme à la psychopédagogie. *L'infini*, automne 1995, pp 73-84.

Paul-André Rosental, *L'intelligence démographique. Sciences politiques des populations en France (1930-1960)*, Odile Jacob, 2003.

NUMÉRO 101

Un bras de mer de 70 km sépare l'île comorienne d'Anjouan de celle de Mayotte, 101ème département français, dans l'océan Indien. Il est connu pour ses centaines de candidats migrants noyés et ses plus de 20 000 expulsions chaque année, pour une population de 213 000 habitants.

Avant l'instauration du visa Balladur en 1995, les Comoriens se déplaçaient sans encombre entre les îles, à bord de plus frêles embarcations (kwassas-kwassas) que celles d'aujourd'hui, en arrivant à bon port sains et saufs. Mais depuis, le voyage est devenu interdit, donc clandestin et beaucoup plus dangereux. L'État français déploie des moyens de surveillance militarisés toujours plus importants et sophistiqués entre Mayotte et Anjouan. Il en résulte que les kwassas-kwassas empruntent des itinéraires détournés toujours plus dangereux pour les personnes embarquées.

L'île d'à coté, c'est comme une autre pièce de la maison familiale. Avant la séparation entre Comores (Anjouan) et France (Mayotte), les gens vivaient et circulaient entre les deux îles.

Donc, ces *clandestins n'ont pas vraiment immigré, ni émigré. Par contre, *sans papiers, ils le sont devenus, sans droits, cachés, perdus, retrouvés au °CRA ignoble (voir **Retenue**).

Et, comme refouler sans cesse ces amis, ces mères, ces petits-cousins est pour l'État de droit une besogne harassante, tout à fait officiellement les règles à respecter par les forces de l'ordre sont assouplies, et donc durcies pour celles et ceux auxquels elles sont appliquées. Ce qui met en avant le rôle de l'outre-mer comme laboratoire des reculs du droit des étrangers, rôle qui apparaît de loi en loi, depuis la loi du 29 octobre 1981 jusqu'à aujourd'hui (voir **Avatar**). Principalement à Mayotte, les étrangers sont, selon un droit dérogatoire, livrés à des contrôles expéditifs et à des reconduites sans recours suspensif d'exécution [185].

Dans un documentaire de 2008[186], on peut entendre un préfet indiquer que "Les interceptions deviennent de plus en plus difficiles parce que les risques

---

185 Cependant, le 1er janvier 2014 Mayotte est devenue une *région ultrapériphérique* (Rup) européenne, ce qui entraîne que la France doit cesser de déroger aux dispositions de la Charte des droits fondamentaux de l'UE. Elle doit notamment respecter l'effet suspensif du recours contre une décision d'éloignement, et donner une allocation temporaire d'attente aux demandeurs d'asile.

186 "Mayotte : où va la République ?" www.enqueteprod.com/fr/films/films-dinvestigation/49-mayotte-ou-va-la-republique-clandestin-immigration.

pris sont parfois plus importants. Certains passeurs n'hésitent pas - on l'a vu tout récemment - à délibérément faire que l'embarcation vienne se fracasser contre la vedette de la °PAF ou de la gendarmerie", pour conclure sans sourcillier : "ce raidissement-là, c'est bien le signe de l'efficacité de notre politique de répression".

Sordide histoire de ces destins brisés au nom de la "lutte contre l'immigration clandestine".

***

Dans un communiqué du 18 décembre 2012, les ministres des Affaires étrangères, des Outre-mer et de l'Intérieur annoncent un renforcement des moyens juridiques et matériels de lutte contre l'immigration irrégulière, notamment en maintenant le visa Balladur. Tout en annonçant des efforts d'amélioration, vers un accord bilatéral avec les Comores, "une évaluation dans les meilleurs délais de l'impact sur le besoin de constructions scolaires et le budget du centre hospitalier de l'augmentation importante de la population en âge d'être scolarisée", une meilleure prise en charge sociale des demandeurs d'asile. Attendons...

En mars 2013, le Défenseur des Droits constate "une situation véritablement tragique des enfants à Mayotte". Un des problèmes les plus criants est celui des mineurs étrangers isolés : on en dénombre "3 000 ou 4 000, pour la plupart Comoriens, quand l'Hexagone en compte 6 000. Plusieurs centaines sans référent adulte du tout, vivent en forêt à la lisière des agglomérations, se nourrissent dans les poubelles, à l'état sauvage, ne sont pas scolarisés, pratiquent une délinquance de survie. Ils ont 12, 13 ou 14 ans, que se passera-t-il quand ils auront 20 ans ?". Dans un rapport remis au gouvernement en avril 2013, le Défenseur des Droits a préconisé des actions urgentes pour leur mise à l'abri et leur accompagnement, leur affiliation à la Sécurité Sociale, leur instruction par l'école.

***

Dans le même temps, Mayotte est aussi une terre d'émigration ; l'analyse des recensements de l'INSEE montre en effet[187] que "l'émigration de Mahorais[188] hors de l'île peut être estimée entre 12 000 et 18 000, c'est-à-dire que 7 à 10 % de la population locale présente en 2007 seraient encore partis depuis. Depuis 10 ans, environ un cinquième des habitants de l'île présents en 2002 aurait donc émigré, un peu comme si 12 millions de personnes avaient quitté la métropole en une décennie. La conclusion s'impose : les départs hors de l'île sont toujours importants, bien plus "massifs" que les arrivées sur l'île".

---

187 Antoine Math, Mayotte, terre d'émigration massive, *Plein Droit* n°96, mars 2013, www.gisti.org/spip.php?article3047

188 Mahorais. Les habitants de Mayotte ayant une carte d'identité française.

149

"Cet exode important, qu'il s'agisse de jeunes diplômés mahorais partis étudier et qui ne reviennent pas, ou de familles mahoraises allant chercher une vie meilleure, traduit un fort malaise auquel aucune réponse satisfaisante n'est réellement apportée. On comprend dès lors mieux le rôle joué par les discours sur l'immigration massive. Les responsables politiques locaux et nationaux se trouvent ainsi dédouanés à bon compte de leurs responsabilités. Désigner le Comorien comme bouc émissaire de tous les maux permet de détourner l'attention des problèmes économiques et sociaux de l'île, des carences de l'État social, des discriminations systémiques, etc".

Ceux qui partent vers d'autres territoires français sont peut-être les moins mal lotis, car le voyage demande des ressources de toute espèce. Ceux qui arrivent ont encore moins de ressources. Ainsi va la vie dans un département français d'outre-mer.

PANURGE

[*On peut lire les migrations comme un embrouillamini de dettes dans tous les sens (voir* **Herbe**) : *dette à l'égard des anciennes colonies, dette à l'égard de ces travailleurs "variable d'ajustement" de l'économie des pays d'accueil (voir* **Personne**), *dette des cotisations salariales sans retour (voir* **Racket**), *dette envers les passeurs dont l'industrie a permis à certains d'arriver en Europe malgré la fermeture des frontières (voir* **Traversée**), *dette de la formation professionnelle ou universitaire reçue à l'étranger (voir* **Frère**), *dette de l'aide au développement paradoxale (voir* **Participations**).*

Toutes ces dettes, tous ces dons et contre-dons structurent l'ensemble des sociétés, comme l'a décrit Marcel Mauss dans son Essai sur le Don[189]. Sortir de l'entre-soi et de l'autarcie est ce qui fait société[190]. Bien avant lui, Rabelais l'avait vigoureusement célébré[191].]

Mais, demanda Pantagruel, quand serez-vous hors de dettes ?

- Aux calendes grecques, répondit Panurge. Que je me voue à saint Babolin le bon saint, si toute ma vie je n'ai estimé dettes être comme une connexion et colligence des cieux et de la terre, un nutriment unique de l'humain lignage, sans lequel bientôt tous humains périraient.

Représentez-vous en esprit serein l'idée et forme de quelque monde où ne soit débiteur ni créditeur aucun : un monde sans dettes ! Là, entre les astres ne sera aucun cours régulier. Tous seront en désarroi. La lune restera sanglante et ténébreuse : à quel propos lui départirait le soleil sa lumière ? Il n'y était en rien tenu. Entre les éléments ne sera symbolisation, alternation ni transmutation aucune, car l'un ne se réputera obligé à l'autre : il ne lui avait rien prêté.

Et si, au modèle de ce fâcheux et chagrin monde rien ne prêtant, vous figurez l'autre petit monde, qui est l'homme, vous y trouverez un terrible tintamarre. La tête ne voudra prêter la vue de ses yeux pour guider les pieds et les mains. Les pieds ne la daigneront porter. Les mains cesseront de travailler pour elle. Le cœur se fâchera de tant se mouvoir pour les pouls des membres et ne leur prêtera plus.

---

189 Marcel Mauss, *Essai sur le don. Forme et raison de l'échange dans les sociétés archaïques* (1923-1924). Presses Universitaires de France, 1968.
190 La dette, et l'ouverture des droits-créances qu'elle opère, créent la relation et l'échange, y compris celui des personnes dans les échanges matrimoniaux. L'interdit de l'inceste est un des invariants fondateurs des sociétés humaines, il structure leur développement autour de l'échange et de la réciprocité.
191 François Rabelais, *Tiers Livre*, Paris, 1546.

Au contraire représentez-vous un monde autre, où chacun prête, chacun doit, tous soient débiteurs, tous soient prêteurs. Ô quelle harmonie parmi les réguliers mouvements des cieux ! Quelle sympathie entre les éléments ! Ô comme Nature s'y délectera en ses œuvres et productions ! Sur ce modèle, figurez-vous notre microcosme, *id est* petit monde, c'est l'homme, en tous ses membres prêtant, empruntant, devant, c'est-à-dire en son naturel, car Nature n'a créé l'homme que pour prêter et emprunter...

Vertu guoy ! Je me noie, je me perds, je m'égare quand j'entre au profond abîme de ce monde ainsi prêtant, ainsi devant. Croyez que chose divine est prêter, devoir est vertu héroïque.

PARIAS

De nombreuses organisations syndicales ou associations se sont engagées avec détermination pour soutenir les milliers de travailleurs sans papiers qui se sont successivement mis en grève depuis février 2008 pour leur régilarisation.

Du fait de ces grèves, il est incontestable qu'une victoire a été arrachée : la reconnaissance que les *sans papiers sont des travailleurs comme les autres, mais le plus souvent exploités et sans droits du fait de leur situation administrative.

Ils travaillent dans de nombreux secteurs d'activité de notre société : la restauration, le nettoyage, le bâtiment et les travaux publics, l'agriculture, l'aide à la personne, le ramassage des ordures, la sécurité…

Suite à ces mobilisations plusieurs textes ont été publiés par les gouvernements successifs : *addendum* ou autres circulaires (voir **Personne**) qui sont très insuffisants, sur la forme (ces textes ne sont pas opposables devant les tribunaux) comme sur le fond.

Sur le fond, on constate que la régularisation dépend toujours et uniquement du bon vouloir de l'employeur. Lui seul décidera s'il remplira ou pas la demande d'autorisation de travail, le fameux °*cerfa* obligatoire pour la régularisation du séjour d'un salarié étranger.

La procédure de régularisation peut être interrompue à tout moment si l'employeur décide de ne pas donner au salarié la convocation pour visite médicale, ou s'il décide de ne pas payer la taxe °OFII[192] (voir *Djizîa*).

Si l'employeur n'est pas en règle aux yeux de l'URSSAF[193] ou aux yeux d'une autre administration, il ne sera pas sanctionné, mais c'est le salarié qui verra sa demande d'autorisation de travail - et par suite de séjour - rejetée.

Selon les règles en vigueur, un temps de présence *clandestine sur le territoire, ou la possession de fiches de paie, sont imposés pour espérer obtenir une régularisation. Cette période de *clandestinité imposée aux étrangers ne garantit pas les droits de ces salariés. Elle les contraint la plupart du temps à travailler dans des conditions extrêmement précaires (voir **Charnière**). De plus l'exigence de fiches de paie exclut catégoriquement les travailleurs au noir du processus de régularisation, ce qui n'est pas acceptable.

---

192 Office français d'immigration et d'intégration.
193 URSSAF. Union de recouvrement des cotisations de sécurité sociale et d'allocations familiales.

Le système de la régularisation par le travail mis en place par les précédents gouvernements de droite n'a pas du tout été remis en cause. Ce système, précisé aujourd'hui dans la circulaire du 28 novembre 2012, est régi parallèlement par un article du °CESEDA ("admission exceptionnelle au séjour"), article extrêmement flou et imprécis qui maintient les étrangers dans le domaine de l'arbitraire et ne leur permet pas de contester devant les tribunaux efficacement les décisions de la préfecture, mais il est, surtout, régi par le Code du travail (Titre : "Travailleurs étrangers").

Les travailleurs *sans-papiers et le Code du travail

Le Code du travail stipule[194] : "Les étrangers se trouvent placés dans une situation différente de celle des nationaux, aucun principe ni aucune règle de valeur constitutionnelle n'assurant aux étrangers des droits de caractère général et absolu d'accès et de séjour sur le territoire national ; le législateur peut aussi prendre, à l'égard des étrangers, des dispositions spécifiques dans le respect des libertés et des droits fondamentaux de valeur constitutionnelle reconnus à tous ceux qui résident sur le territoire de la République".

Cette partie du Code du travail régit entièrement les conditions de délivrance et de renouvellement des autorisations de travail qui conditionnent la carte "salarié" et, par conséquent, l'autorisation de séjour.

Or, ces conditions sont discriminatoires. En effet :

- sur la carte "salarié", valable un an, figure le métier (parfois l'entreprise) mentionné sur le *°cerfa* dès l'étape de l'engagement d'embauche par le futur employeur. Pendant les deux années qui suivent, le salarié ne peut ni changer de métier, ni obtenir de l'avancement, ni changer de qualification, sous peine de non renouvellement de son titre de séjour

- les dispositions légales ne prennent pas en compte les aléas de la vie salariée qui sont imposés à ces travailleurs s'il change d'employeur, il doit de nouveau faire remplir par ce dernier une demande d'autorisation de travail (le *°cerfa*) qui sera une nouvelle fois soumise à la °DIRECCTE. Si le contrat de travail est plus précaire que le précédent (passage en intérim après un CDI, temps partiel, baisse du salaire), l'autorisation de travail, et par conséquent l'autorisation de séjour, ne seront pas renouvelées

Au regard de ces éléments, dire qu'il suffit d'appliquer le Code du travail pour obtenir une réelle égalité des droits entre salariés français et étrangers est à la fois inexact et vain.

---

194 Introduction du titre II "Travailleurs Étrangers" du Code du travail, 5ème partie du Code – Livre II "Dispositions applicables à certaines catégories de travailleurs".

Nous le constatons quotidiennement sur le terrain, le Code du travail est discriminatoire à l'égard des étrangers. Un empilage de circulaires et de textes additifs ne modifiera pas cette situation de fait. Il est donc indispensable de le modifier en profondeur, tout comme le °CESEDA.

Ces textes ne permettent pas aux étrangers de défendre leurs droits devant les préfectures et les tribunaux car ils continuent à placer la régularisation dans le domaine de l'admission exceptionnelle au séjour et sur le fond ils ne répondent pas à leurs exigences, ni même à la simple justice (voir **Zoom**).

La régularisation devrait permettre l'émancipation du salarié et la possibilité pour lui de défendre ses droits alors que, dans les conditions actuelles, elle ne fait que confirmer le rapport de subordination à l'employeur et la précarité du salarié. Comment peut-on tolérer cela ?

On ne peut plus accepter que le devenir d'un salarié, sa régularisation dépendent uniquement de la volonté de son employeur et que ce même salarié, suite à sa régularisation, se retrouve enchaîné à cet employeur "qui a tout fait pour lui". La demande de régularisation doit être portée par le salarié, lui seul et sur la base d'un contrat de travail en cours ou à venir.

PARTICIPATIONS

Dans le processus de déshumanisation administrative des étrangers (voir **Avatar**), on voit circuler toutes sortes de questions sur le rôle économique de l'immigration. Quels impacts sur le chômage, sur la richesse du pays, sur les finances publiques ? Comment compter les coûts et les gains pour le pays d'accueil ? Les réponses à ces questions souvent posées dans un esprit polémique ne disent rien sur la réalité humaine et sociale de la migration (voir **Fable**). Citons-en quand même quelques unes.

La sénatrice Hélène Lipietz, rapportant sur le projet de budget "Immigration, intégration et nationalité" pour 2013[195], souligne la quasi impossibilité d'établir un bilan global des coûts et des bénéfices de l'immigration. En effet, l'action de l'État en direction des immigrés est éclatée dans 19 programmes différents, relevant de 13 missions, dont les plus significatifs concernent les Français à l'étranger et les affaires consulaires, la politique de la ville, l'enseignement scolaire, la formation supérieure et la recherche universitaire, la protection maladie, la police nationale, le Conseil d'État et autres juridictions administratives, avec l'important contentieux provoqué par les innombrables refus de séjour. Programmes auxquels s'ajoute la responsabilité des conseils généraux dans la prise en charge des mineurs isolés étrangers (voir **Seize ans**).

Cette longue énumération met bien en lumière l'erreur d'aiguillage qui consiste à confier au seul ministère de l'Intérieur la responsabilité sur les problèmes de migration en France (voir **Lave-Linge**). Erreur involontairement confirmée par le ministre lui-même à l'occasion du débat sans vote sur l'immigration étudiante et professionnelle, tenu le 24 avril 2013 au Sénat, lorsqu'il met en avant la nécessité d'un comité interministériel de suivi de l'immigration.

***

Loin des réalités humaines des migrations (voir **Herbe**, **Zoom**), l'étrange obsession du pouvoir de définir une immigration rentable semble être une constante, indépendamment de la couleur du gouvernement.

En 2009, c'est le ministère des Affaires sociales qui commande à une équipe de chercheurs de l'Université de Lille un rapport sur le coût de l'immigration pour l'économie nationale. Réponse de l'équipe de Xavier Chojnicki : l'immigration *rapporte* 12 milliards d'euros par an !

---

195 www.senat.fr/rap/a12-154-11/a12-154-111.pdf.

En 2010, s'étant livré à une évaluation parallèle, Jean-Paul Gourévitch annonce un *coût* de 38 milliards.

En 2012, chaque camp publie une nouvelle évaluation du gain ou de la perte, toutes deux en baisse. Xavier Chojnicki reprend avec Lionel Ragot[196] son évaluation de façon plus complète, pour conclure que "la contribution nette globale au budget des administrations publiques de l'ensemble des immigrés en situation légale sur le territoire national en 2005 serait légèremnt positive et d'un montant de 3,9 milliards d'euros". Pour Gourévitch[197], le coût n'est plus maintenant que de 17 milliards.

Comment une telle discordance de résultats est-elle possible ? Tout d'abord en ne considérant pas la même population (par exemple, les enfants d'immigrés nés en France, qui ne sont pas des immigrés mais qui sont dans la tranche d'âge débitrice), et en comptant dans le coût l'aide au développement en direction des pays d'origine (voir plus bas), le coût de la contrefaçon et de la prostitution, du non-paiement des cotisations dues au travail illégal, imputés aux immigrés pour la part qui relève de la population d'origine étrangère. Chojnicki et Ragot contestent dans ce bilan, entre autres, une évaluation des dépenses de santé ignorant la jeunesse de cette population, des recettes de cotisations sociales des immigrés en situation régulière sous-évaluées. Tandis que Gourévitch conteste certaines de leurs hypothèses sur la répartition de coûts non évaluables directement, la non prise en en compte des descendants d'immigrés, etc.

***

Ces discussions byzantines illustrent bien l'inanité de tels calculs. En outre, ces conclusions contradictoires évoluent elles-mêmes d'année en année. En extrapolant les variations respectives des deux options, on peut s'attendre à une convergence vers 2014... autour de zéro.

***

En février 2013, une autre étude[198] conclut à l'absence de relation entre immigration et évolution du chômage. Plus encore, "bien que la majorité des bénéficiaires de titres de séjour de plus d'un an soit venue pour raisons familiales, les immigrés en provenance de pays tiers ont significativement contribué à la croissance du PIB par habitant. Ils ont donc participé à l'amélioration des conditions de vie moyennes des autochtones". En distinguant l'activité des migrants concernés à l'aide de la catégorie administrative de leur carte de séjour (voir **Continuité**), ils redécouvrent une

---

196 Xavier Chojnicki et Lionel Ragot. *On entend dire que... L'immigration coûte cher à la France - Qu'en pensent les économistes ?* Éditions Eyrolles-Les Échos, 2012.

197 Jean-Paul Gourévitch, *L'immigration en France. Dépenses, recettes, investissements, rentabilité.* Monographie n°27 de Contribuables Associés, 2012.

198 Hippolyte d'Albis, Ekrame Boubtane et Dramane Coulibaly, *Immigration et croissance économique en France entre 1994 et 2008*, DocWeb n°1302 (27 février 2013) du Centre pour la recherche économique et ses applications. www.mediapart.fr/files/Cepremap.pdf.

réalité de terrain, bien connue des migrants et de leurs proches mais occultée par la terminologie légale : l'immigration dite familiale, ce sont (souvent) des épouses, (parfois) des époux, venus rejoindre le membre de famille en séjour régulier et qui, tous, travaillent, comme tout un chacun. Et participent donc avec les natifs à l'activité du pays.

***

Quant aux étrangers qui n'ont pas réussi à obtenir un titre de séjour (entre 200 000 et 400 000), ils sont les fantômes des statistiques. Ils échappent donc partiellement aux évaluations. Ils représentent moins de 10% de la population immigrée. S'ils travaillent avec les papiers d'un "cousin", indirectement ils paient des cotisations sociales et déclarent des revenus (voir **Fiscalité**) ; s'ils travaillent au noir, il y a perte de cotisations sociales pour la collectivité, à calculer tout au plus sur le SMIC, car les salaires qu'ils perçoivent ne sont souvent que de quelques centaines d'euros. Ils paient la TVA sur leur consommation et celle de leur famille. Leurs enfants, s'ils en ont (beaucoup de travailleurs sans papiers sont célibataires) sont accueillis par l'école publique. Si nécessaire ils sont soignés aux frais de la collectivité grâce à l'aide médicale de l'État, tout en étant dans une tranche d'âge où les dépenses de santé sont réduites. Ils ne sont pas éligibles aux allocations familiales ni à l'aide personnalisée au logement. Quand ils atteindront l'âge de la retraite, leur parcours professionnel incertain ne leur assurera qu'une bien maigre pension (voir **Racket**). Difficile dans ces conditions de leur imputer les déficits des comptes sociaux.

Par contre, la généralisation de leur emploi dissimulé empoisonne la vie économique du pays au même titre que la corruption dans d'autres strates de la société, l'évasion fiscale... ou le dopage dans le sport.

***

On peut aussi se poser la question inverse : que rapportent les émigrés à leur pays ? Qu'advient-il de leur espoir d'avoir plus de ressources, pour eux, pour leur famille ? Le constat est que, quelles que dures que soient leurs conditions de vie, quelles que minces que soient souvent leurs salaires, ces migrants renvoient au pays de quoi nourrir la famille étendue, de quoi payer les études des neveux et nièces, de quoi construire une maison pour la famille, une école pour le village.

La Banque Mondiale mesure chaque année le niveau des envois de fonds des travailleurs émigrés vers les pays en développement. En 2012, elle estime ce flux à 330 milliards d'euros[199], soit une augmentation de 6,5 % par rapport à 2011. Alors que, de son côté, l'Organisation de Coopération et de Développement Économiques (OCDE) annonce que pour cette même année

---

199 Niveau sans doute sous-estimé, prenant en compte les transferts par les banques (très onéreux) mais pas les transferts par des moyens informels.

2012, l'aide publique au développement[200] a atteint environ 100 milliards d'euros, en baisse de 4% par rapport à 2011 (-1,6% pour la France, avec un peu moins de 10 milliards d'euros), cumulant une baisse globale de 6% depuis 2010, année où l'aide publique au développement a atteint son maximum.

Ainsi, non seulement les envois individuels sont globalement trois fois plus importants que l'aide des pays d'immigration riches vers les pays d'émigration pauvres, mais ceux-là sont en augmentation, alors que ceux-ci déclinent.

---

200 L'aide publique au développement recouvre l'ensemble des efforts financiers consentis par la communauté des bailleurs de fonds pour soutenir les pays plus pauvres dans leur développement.

PÉNURIE

Les personnages qui nous gouvernent ont-ils jamais fait la queue ?

Luis tourne l'angle du quai de la Corse[201] à 7h45.

Il y a déjà une vingtaine de personnes. Il se souvient qu'on prend seulement les cinquante premières arrivées.

A 8 heures un employé, ancien colonisé, ouvre la porte : "C'est fermé, messieurs-dames ça n'ouvre qu'à 8h30, mais vous pouvez prendre un numéro".

Les visages sont tendus. Une femme en boubou prend les choses en main : "J'étais la première et puis il y a Monsieur, et puis Madame, et puis vous et vous et vous", et elle distribue le tour de chacun pour faire passer sacoches et portables sous le détecteur de terrorisme, puis pour obtenir un numéro d'ordre.

Il pleut dehors, mais les banquettes à l'intérieur resteront vides pendant les quarts d'heure qui séparent du moment de l'ouverture.

Luis se bat les flancs pour trouver encore une lueur de démocratie dans ce pays qui lui dénie le droit d'avoir un projet de vie ou le flanque dehors, mais qui lui paiera peut être un avocat pour une justice qui le coupe en rondelles ; l'humanitaire, d'un côté, tellement codifié et laminé que son squelette se défait en poussière ; la forme, d'un autre côté, avec ses visas, ses délais, ses recours formulés ou non, ses limites d'âge, ses traitements médicaux à des prix inaccessibles au pays d'origine mais accessibles selon les listes du préfet[202], jeunes majeurs, étudiants, vie privée et familiale, etc. On rogne, on rabote, on ruse pour entrer dans la catégorie, pour être une vraie rondelle, mais pas un être humain (voir **Critères**).

Un droit schizophrène pour un monde schizophrène.

Une femme à cheveux blancs arbore le macaron d'une association. Elle porte sur son visage l'expression excédée et malheureuse de ceux qui essaient de sauver l'honneur de leur pays, sachant que le combat est tellement inégal que plus des trois quarts des personnes présentes auront leur vie et celle de leur famille brisée par l'absence d'un papier, parce qu'ils ne pourront "apporter la preuve de leur lien avec la France".

Elle pense à tous ses anciens collègues qui s'extasient sur les bibliothèques américaines, qui passent leur vie aux quatre coins du monde aux frais de l'État,

---

201 Adresse du Bureau du tribunal de grande instance de Paris auprès duquel on doit déposer sa demande d'aide juridictionnelle dans une action au tribunal administratif pour faire annuler un refus du préfet de délivrer un titre de séjour. Voir **Casse-toi**.

202 Ce qui lui permet de refuser un titre de séjour pour pouvoir se soigner.

dans des colloques où se retrouvent toujours les mêmes personnes, à recycler jusqu'à la retraite les quatre idées qui étaient dans leur thèse. Elle pense aux personnages à chauffeur officiel qui planquent leur capitaux en Suisse et se font domicilier à Monaco. A tous ceux-là, est-ce qu'on demande de faire la preuve de quoi que ce soit et surtout de leur utilité pour la Nation ?

Elle remâche, ressasse le coût prohibitif des contrôles, de ces barrières, de tous ces murs, de tous ces mots, de tous ces maux engendrés par un système économique devenu fou, qui libère toujours plus les uns et enferme toujours plus les autres : bouclier fiscal, bouclier de Schengen, cordon antiterroriste, mur d'Israël et d'ailleurs.

Combien de temps encore ?

Elle sera morte depuis longtemps.

Cette fabrique du rejet de ce pays qui pourrait accueillir, soigner, faire grandir tous ceux qui viennent apporter leur force de travail, leur astuce, leur originalité. Cette fabrique du ressentiment et de la délinquance. Et cette phrase, toujours la même, idiote, insupportable et de surcroît tronquée : "La France ne peut accueillir toute la misère du monde". Et tous les stéréotypes qui défilent : l'appel d'air, les vases communicants, les métaphores hydrauliques de la bêtise ordinaire, utilisées autrefois par les natalistes pris aujourd'hui à leur propre piège de conservateurs répressifs des mœurs, hantés par la peur de la diversité et du métissage.

Elle se prend à rire jaune des manchettes des journaux qui ne cessent de faire des palmarès et de classer les lycées, les hôpitaux, les taux de chômage, le PIB, le plaisir, les universités : à quel rang mondial de bêtise et de médiocrité la politique de ce pays est-elle parvenue ?

On a donné à Luis le numéro 25. Il vérifie une dernière fois la pile des photocopies et des justificatifs du dossier qu'il va déposer. La dame à cheveux blancs vérifie aussi de son côté.

Luis est entré dans la pièce où se trouvent les guichets. Il montre son dossier. Il manque trois feuillets à la déclaration de revenu. "Vous pouvez donner votre dossier mais il faut revenir pour apporter les pièces qui manquent. Je vous donne un récépissé. Il y a deux photocopieuses dans le couloir". Luis va vers le photocopieur qui tout à coup devient un instrument dont l'importance lui avait jusqu'alors échappé. Il perd une première pièce, avalée par une des machines qui ne marche pas. Le second appareil ne prend que les pièces de 20 centimes et Luis, qui se sert d'habitude des photocopieurs de mairie ou des bureaux de poste, n'a plus que des pièces de 10 centimes.

Luis habite loin ; il a demandé sa matinée au restaurant où il est employé, sans être déclaré puisqu'il n'a pas le droit de travailler. Il faut absolument qu'il trouve un photocopieur pour ne pas avoir à demander une autre matinée, ce qui risquerait de lui faire perdre son travail. Luis se souvient qu'un bureau de poste se trouve au coin de la rue. Dans son quartier on trouve à la poste, photocopieurs et changeurs de monnaie. Mais c'est mal connaître le côté étriqué et un tantinet sadique de l'administration. Le bureau est bien trop près de la préfecture et il n' y a ni changeurs de monnaie, comme ailleurs, ni photocopieurs.

C'est vrai, les gens pourraient en profiter, en abuser, les casser. Et alors, évidemment, pour les autres, les vrais, les usagers français de la Poste, il n'y aurait plus de monnaie, plus de photocopies. Parce qu'avec ces gens-là, qui prennent tout, qui ne respectent rien, on ne peut rien garder qui marche. Avec ces gens-là qui, dans leur pays font la vaisselle dans de l'eau sale et qui doivent faire plusieurs kilomètres pour aller chercher de l'eau, vous imaginez un peu un changeur de monnaie ? Où se croient-ils et qu'est-ce qu'on leur doit ?

Alors on ne mettra rien et surtout pas des photocopieurs ni des changeurs de monnaie. Il n'auront qu'à prévoir, ou bien aller ailleurs.

Luis se souvient qu'un peu plus loin il y a un photomaton et un photocopieur qui n'accepte que 20 centimes, dans une pièce ouverte sur la rue, une pièce qui sent l'urine, parce qu'évidemment les gens en profitent pour faire leurs besoins. Que voulez-vous, ces gens-là, ils ne savent pas se servir des appareils, ils cassent même les sanisettes.

C'est pour cela qu'on leur a demandé s'ils avaient des liens suffisants avec la France, à ces gens là, parce qu'ils cassent les appareils.

D'ailleurs, à propos, ces gens-là, est-ce qu'ils ont un visage ?

"Ont-ils un visage ?" demande à voix haute la femme aux cheveux blancs, en se tournant vers Luis, qui, comme elle, marche à la recherche d'une machine qui lui permette d'achever ce matin sa démarche.

"Il y a une Poste à Odéon[203], dit-elle. Faisons la route ensemble, ce sera moins angoissant".

---

203 A environ un kilomètre du tribunal, sis quai de la Corse.

PERSONNE

L'étranger est-il *une personne*, ou bien n'est-il *personne* ?

La question se pose à la lecture de la circulaire du 28 novembre 2012[204] du ministre de l'Intérieur définissant des critères de régularisation des personnes en séjour irrégulier. Peu de temps après sa mise en application, on a pu constater un peu partout en France que ces critères particuliers prenaient le pas sur les dispositions générales de la loi dans la pratique des préfectures, retardant de façon systématique l'application de cette loi.

Il a été dit que cette circulaire resterait applicable sur la durée de la législature 2012-2017, confirmant que la loi ne sera pas changée. Or il lui manque deux propriétés essentielles de la loi : cette dernière est élaborée et votée par le Parlement, et son application est contrôlée par la Justice. Avec une circulaire donnant des instructions aux préfets, rien de cela : les titres de séjour seront attribués ou refusés selon le pouvoir discrétionnaire de chaque préfet, sans que les demandeurs puissent contester en justice leurs décisions. Le pouvoir absolu de l'État sur les étrangers n'a pas à s'encombrer de cette vétille que l'on appelle la séparation des pouvoirs.

L'ancrage profond de la toute-puissance de l'exécutif dans l'esprit de certains de ses agents est illustré, à la limite de la caricature, par des propos adressés à un collectif de *sans papiers reçu en préfecture : "les dossiers c'est de la fiction. C'est pour ça qu'on vous demande beaucoup de papiers". Et, un peu plus tard, à un représentant du collectif qui estimait que le pouvoir discrétionnaire du préfet conduisait à des décisions arbitraires : "l'arbitraire, c'est la justice", la Justice devant laquelle les victimes d'un refus peuvent pourtant contester ces décisions.

***

Parcourons la Circulaire du 28 novembre 2012. Dès le préambule, le lecteur est prévenu : il est question "d'une politique d'immigration lucide et équilibrée" en vue de "la réussite des dispositifs d'accueil et d'intégration des étrangers admis au séjour. L'admission exceptionnelle au séjour permet, dans le cadre fixé par la loi, une juste prise en compte de certaines réalités humaines". Ainsi donc, si la loi n'est pas adaptée, ce n'est pas au pouvoir législatif de la modifier mais au pouvoir exécutif d'en moduler les effets. Voyons quelles réalités humaines sont ici prises en compte.

---

204 www.interieur.gouv.fr/content/download/36888/278912/file/INTK1229185C.pdf.

Malgré des lacunes lourdes de néfastes conséquences sur le destin des plus jeunes de ces étrangers s'ils n'ont pas leur famille autour d'eux (voir **Seize ans**), cette circulaire a apporté un soulagement pour une partie des familles avec des enfants scolarisés.

Mais le bras de l'État s'appesantit particulièrement sur les travailleurs étrangers, avec des combinaisons compliquées de durée de séjour et de fiches de paie obtenues sur cette durée. Le fait qu'ils n'avaient pas alors le droit de travailler semble indifférent. Pour obtenir ces fiches de paie, il a bien fallu qu'ils trouvent des patrons compréhensifs, ou qu'ils travaillent avec la carte d'un cousin vaguement ressemblant. Tout cela, qui est illégal, est de peu d'importance pour l'exécutif. D'ailleurs, est-il précisé, "le contrat en cours[205] pourra se poursuivre pendant la durée de l'instruction de la demande [de régularisation]" et même "un employeur peut établir à tout moment, y compris rétroactivement, des bulletins de salaire". Et voilà la planche de salut pour ceux qui n'ont pu trouver que du travail au noir : leur patron a toute latitude pour déclarer leur emploi après coup et, par la même occasion, payer rétroactivement toutes les taxes.

Les dispositions pour les intérimaires, si nombreux dans le bâtiment, la restauration, l'agriculture, le nettoyage sont, elles aussi, assez détaillées. Pour obtenir un titre de séjour, il faut d'abord obtenir une autorisation de travail du service de la main d'œuvre étrangère.

"La demande d'autorisation de travail doit prévoir une durée minimale d'emploi de douze mois, sous la forme :
- d'un CDI ou CDD d'au moins 12 mois établi par l'entreprise utilisatrice ;
- soit de l'engagement d'une entreprise de travail temporaire (ETT) à fournir un volume de travail garantissant un cumul de 8 mois de travail sur les 12 prochains mois".

On est en plein cœur de "certaines réalités humaines", ou plutôt économiques et sociales : pour permettre sa régularisation, le donneur d'ordre va-t-il embaucher le travailleur qu'il avait appelé comme intérimaire, ou bien la boite d'intérim va-t-elle s'engager sur ce qui est du long terme dans cette branche ?...

"Lors du renouvellement du titre de séjour, vous vérifierez le respect des engagements de l'entreprise de travail temporaire". Si les engagements n'ont pas été tenus, le travailleur perdra tout simplement son titre de séjour (voir **Parias**). Aïe !...

---

205 Contrat illégal par définition, puisque l'employeur semble avoir "oublié" de vérifier auprès de la préfecture que son employé n'avait pas le droit se travailler.

D'ailleurs, le ministre l'a dit lui même[206] : "Cette circulaire ne doit pas amener un afflux de régularisations supplémentaires".

Difficile d'échapper à la pensée que ces conditions restrictives contribuent au maintien d'une population captive du travail au noir, au bénéfice de patrons peu respectueux du Code du travail (voir **Charnière**). Favorisant la pression des employeurs sur leurs salariés nés ailleurs, plus fragiles car conscients du risque de discrimination, ou tout simplement ignorants des quelques droits que leur confère le Code du travail. Situation dramatique, dont les migrants ne sont certes pas responsables car elle relève de la politique générale concernant le travail.

Une population ou chacun n'est personne.

---

206 Dans un entretien sur Canal+ le 20 janvier 2013. player.canalplus.fr/#/793706. Voir **Manuel**.

PLOMB

[*Ahmed avait 15 ans quand ses parents l'ont éloigné du Pakistan car sa vie était menacée du fait d'une vendetta entre sa famille et une autre du même village. Depuis huit ans en France, malgré l'abandon où il était il a appris un métier, il s'est reconstruit une vie. Début décembre 2012, il est enfermé au centre de rétention de Vincennes (Val-de-Marne) en vue de son expulsion.*]

Le bon peuple peut être rassuré, il existe au moins un domaine où l'autorité de l'État s'exerce avec force ! Une réglementation de nos grandes banques pour éviter la ruine des petits déposants ? L'obligation faite à un grand groupe industriel d'honorer ses engagements envers ses salariés plutôt qu'envers les actionnaires et les banques ? Non, vous n'y êtes pas !

Non, l'arsenal étatique, judiciaire, policier, administratif est mobilisé efficacement pour arrêter les *sans papiers, ces étrangers qui vivent sur notre sol et ne sont pas en règle vis à vis de la préfecture où ils ont cependant bien souvent fait la queue ! En effet chaque jour, on continue d'arrêter des pauvres qu'on ramasse dans la rue, dans les gares, sur les chemins qu'ils empruntent malgré les risques, parce qu'il faut bien aller chercher le travail là où on veut bien vous en donner… On arrête des jeunes qui n'ont pas tout compris des arcanes administratives et des dossiers qui ne sont jamais complets (voir **Critères**)…Tous ceux-là sont faciles à repérer car plus colorés que la moyenne, on arrête au faciès… La vérification d'identité en quatre heures ne suffit pas, il faut plus pour instruire le délit (défaut de titre de transport, rébellion, et bien sûr absence de titre de séjour qui, lui, n'en est pas un)… On les enferme alors dans des centres de rétention inconnus du grand public en attendant de faire le tri et de les renvoyer d'où ils sont venus, souvent depuis bien longtemps, eux qui voulaient croire qu'ils finiraient bien par s'intégrer ici puisqu'ils avaient tellement souffert ! Voilà le domaine où la machine est rôdée et où on peut continuer d'afficher pour l'opinion publique des "résultats probants" : lutte contre la délinquance, expulsion d'indésirables ! De l'efficacité qu'on est bien en peine de trouver ailleurs !

Cela, même si c'est en contradiction complète avec d'autres actions engagées par l'État de façon beaucoup plus honorable, notamment à travers l'Aide sociale à l'enfance.

Nous avons écouté le récit bouleversant de la vie d'Ahmed : son départ en catastrophe du Pakistan, son arrivée en 2004 dans un pays qu'il ne connaît pas (où le passeur qui l'accompagnait l'a laissé seul sur le trottoir, en partant avec son passeport et ses bagages...) son errance à 15 ans alors qu'il a perdu tous ses repères... sa prise en charge par l'°ASE et le début d'un parcours d'intégration réussi, comme en attestent ces bulletins scolaires flatteurs qu'il est heureux de nous montrer, une promesse d'embauche dans la plomberie qui lui a permis de demander un titre de séjour avec autorisation de travail, qu'il n'a pas obtenue (voir **Seize ans**)...

En effet, si la France a rempli ses obligations vis-à-vis du mineur étranger non accompagné, les choix de "l'immigration choisie", les lenteurs administratives vont précipiter le jeune adulte étranger dans la précarité, une galère de deux ans sans travail et sans logement. Les contrôles d'identité au faciès pour satisfaire aux objectifs de la politique du chiffre l'ont conduit au °CRA, à la privation de liberté (le juge, qui n'a pas voulu entendre les difficultés de son parcours, a prolongé de 20 jours sa rétention) et à l'angoisse d'être expulsé (à tout moment) vers un pays qu'il ne connaît pas et où il n'a plus de contact.

Les autorités françaises doivent prendre leurs responsabilités en permettant au jeune Ahmed d'achever son parcours d'insertion par une activité professionnelle officielle.

Ahmed SOHAIL. Il s'est formé en France, ses amis sont ici, il doit rester ici conformément à son désir[207].

[*Malgré une mobilisation exceptionnelle des organisations de soutien aux étrangers, Ahmed a été expulsé le 31 décembre 2012, saucissonné, baillonné. Arrivé à Karachi il a été mis en prison. Il a ensuite été libéré le 1er février 2013 après le versement d'une caution avancée par le °RESF grâce à une collecte en soutien à Ahmed. Les pays où une personne expulsée se retrouve en prison à l'arrivée ne sont pas rares. On n'en sort qu'en versant une caution.*

Par la suite, le ministère de l'Intérieur a refusé de délivrer à Ahmed le visa qui lui aurait permis de reprendre sa vie en France. On a appris à cette occasion que, se trouvant sans ressources en attendant la réponse à sa demande de titre de séjour, il avait eu la mauvaise idée de se faire employer par un réseau de passeurs, convoyant des étrangers en séjour irrégulier d'Allemagne au Danemark. Rapidement arrêté, il a été condamné en Allemagne à une peine de prison avec sursis. Le ministère de l'Intérieur ne pardonne pas cet écart de conduite, déjà sanctionné en Allemagne, à un comparse poussé par le besoin. Quant au démantèlement de la vraie cible, le réseau qui l'employait, personne n'en parle.]

---

207 Source: cra123vincennes.blogspot.fr.

QATAR

Sara est éthiopienne, elle est née à Addis Abeba. Elle appartient à l'ethnie Oromo, persécutée par le pouvoir. Ses parents étaient des militants politiques. En 2002, elle avait alors 13 ans, ils ont été arrêtés. Trois jours plus tard, son frère (20 ans) a été tué sous ses yeux alors qu'il tentait d'échapper à la police. Elle s'est réfugiée chez un oncle vivant dans un village éloigné. Elle y est restée environ six mois. Son oncle, considérant qu'elle était en danger, lui a fait faire un faux passeport et l'a envoyée au Qatar, où un voisin l'a hébergée pendant environ un an. Ce voisin, quittant le Qatar pour l'Indonésie, l'a remise à une famille comme domestique, pour s'occuper des enfants et de la maison.

Elle a été traitée comme une esclave dans cette famille. Levée à 5 heures, elle préparait les enfants pour aller à l'école, les y accompagnait. Au retour, elle faisait le ménage et le repassage du linge. Elle accompagnait le cuisinier au marché, allait chercher les enfants à l'école et les y reconduisait après le déjeuner. L'après-midi, son patron l'envoyait faire le ménage dans les maisons voisines, où habitaient des membres de sa famille. Elle s'occupait des enfants après l'école. Aucun temps de repos. Coucher à 23 heures. Elle dormait par terre dans la chambre des enfants. Elle mangeait quand elle en trouvait le temps, deux fois par jour les bons jours, une fois le reste du temps. Son patron la harcelait même quand elle mangeait. Il la battait et la violait sous la menace de la renvoyer en Ethiopie.

Après une première tentative d'évasion à l'occasion d'un voyage au Bahrein, la famille est venue en France en l'emmenant pour s'occuper des quatre enfants. Elle figurait sur le passeport de son patron. Ils ont pris l'avion jusqu'à Francfort, puis un taxi jusqu'à un hôtel sur les Champs Elysées à Paris. C'est là qu'elle a réussi à s'enfuir, en profitant d'une porte laissée ouverte à l'heure de la sieste. Elle a erré dans la ville, jusqu'au moment où une femme parlant arabe lui est venue en aide. Cette femme l'a hébergée pour la nuit, puis, après s'être renseignée par Internet, l'a conduite à une association d'aide aux étrangers. C'était en août 2005, elle avait 16 ans.

A 16 ans, une mineure doit être protégée par l'Aide Sociale à l'Enfance. Oui, mais on lui fait subir un test d'âge osseux, méthode dont l'imprécision est de notoriété publique[208]. Résultat, comme beaucoup d'autres avant elle et après elle, elle est déclarée majeure.

---

208 Test d'âge osseux. Voir **Seize ans**.

Elle engage une démarche de demande d'asile, bute sur un refus de protection par l'°OFPRA, refus confirmé par la °CNDA[209]. Elle est déboutée au motif qu'elle n'apporte pas de preuves des mauvais traitements dont elle a été l'objet en Ethiopie et au Qatar. Le soutien dont elle bénéficiait en tant que demandeuse d'asile cesse. En juin 2009, elle est mise à la porte du centre d'accueil des demandeurs d'asile qui l'hébergeait.

Elle a 20 ans, elle a appris le français, elle prépare dans un lycée un CAP de maroquinerie qu'elle obtiendra en 2011. Etant déboutée de sa demande d'asile, la préfecture lui délivre une °OQTF (voir **Casse-toi**). C'est la consigne, comme dit l'allumeur de réverbères au *Petit prince*[210]. Mais où irait-elle ? Elle a appris entre temps la mort de ses parents.

Elle a commencé à reconstruire sa vie en France, toujours sans titre de séjour. Elle trouve du soutien auprès de son église orthodoxe en région parisienne, de son lycée, du Comité Contre l'Esclavage Moderne (CCEM), du °RESF et de ses amis - elle est très sociable. Puis elle rencontre Ousmane, un jeune Mauritanien, militant politique de la minorité noire, lui aussi débouté de sa demande d'asile. Il est basketteur et formateur dans ce sport. Le club dans lequel il a créé une section pour les enfants débutants pourrait l'embaucher mais, sans papiers, il n'a pas le droit de travailler. Une petite fille naît en 2012.

Sara est en France depuis huit ans. Dans moins de deux ans, avec dix ans de présence dûment prouvée, y compris par les démarches répétées pour obtenir le droit au séjour, une bonne pratique de la langue, un métier, une enfant qui ne peut vivre avec ses parents ni en Ethiopie ni en Mauritanie, la loi permettra au préfet de régulariser son séjour - à titre exceptionnel! Alors qu'il peut le faire dès maintenant, en vertu du large pouvoir discrétionnaire que lui accorde la loi (voir **Discrétion**), encore une fois, en avril 2013, il a refusé ce titre de séjour, considérant que l'établissement de sa vie en France depuis bientôt huit ans était une sorte de fiction (voir **Critères**, **Personne**). En décembre 2013, le tribunal administratif a rejeté sa demande d'annulation de ce nouveau refus, aux motifs que sa demande d'asile a été rejetée... il y a sept ans, que le fait que son compagnon et sa fille ne soient pas de la même nationalité qu'elle n'est pas "de nature à faire obstacle à la reconstitution de la cellule familiale hors du territoire français". Rien sur son opiniâtre reconstruction en France, sur sa volonté de vivre contre vents, marées, esclavage et °CESEDA.

A 24 et 25 ans, le jeune couple, hébergé par le SAMU social, élève ensemble sa fille. Ses parents sont tous fiers d'annoncer que Laura commence à parler. Son premier mot : "*Attends !*".

---

209 Cour nationale du droit d'asile, relevant du Conseil d'État. La °CNDA statue sur les recours contre les refus de protection de l'°OFPRA.

210 Antoine de Saint-Exupéry, *Le petit prince*, Gallimard, 1946.

RACINES

Prendre directement racine dans le pays où l'on est né quand on a deux parents étrangers serait la traduction la plus directe d'un droit du sol intégral.

Depuis 1965, les naissances d'enfants dont les deux parents sont étrangers oscillent au dessous de 10% : 5,5% en 1965, un pic en 1983 avec 9,9%, 6,6 % en 2010, et 7,0 % en 2011, dernier chiffre publié[211]. Pas vraiment de quoi s'affoler.

Différentes définitions dessinent le contour de la nationalité à partir du lien juridique qui relie aujourd'hui les individus à la France. De ce lien découlent des obligations à la charge des personnes qui possèdent la qualité de Français, en contrepartie desquelles sont conférés des droits politiques, civils et professionnels, ainsi que le bénéfice des libertés publiques.

En 2013, la nationalité française peut résulter :
- d'une attribution par filiation (droit du sang) ou par la naissance en France, acquisition, (droit du sol) ;
- d'une acquisition à la suite d'évènements personnels (mariage avec un-e Français-e, par exemple) ou d'une décision des autorités françaises (naturalisation).

La nationalité française est attribuée de plein droit à la naissance :
- à l'enfant, légitime ou naturel, dont l'un des parents au moins est français (droit du sol) ;
- à l'enfant, légitime ou naturel, né en France lorsque l'un de ses parents au moins y est lui-même né (double droit du sol)[212].

***

Le droit du sol est acquis par la naissance <u>et</u> par la résidence en France : en effet, devient français le jour de ses 18 ans l'enfant né en France de parents étrangers qui réside en France le jour de ses 18 ans, et qui y a résidé au moins 5 ans, de manière continue ou non, depuis ses 11 ans. Qu'une seule condition défaille, et il n'y a pas d'acquisition de la nationalité[213].

211 INSEE, *Mesurer pour comprendre*, Thème : Population.
212 INSEE, *id*, Définitions et méthodes. Nationalité.
213 Article 21-7, modifié par la Loi n°98-170 du 16 mars 1998 - JORF 17 mars 1998 en vigueur le 1er septembre 1998. "Tout enfant né en France de parents étrangers acquiert la nationalité française à sa majorité si, à cette date, il a en France sa résidence et s'il a eu sa résidence habituelle en France pendant une période continue ou discontinue d'au moins cinq ans,

L'intéressé peut renoncer à la nationalité française dans les six mois précédant son 18ème anniversaire et dans les 12 mois le suivant, s'il prouve avoir une autre nationalité (on ne devient pas apatride en France). Dans ce dernier cas, il est réputé n'avoir jamais été français.

À l'inverse, l'enfant né en France de parents étrangers peut anticiper cette acquisition par déclaration : soit lui-même à partir de ses 16 ans, soit ses parents en son nom à partir de ses 13 ans. Dans ce dernier cas, la condition de 5 ans de résidence court à compter de ses 8 ans[214].

La lecture même des textes est loin d'être limpide et l'on peut aisément comprendre les nombreuses déconvenues qui découlent de cette complexité et les drames qui en découlent, notamment pour des jeunes femmes renvoyées au bled pour être mariées et qui veulent revenir en France ou dans d'autres cas, lorsque les parents sont repartis dans leur pays d'origine alors qu'une partie de la famille est restée en France.

Le récit de Hakim

"Je suis né en France en 1986 dans le quatorzième arrondissement de Paris.

Mon père habitait en France depuis 20 ans déjà quand il a décidé de repartir en Tunisie. J'avais huit ans,

J'étais dans ses valises mais je n'ai jamais oublié. Durant mon adolescence, une volonté de travailler dur, comme le fit mon père. Dans cette course, je fus aidé par mon oncle qui vivait à Paris, qui me fournit de nombreux ouvrages scolaires français. J'ai pu ainsi obtenir mon Bac à Sfax en janvier 2006.

Malheureusement, comme beaucoup d'autres, j'ai été confronté à la dure réalité des universités tunisiennes qui, elles, ne sont pas républicaines. Seuls les

---

depuis l'âge de onze ans.

Les tribunaux d'instance, les collectivités territoriales, les organismes et services publics, et notamment les établissements d'enseignement sont tenus d'informer le public, et en particulier les personnes auxquelles s'applique le premier alinéa, des dispositions en vigueur en matière de nationalité. Les conditions de cette information sont fixées par décret en Conseil d'État".

214 Article 21-11 Modifié par Loi n°2007-1631 du 20 novembre 2007 - art. 39 JORF 21 novembre 2007.

"L'enfant mineur né en France de parents étrangers peut à partir de l'âge de seize ans réclamer la nationalité française par déclaration, dans les conditions prévues aux articles 26 et suivants si, au moment de sa déclaration, il a en France sa résidence et s'il a eu sa résidence habituelle en France pendant une période continue ou discontinue d'au moins cinq ans, depuis l'âge de 11 ans.

Dans les mêmes conditions, la nationalité française peut être réclamée, au nom de l'enfant mineur né en France de parents étrangers, à partir de l'âge de 13 ans, la condition de résidence habituelle en France devant alors être remplie à partir de l'âge de 8 ans. Le consentement du mineur est requis, sauf s'il est empêché d'exprimer sa volonté par une altération de ses facultés mentales ou corporelles constatée selon les modalités prévues au troisième alinéa de l'article 17-3".

gens fortunés, et disposant de relations, peuvent espérer y entrer. Ce n'est pas mon cas.

J'ai demandé dans un premier temps un visa étudiant au Consulat de France à Tunis pour poursuivre mes études.

Or je ne répondais pas aux conditions : 4 000 euros de provision et les bulletins de salaire des parents.

Je considérais la France comme ma patrie d'origine. J'avais en effet grandi dans le récit du combat dans l'armée française, durant la guerre de 1939-1945, de mon grand père maternel blessé au Front, et j'avais gardé l'espoir de retourner en France.

J'avais de la famille en France : mes oncles et tantes sont français.

J'obtins alors un visa touristique. En novembre 2006, j'entre sur le sol français légalement, me refusant à d'autres voies.

Direction, le quatorzième arrondissement à Paris, mon lieu de naissance. Je ne m'étais pas trompé. Je savourais le plaisir de me retrouver parmi les miens : tante, oncle, cousins. Et la possibilité de suivre des cours et de me projeter dans l'avenir.

Or les choses ne sont pas aussi simples. Il m'est impossible avec un visa touristique de continuer sereinement des études.

Au tribunal de grande instance du treizième arrondissement, les autorités m'incitent à me rendre à la préfecture du quatorzième, affirmant que je dispose du droit du sol. Je m'y rends et l'on m'informe alors que je ne peux y prétendre parce que je suis venu dans mon pays, la France, avec un visa touristique.

Je ne m'arrête pas à cela. Je suis venu pour suivre des études supérieures. Par chance, l'Université Paris VIII m'accepte. Enfin ! Je m'inscris en licence de Langue et civilisation arabe.

J'ai obtenu ma licence en juin 2011. Je n'ai pu m'inscrire en master faute de moyens puisque je n'avais pas de titre de séjour. Ma licence devrait me permettre d'intégrer la médiation interculturelle à mes compétences, je souhaiterais en effet me spécialiser dans le développement local, notamment à l'Institut de développement urbain (Université de l'Essonne). J'ai actuellement une promesse d'embauche dans ce domaine.

Au cours de mes études, j'ai rencontré Sonia, ma condisciple, que j'ai épousée en juin 2012".

Sonia est française, née et élevée en France, elle est diplômée de l'enseignement supérieur.

La préfecture retarde sans cesse le moment de délivrer à Hakim le titre de séjour auquel son mariage lui donne droit. En attendant, il perd patience : sans titre de séjour, pas de continuation des études, pas de droit au travail. Surtout, écrasement implacable du sentiment que la France est sa patrie d'origine.

RACKET

Une grande partie des personnes sans papiers ont un travail déclaré, en contrat à durée déterminée (CDD) ou indéterminé (CDI), ou encore en intérim renouvelé. Ils ont été embauchés à l'époque où ils avaient encore des papiers ou utilisent le titre de séjour d'un ami. Ils paient donc des cotisations sociales (santé, retraite, chômage, etc.) sans pouvoir bénéficier des droits et des prestations qui y sont attachés.

Ce racket sur les travailleurs-euses sans papiers permet à l'État français d'encaisser sur leur dos des centaines de millions d'euros par an sans jamais rien décaisser. Si le travailleur sans papiers perd son emploi ou quand il arrive à l'âge de la retraite, il n'y aura aucune prestation. S'il est expulsé, même après avoir cotisé durant des années, il ne récupérera pas un centime[215].

Quant à ceux qui parviendront à se faire régulariser, il n'y a encore aujourd'hui aucune possibilité de reconstitution des années de cotisation, notamment pour la retraite.

Une campagne anti-racket a débuté en 2008 à l'initiative de Droits Devant !!, et a été rejointe par une quarantaine d'organisations. Depuis cinq ans, ce collectif a interpellé Pôle Emploi, l'URSSAF, la CNAV[216], le ministère des Finances (au sujet des déclarations de revenus refusées[217]). Le collectif a obtenu de plusieurs consulats qu'au regard des cotisations et des impôts acquittés par les travailleurs, ils ne délivrent pas le funeste laissez-passer, leur évitant d'être expulsés (voir **Casse-toi**).

La mobilisation continue sans relâche, avec les premiers intéressés présents à toutes les audiences, et fait reconnaitre, petit à petit, auprès des employés des différents services comme de leur hiérarchie, l'injustice que constitue ce racket. Une seule solution pour y mettre fin : la régularisation de tous les *sans papiers.

---

215 En cas d'expulsion, l'°OFII est censé récupérer les cotisations sociales versées. Pour la retraite, toutes les cotisations sont perdues.

216 CNAV. Caisse nationale d'assurance vieillesse des travailleurs salariés.

217 Bien que ce soit illégal, on constate trop souvent le refus de recevoir les déclarations de revenus de personnes soupçonnées d'être en séjour irrégulier. dans ce type de situation, on constate aussi que des avis d'imposition ne sont pas envoyés. Voir **Fiscalité**.

REFRAINS (voir **Gangrène**)

"La question politique, c'est prévoir le passé qui guette... La question de tous les temps est toujours : qu'est-ce qui est sur le point de revenir [218]".

Tant d'espoirs ont construit l'Histoire, et les *historioles* de chacun[219]. L'enfant qui vient au monde est déjà fait de tant de strates, de tant de cendres, les pires et les meilleures. Les pires que ranime le souffle des discours malfaisants où traîne la haine de l'autre ; les meilleures, qui reprennent vie tout à coup à l'occasion d'une phrase ou devant une situation parfois dramatique : un refrain qui passe dans la tête, le souvenir d'un livre ou d'un film, celui d'une citation qui aide à vivre, qui éclaire la situation, la met à distance pour mieux la combattre : toutes nos dettes, les vraies, celles-là.

La voix de Georges Brassens se rit des *imbéciles heureux qui sont nés quelque part,* celle d'Yves Montand célèbre les Saltimbanques[220], celle de Léo Ferré chante *L'étrangère*[221], antidotes aux déclarations qui stigmatisent *la tribu prophétique aux prunelles ardentes*[222].

La survie s'y dessine en creux, avec la grâce opposée au rejet.

Dernier mot des poètes après combien de souffrances inutiles et aveugles.

Il était encore vif, en 1956, le souvenir du losange marron cousu sur le vêtement des tsiganes internés et conduits dans les chambres à gaz[223]. Qui s'en souvient aujourd'hui, dans la concurrence des victimes et son arithmétique sordide, opposant les juifs aux tsiganes ou aux homosexuels ?

Qui chante encore *Le déserteur* de Boris Vian, refrain repris pendant la guerre d'Algérie par ceux qu'on envoyait s'y battre ? Les jeunes des quartiers populaires peut-être, qui en font un thème de rap et ont de bonnes raisons de la chanter. Une directrice d'école "suspendue à vie" en 1999 pour avoir fait interpréter à ses élèves la chanson de Boris Vian un 8 mai devant le monument aux morts de Montluçon : "je ne suis pas sur terre pour tuer des pauvres gens".

218　Pascal Quignard, *Les ombres errantes*, Grasset, 2002.
219　Anne Lise Stern, *Le savoir déporté*, Seuil, 2004.
220　"*Dans la plaine, les baladins s'éloignent au long des jardins [...] chaque arbre fruitier se résigne quand de très loin ils lui font signe*".
　　　Guillaume Apollinaire, *Alcools*, 1913.
221　"*Il existe près des écluses, un bas quartier de bohémien où la belle jeunesse s'use à démêler le tien du mien. [...] ils disent la bonaventure pour des piments et du vin doux*". Aragon, *Le roman inachevé*, 1956.
222　Charles Baudelaire, *Les fleurs du mal*, 1855.
223　Année de la publication par Aragon de *Le roman inachevé*.

Et l'Internationale ? Aucun gouvernement qui se réclame de la Gauche ne devrait oublier que le chant écrit en 1871 par Eugène Pottier en pleine répression de la Commune de Paris, s'est appelé d'abord *l'Internationale ouvrière*. Chanter contre la contagion qui transforme les États de droit en états de siège, qui désigne à la vindicte de tous les assis mais aussi des malheureux, tous ceux venus d'ailleurs, parfois différents ou beaucoup trop semblables.

Chanter pour mieux se battre contre la contagion de la gangrène, des lois d'exception, des lois discriminantes, des lois sécuritaires, des lois liberticides.

"Il s'agit des séquelles de la vérole du totalitarisme nazi" disait Edmond Michelet, garde des sceaux en 1959, date de la publication de *La Gangrène*, témoignage de torturés pendant la guerre d'Algérie[224]

D'autres séquelles sont restées et celles de la guerre d'Algérie reviennent, mal cicatrisées et encore à vif.

Oui, il existe un effet de contagion des mauvais coups de la loi, des lois d'exception, des lois de circonstance, que les chansons soignent à la perfection contre les sinistres rengaines et les haines recuites, parce qu'elle trottent dans la tête, longtemps très longtemps et reviennent avec leurs images et leur humour. Ces refrains peuvent se transmettre et allumer un voyant rouge, comme le fait le savoir déporté (voir **Histoire**) : "Attention danger ! Attention ravages prévisibles ! Attention maladie contagieuse ! Résistez !"

---

224 *La Gangrène*, Éditions de Minuit, 1959, avait été présenté alors, comme l'ouvrage de deux auteurs stipendiés par le Parti Communiste.

REGARDS

Si je pouvais seulement sortir de ma peau pendant une heure ou deux !
Si je pouvais être ce monsieur qui passe ! [225]

Assurément, il ne s'identifie pas à Fantasio, ce fonctionnaire qui sévit dans une annexe de la préfecture de police, à Paris.

Me voyant faire de nombreuses photocopies, il le déplore et nous avons cet échange :

- Ca fait beaucoup de photocopies

- Oui, c'est même assez pervers de soumettre des gens qui ne savent pas lire à cette accumulation de papiers [226]

- Ah, non ! C'est très bien. Il faut tirer le Mali vers la France et non la France vers le Mali

C'est un regard de vainqueur [227], du moins dans l'état actuel de la géopolitique. Pour combien de temps ?

***

Quand on n'a plus vingt ans, on parcourt sa bibliothèque, les livres qui nous ont marqué, formé, pétri à la recherche de l'autre pour essayer d'approcher "ce monsieur qui passe" ou cette jeune fille avec son voile ou cette dame qui a tellement d'enfants. Il semble que tout ait été dit mais que c'est à refaire sans cesse [228] et qu'il faille sans cesse retourner aux sources de l'anthropologie.

Selon Marcel Mauss [229], "toutes les catégories ne sont que des symboles généraux qui, comme les autres, n'ont été acquis que très lentement par l'humanité. Il faut décrire ce travail de construction. Ceci est précisément l'un des principaux chapitres de la sociologie entendue du point de vue historique. Car ce travail lui-même fut complexe, hasardeux, chanceux. L'humanité a édifié son esprit par tous les moyens : techniques et non techniques ; mystiques et non mystiques en se servant de son esprit (sens, sentiment, raison), en se servant de son corps au hasard des choix, des choses et des temps au hasard des nations et de leurs oeuvres ou de leurs ruines.

Nos concepts généraux sont encore instables et imparfaits. Je crois sincèrement que c'est par des efforts conjugués, mais venant de directions

---

225 Alfred de Musset, *Fantasio* , 1834.

226 Alors que même la préfecture avouera que c'est une fiction ! Voir **Personne**.

227 Sami Naïr, *Le regard des vainqueurs*, Grasset, 1992.

228 Je renvoie ici à l'ouvrage collectif, *L'autre et le semblable, regards sur l'ethnologie des sociétés contemporaines* rassemblés et introduits par Martine Segalen, Presse du CNRS 1989.

229 Marcel Mauss, *Rapports réels et pratiques de la Psychologie et de la Sociologie,* 1924.

opposées que nos sciences : psychologiques, sociologiques, et historiques, pourront un jour tenter une description de cette pénible histoire. Et je crois que c'est cette science, ce sentiment de la relativité actuelle de notre raison, qui inspirera peut-être la meilleure philosophie".

***

Le cas par cas, c'est une fiche standardisée qui permettra de trouver une fiction qui "colle" avec la loi et la réglementation (voir **Critères**). Les renseignements collectés font partie de ce qui est demandé à tout citoyen, usager des services publics. C'est d'ailleurs ce qui permet de prévoir, planifier les dépenses de la collectivité et d'organiser le vivre ensemble et l'accès aux droits.

Jusque là, très bien.

Mais il y a autre chose, qui est de l'ordre de la suspicion. La traque au mensonge, à la fausse identité, à la fraude en tout genre. Si rien ne "colle", il faudra attendre les délais ou chercher le cas de figure compatible avec une régularisation (voir dans **Dedans-Dehors** l'histoire empruntée à Freud).

***

Dernière venue, la prise d'empreintes généralisée qui s'ajoute à la longue série. Pour l'instant on se contentera de :

- Nom, prénom, date et lieu de naissance, pays de naissance, nationalité, date d'entrée en France[230], nom et prénom des parents, adresse, situation familiale, téléphone, numéro de passeport et validité de celui-ci, visa et nature du visa, demandes en préfecture, demandes d'asile antérieures, mesures d'éloignement, enfants, attaches familiales en France, au pays. Numéro d'étranger quand il existe[231].

- Pour les travailleurs : bulletins de salaires (années et nombres), situation professionnelle (secteur et qualification), promesse d'embauche, numéro de carte de grève si c'est une gréviste du mouvement des travailleurs sans papiers de 2009-2011.

- Pour les malades ou accompagnants de malade : détails sur la maladie et consultations suivies, démarches entreprises. On frôle la rupture du secret médical.

- Pour les familles : date et lieu de naissance des enfants, pays de résidence, scolarité des enfants.

- Pour les conjoints ou compagnons : date du mariage ou du Pacs, dates à partir de laquelle commence la communauté de vie, preuves de celle-ci (que faire si l'un des époux est marin ?).

---

230 Date d'entrée en France, qui se décline un peu comme une autre date de naissance.
231 Le numéro d'étranger (°AGDREF) est attribué par la première préfecture à laquelle l'étranger adresse une demande.

Aucun récit de la traversée en pirogue ou de la traversée du désert n'est demandé (voir **Frère, Traversée**). Aucun récit (sauf pour les demandeurs d'asile) n'est attendu sur les motifs du départ ni sur les circonstances de l'arrivée (sauf pour les jeunes susceptibles d'être confiés à l'Aide sociale à l'enfance).

Avec une grande patience le plus souvent, tous les renseignements sont déclinés successivement devant tous les guichets et jusque dans la permanence amie qui recherche la solution pour que "ça colle" enfin !

Celui ou celle qui aide à remplir la fiche se demande où est l'incandescence de cet étranger dont la vie est déroulée dans ce formulaire. De quoi rêve-t-il au-delà de l'immédiate nécessité qui le conduit à cet exercice bureaucratique ?

On cherche à faire coller la réalité à la fiction, coûte que coûte et vaille que vaille, le masque blanc sur la peau noire[232].

L'incandescence attendra.

---

232 Frantz Fanon, *Peau noire et masques blancs*, Seuil 1952.

RÉPUBLIQUE

Dans une permanence où l'on tente d'aider les étrangers dans leur démarche de régularisation, un travailleur malien à qui je demandais son secteur d'activité me répond "travaux république".

Eh oui, les travaux publics, c'est-à-dire le secteur du bâtiment, c'est forcément des travaux *républiques*. L'ennui c'est que les multinationales qui ferment les yeux sur les pratiques de leurs sous-traitants et même les encouragent, sont fort peu républicaines, pour ne pas dire carrément dans l'illégalité et en tout cas en pleine exploitation des travailleurs qu'ils emploient. Travail au noir, non respect des normes de sécurité, missions de deux heures dans une même journée d'un bout à l'autre de l'Île de France... Ces pratiques forment le pilier indestructible d'une concurrence déloyale imputée aux *clandestins, piégés par la précarité de leur situation, par rapport à leurs collègues qui refusent ces conditions de travail. On parle du taux de chômage des étrangers avec papiers - c'est qu'ils n'acceptent plus ces conditions-là. Et ceux qui peuvent refuser "les travaux républiques" sont aujourd'hui français ; ils venaient d'Espagne, du Portugal, d'Italie et on ne les distingue plus des Bretons, des Savoyards ou des Limousins qui formaient la cohorte des *sans papiers des siècles précédents.

L'État, dès qu'il délivre un premier titre de séjour (valable un an et renouvelable sous conditions), "propose" à l'étranger ainsi distingué de signer un Contrat d'Accueil et d'Intégration à l'issue d'une session de formation républicaine. Dans la convocation il est précisé que cette formation, préalable à la délivrance du titre de séjour, abordera l'organisation et le fonctionnement de l'État et de ses institutions, ainsi que les principes fondamentaux de la République française, notamment la Liberté, l'Egalité, la Laïcité et la Solidarité.

Il serait peut être utile que les entreprises de construction et quelques banques suivent une formation à la République pour avoir droit à une carte d'un an toujours révocable, par exemple en cas de fermeture d'entreprise bénéficiaire, ou de propositions de crédits manifestement pleins de pièges pour les particuliers, pour les collectivités locales et pour l'État. A moins que la République ne soit actuellement fermée pour travaux.

179

RESPECT

Selon un communiqué du Parti Socialiste du 23 novembre 2012, "l'action du gouvernement s'inscrit dans un souci de respect des droits des étrangers et du respect du droit". Le souci, justement, c'est que la loi qui régit la vie des étrangers en France - le droit, donc - considère comme peu de chose leurs droits humains fondamentaux (voir **Charnière**).

L'appareil législatif et réglementaire qui régit actuellement l'entrée et le séjour des étrangers est le n-ième avatar d'un édifice fondé en 1945 (voir **Avatar**) mais dont les fondations remontent aux années 1930. Il a évolué par à-coups selon les perceptions des gouvernements qui se sont succédé depuis. La période récente a été particulièrement productive. Le °GISTI recense[233] les lois, décrets, arrêtés et circulaires réglementant la vie des étrangers en France. Concernant le droit au séjour, entre 1994 et 2002, on compte une seule loi, mais de 2003 à 2012 une demi-douzaine de révisions de la loi et des dizaines de décrets, arrêtés et circulaires. La circulaire du 28 novembre 2012 (voir **Personne**), proposant aux préfets des "conditions d'examen des demandes d'admission au séjour déposées par des ressortissants étrangers en situation irrégulière", tout en restant dans le cadre de la loi antérieure, abroge totalement quatre circulaires analogues, émises en 2005, 2007, 2008, 2009, et partiellement deux autres (2002, 2004).

Le °CESEDA se réduit à un outil de refus de séjour aux mains d'autorités encouragées à être imaginatives pour atteindre les objectifs fixés. La vérité est qu'il est totalement inadapté aux conditions actuelles de la mobilité internationale et aux réalités du monde du travail (voir **Parias**), et l'on rencontre toutes sortes de situations de vie auxquelles la loi n'offre aucune issue.

- La procédure de *regroupement familial* avait été introduite pour permettre aux travailleurs immigrés qui avaient réussi à s'établir, de faire venir femme et enfants restés jusque-là au pays. Ce schéma de migration ne correspond plus à la réalité d'aujourd'hui, et la loi n'a rien de raisonnable à proposer aux couples étrangers qui se sont formés à la suite d'une rencontre en France. Sans parler de la vieille mère, veuve (parfois d'un ancien ouvrier immigré) qui veut finir ses jours auprès de sa fille, résidente de longue durée ou même devenue française.

---

233 www.gisti.org/spip.php?rubrique33

- Les *mariages franco-étrangers*[234] impliquant un ressortissant hors Union Européenne sont l'objet d'une suspicion systématique de la part des autorités (voir **Amoureux**). Au-delà du soupçon de mariage blanc, les conditions de régularisation peuvent aller jusqu'à exiger la séparation temporaire du couple, en envoyant le partenaire étranger chercher un visa au pays, ce qui peut prendre des mois de démarches et d'attente. Les PACS ne sont pas mieux tolérés.

- Les *jeunes lycéens* étrangers ont souvent été envoyés en France pour poursuivre des études inexistantes, ou inaccessibles, dans leur pays d'origine. Ils arrivent ici à la fin d'un cycle scolaire, entre 13 et 17 ans. A leur majorité, ils se trouvent engagés dans la vie sociale normale de leur classe d'âge. Au moment où ils vont pouvoir apporter leurs compétences et leur désir de réussite au pays d'accueil, la loi actuelle ne leur permet pas de rester en France après 18 ans. La circulaire du 28 novembre 2012 apporte un assouplissement tout relatif, en fixant des critères de conditions de vie que bien peu, à l'expérience, arrivent à satisfaire.

- Les migrants sont venus avec l'intention de *vivre normalement et de travailler*. Alors que ces hommes et ces femmes, célibataires ou vivant en famille, sont sur les chantiers, dans les champs, dans les cuisines, nettoient les immeubles de bureaux, prennent soin des petits enfants et des vieux, l'administration ne leur permet pas de travailler légalement. En invoquant la peur d'un prétendu "appel d'air" dont la vraisemblance reste à prouver, on rend de plus en plus difficile l'entrée et le séjour légaux. Résultat : plus de circulation entre pays d'origine et pays de migration. Dans l'incertitude d'un retour possible, les étrangers restent, en acceptant des conditions de vie et de travail souvent désastreuses. Les timides évolutions de la réglementation depuis 2009 n'ont permis que peu de régularisation, les critères fixés ne correspondant pas aux réalités de ces types d'emploi (voir **Personne**)

- En juillet 2009, le °RESF soulevait publiquement la question des *familles démembrées* (un parent expulsé, le reste de la famille restant en France) : "ces expulsions génèrent des situations dramatiques : séparation, parfois définitive, des couples et des familles, traumatismes des parents et des enfants, souvent perte totale des ressources, prise de risques du parent expulsé pour revenir à tout prix. L'expulsion d'un parent semble conçue par l'administration comme le moyen d'acculer le reste de la famille au départ "volontaire" en la réduisant à la misère".

---

234 Curieusement nommés *mariages mixtes* !

- Malgré les assurances officielles d'humanité du traitement des *enfants pris dans les filets* des préfectures, il a fallu attendre un arrêt de la Cour européenne des droits de l'homme (19 janvier 2012) pour que cesse (à peu près) l'enfermement des enfants dans les centres de rétention administrative, remplacé par l'assignation à résidence (en fait, l'enfermement dans un hôtel une étoile) des familles étrangères avec enfants en instance d'éloignement (voir **Retenue**).

Revenons sur le rôle des couples franco-étrangers, qui semblent parfois être pour les autorités une peste à combattre, alors qu'ils constituent un agent du mélange progressif entre population migrante et population d'accueil. Une étude[235] du défunt ministère de l'Immigration portant sur les titres de séjour délivrés à des conjoint-e-s de français-e-s en 2006 a été mise en ligne en mars 2013 sur le site du ministère de l'Intérieur. Les couples sont répartis en trois catégories principales, selon les lieux de naissance du conjoint français et de ses parents, dans un ordre croissant d'inclusion dans la société native :
- conjoint français et au moins l'un de ses parents nés à l'étranger : 31%,
- conjoint français né en France, au moins un des parents né à l'étranger : 34%,
- conjoint français dont les deux parents nés en France : 35%.
Cette progression suggère un rôle intégrateur de la formation de nouvelles familles franco-étrangères.

Un projet d'avis du Haut conseil à l'intégration[236], semble-t-il jamais publié mais qui avait fuité en 2011, va dans le même sens : "La mixité des couples est un puissant facteur d'intégration. Dans leur ensemble, la moitié des immigrés de 18 à 60 ans ont un conjoint immigré originaire du même pays. L'union entre conjoints de même origine domine pour certaines origines mais devient minoritaire pour les immigrations plus anciennes (venues d'Espagne ou d'Italie). La part de mariages mixtes témoigne aussi du degré d'acceptation par la société d'accueil des immigrés et de leurs enfants".

***

Le rôle de la loi est d'organiser la vie collective. Le °CESEDA, vieux vêtement maintes fois rapetassé, ne joue plus ce rôle. En attendant son indispensable révision en profondeur, il faut choisir entre respecter le droit ou respecter les étrangers.

Le droit incarné, c'est le citoyen ; le droit couronné, c'est le législateur[237].

---

235 Mixité franco-étrangère: quelle réalité sociale? *Infos Migrations n°2*, novembre 2008.
236 Le Haut Conseil à l'Intégration avait été créé en décembre 1989 pour "donner son avis et de faire toute proposition utile, à la demande du Premier ministre sur l'ensemble des questions relatives à l'intégration des résidents étrangers ou d'origine étrangère". Il est mis en sommeil depuis décembre 2012 en attendant sa réorganisation. Son site internet : www.hci.gouv.fr.
237 Victor Hugo, *Actes et paroles II*.

RÉTABLIR

C'est en mai 2009, durant la cérémonie de parrainages républicains organisée par le °RESF à la Mairie, pour nous et d'autres familles, que j'ai pensé pour la première fois que je pourrais devenir française.

Avec mon mari et nos quatre enfants, cela faisait huit ans que les évènements politiques en République Démocratique du Congo (RDC) nous avaient obligés à fuir notre pays. Après de nombreux détours en Afrique (Bénin, Algérie, Maroc) puis en Europe, au Danemark, nous a avions enfin pu déposer une demande d'asile en France et nous attendions la décision de l'°OFPRA.

Nous avons obtenu la protection de la France en juin 2009, et un titre de séjour nous permettant - enfin - de travailler pour subvenir aux besoins de notre famille. En 2011 nous avons tous obtenu la nationalité française. Un résultat assez rapide, mais cela faisait 10 ans que nos vies avaient été bouleversées.

Il a alors fallu rétablir une vie normale pour nous et nos enfants. C'est l'objet de ce témoignage.

Le travail

Mon mari et moi sommes francophones. Nous sommes infirmiers, diplômés en RDC, avec plus de 15 ans d'expérience au moment de notre départ. Nos diplômes ne sont pas reconnus en France. Nous ne pouvions pas non plus exercer en tant qu'aides soignants avant d'en avoir obtenu l'autorisation du ministère de la Santé. Dès que nous avons eu l'autorisation de travailler, nous avons donc trouvé du travail dans des maisons de retraite privées, comme auxiliaires de vie. La charge de travail était très lourde. A deux, au lieu de trois normalement, nous avions la charge complète de 28 résidents, dont 22 grabataires.

Nous avons tout de suite commencé les démarches pour obtenir l'autorisation d'exercer les fonctions d'aide soignant. Il nous a fallu deux ans pour l'obtenir, après plusieurs tentatives et à la faveur de notre installation dans un autre département. Cela nous a apporté une amélioration de salaire, mais toujours pour un travail harassant dans des maisons de retraite. Ce n'est que lorsque nous sommes devenus français que nous avons pu prendre un travail d'aide soignant dans des hôpitaux publics, dans le milieu médical qui est le nôtre et avec des conditions de travail moins pénibles.

J'ai aussi entrepris en 2010 la démarche de Validation des Acquis de l'Expérience pour obtenir le titre d'aide soignante, plus sûr que l'autorisation d'exercer qui reste temporaire. Il s'agissait de sanctionner par un diplôme mon travail de tous les jours, moins qualifié que ma formation initiale. La démarche a pris un an et demi et s'est terminée par une épreuve orale, à laquelle le jury m'a mis la note zéro, avec des remarques méprisantes. Une mauvaise note aurait été le signe que ma prestation était jugée insuffisante. Un zéro signifiait un refus net de me donner le diplôme.

J'ai dû recommencer toute la démarche, et j'ai obtenu le diplôme, indispensable pour ma titularisation sur mon poste à l'hôpital. La prochaine étape sera l'équivalence de mon diplôme d'infirmière. Je ne renonce pas à tenter d'obtenir la reconnaissance de mes capacités, qui sont réelles et reconnues puisque mes employeurs successifs se sont toujours déclarés très satisfaits de mon travail.

Les études des enfants

Mon fils aîné, arrivé en France en 2007 alors que nous étions encore au Danemark, avait été pris en charge par l'°ASE. Il était au lycée, dans une filière en électrotechnique. Les trois plus jeunes avaient pu être envoyés en France en 2004, à partir du Maroc où nous étions protégés par le HCR (Haut Commissariat de l'ONU auprès des Réfugiés), alors que nous attendions notre réinstallation en Europe. Ils avaient été recueillis à Paris par ma sœur, qui les avait tous mis à l'école dans son quartier.

Depuis le Maroc, bien que nous ayions demandé notre réinstallation en tant que réfugiés en France, ce fut le Danemark. Nous y avons repris en charge nos trois plus jeunes enfants, qui ont ainsi eu une interruption de plus d'une année scolaire. Heureusement, des amis français nous ont aidés à les inscrire au Centre National d'Enseignement à Distance (CNED), ce qui leur a permis de reprendre leur cycle normal au retour en France en janvier 2009. Ils se sont tous les trois accrochés à leurs études, qui ont repris leur cours normal.

En février 2013, la deuxième est en Terminale, le troisième en 1ère S et la dernière est en 4ème, où elle s'est fait élire déléguée de classe et représentante des élèves au Conseil d'établissement.

Le logement

Pendant nos deux premières années en France à partir de janvier 2007, se loger a été un problème terrible. Avec nos trois plus jeunes enfants, nous étions cinq à loger. Nous avons tout d'abord été hébergés en urgence par ma sœur, mais son appartement était trop petit pour nous accueillir tous plus de quelques semaines. Nous avons alors été recueillis dans le même quartier par deux familles françaises, les parents d'un côté et les enfants de l'autre. Cette solution provisoire a duré trois mois et demi, en attendant que le service social de la mairie, que nous avions sollicité depuis notre arrivée, nous propose un hébergement dans un hôtel du même quartier, ce qui a permis aux enfants de ne pas changer d'école ou de collège.

L'hôtel où le service social nous avait logés était sale et mal entretenu. Il hébergeait d'autres familles étrangères, dont certaines étaient là depuis longtemps. On ne pouvait pas faire la cuisine, sauf en cachette la nuit. Les sanitaires étaient en mauvais état. Les lits étaient infestés de punaises. L'attitude du gérant était détestable. Il prétendait que c'était nous qui avions apporté les punaises ; il lui est arrivé de réclamer deux fois le loyer pour la même période, prétendant que nous n'avions pas payé. Il refusait violemment les paiements par chèque. On le payait en liquide deux fois par semaine : 130 € par jour pour trois chambres. Plus de 4 000 € par mois, à la charge du service social dans les premières semaines. Puis nous avons obtenu nos titres de séjour en tant que réfugiés, un travail et les allocations familiales pour les enfants. Le service social a alors diminué sa contribution, ne nous laissant que 7 € par personne et par jour pour les dépenses courantes, y compris la nourriture. Nous avons vécu dans ces conditions très difficiles pendant 16 mois.

Peu après avoir commencé à travailler, mon mari et moi avions déposé chacun de notre côté des demandes de logement social dans le cadre du 1% patronal. Après plus d'un an d'attente, nous avons reçu des propositions de logement. Nous avons eu la chance de pouvoit choisir un appartement dans un immeuble tout juste rénové, dans un quartier calme et bien desservi par les transports en commun. Nous y avons emménagé en octobre 2010. Après plus de dix ans de souffrances et d'incertitudes, c'était le début du retour à une vie normale, avec ses difficultés normales. Nous repartions à zéro, sans économies, dans un appartement vide.

L'accueil des habitants de la France

Notre première tentative d'installation en France remonte au début de 2007. Nous avons fait appel à deux associations, °La Cimade puis le °RESF, où nous avons rencontré des personnes accueillantes et de bonne volonté. Certains ont continué à nous accompagner dans nos démarches pendant que nous étions bloqués au Danemark. Leur soutien nous a aidés à ne pas perdre courage devant tous les obstacles qui retardaient le rétablissement de notre situation. Comme je l'ai dit, le symbole du soutien du Maire lors du parrainage républicain a été un fort encouragement. L'assistant social de la mairie qui nous suivait à l'époque de l'hébergement en hôtel s'est toujours montré sympathique et patient. Les enseignants des écoles de mes enfants ont su les accueillir de façon très ouverte et j'ai été bien reçue et entendue par les responsables scolaires. Au travail, mes chefs apprécient mes qualités professionnelles et me respectent pour cela. Dans mes différentes activités, je me suis fait des amis, français ou étrangers, sans difficulté.

Les manifestations de racisme sont le fait de personnes un peu plus éloignées, en partie au travail avec certaines collègues, mais on sait que les relations entre collègues de travail peuvent être difficiles. La manifestation la plus nette de discrimination est venue d'administrations dont dépend la reconnaissance de notre compétence professionnelle. Les conditions légales d'équivalence de diplômes sont très fermées. Dans les multiples démarches que j'ai entreprises j'ai été confrontée à des inégalités de traitement en ma défaveur. C'est cependant l'écoute et la compréhension de certains interlocuteurs dans ces administrations qui me permettent d'avancer sur le plan professionnel.

RETENUE

L'enfermement dans un centre de rétention administrative est l'ultime étape avant l'expulsion (voir **Casse-toi**). Le 11 mars 2013, le ministre de l'Intérieur donne aux préfets dans une circulaire[238] quelques bons conseils concernant, entre autres, les expulsions. Il s'agit "d'assurer l'effectivité des éloignements des étrangers dépourvus de tout droit au séjour au terme d'une procédure respectueuse de leurs droits". Pour les aider à "veiller à la qualité et la sécurité juridique des procédures d'éloignement", le ministre déroule une liste "non exhaustive" de sept préconisations.

- "[Utiliser] pleinement les nouvelles possibilités offertes pour vérification du droit au séjour", c'est-à-dire de la retenue de 16 heures, qu'il a fallu faire voter fin 2012 pour pallier l'interdiction par la Cour de cassation de toute garde à vue motivée par l'irrégularité du séjour.
- Proposer des formations adaptées aux services de police, de gendarmerie et préfectoraux pour "améliorer la sécurité juridique des procédures".
- Sécuriser les appels sur les décisions de libération prononcées par le juge des libertés et de la détention de la personne à expulser.
- Exploiter au mieux les possibilités de délivrance de laissez-passer consulaires, indispensables pour l'expulsion en cas d'absence de passeport.
- Astreindre la personne à laquelle a été décochée une °OQTF à faire contrôler l'organisation de son départ dans le délai imparti, et même à remettre son passeport aux autorités.
- Ne pas hésiter à renforcer l'°OQTF par une interdiction de retour, mais dans les règles. "Cette motivation doit attester de la prise en compte de l'ensemble des critère prévus par la loi. En revanche, aucune règle n'impose de motiver distinctement le principe et la durée de l'interdiction de retour, ni que soit indiquée l'importance accordée à chaque critère". Critères de durée de présence en France, de nature et d'ancienneté des liens avec la France, d'anciens ordres d'expulsion non exécutés, et... de trouble à l'ordre public.
- Inscrire la personne visée au fichier des personnes recherchées.

***

---

238 www.gisti.org/spip.php?article3048

Un tel effort de perfectionnement est certes louable car, dans leur immense majorité, les décisions d'éloignement prises par les préfets ne sont pas exécutées. Mais le ministre semble avoir été devancé par les préfets., puisque le rendement en expulsions des °CRA est déjà passé de 40% en 2011 à 46% en 2012, ainsi que l'indiquent les rapports[239] publiés conjointement par les cinq associations présentes dans les centres de rétention.

***

Dans la même circulaire aux préfets, le ministre aborde les mesures de contrainte en vue de l'expulsion des personnes. Il recommande l'assignation à résidence plutôt que l'enfermement dans un centre de rétention. L'assignation à résidence isole les gens, dans un hôtel ou chez eux, attendant que la police vienne les y cueillir pour les reconduire à la frontière, sans accès facile à leurs droits de contestation de la mesure qui les frappe, alors que dans les centres de rétention, des associations sous contrat avec l'État sont là pour les guider et les aider.

°La Cimade est présente dans les °CRA depuis les années 1980 pour apporter une aide juridique aux personnes retenues. Ses équipes ne voient pas les réalités de l'expulsion sous le même angle que le ministre. En contact quotidien avec les étrangers ainsi piégés, ils témoignent de situations extrêmes vécues par les retenus. Un tragique confinant au cocasse, qui illustre une "politique de l'immigration" qui réjouirait Père Ubu, relaté dans un recueil de témoignages disponible en librairie[240]. Une lecture roborative permettant de voir dans ses conséquences ultimes ce qui prétend être une politique de maitrise des flux migratoires. Dans les °CRA, l'humain semble ne plus exister. Prime la multiplication des procédures en vue de coller à des objectifs fantasmagoriques.

Pour ne pas laisser oublier que ces situations absurdes et douloureuses perdurent, l'équipe du °CRA de Toulouse publie un quasi-mensuel, *Planète CRA*[241], celle du Mesnil-Amelot (aéroport Charles De Gaulle) un trimestriel, *Crazette*[242]. En voici quelques extraits.

***

"*Pas de droit d'asile*. Alors qu'Abdul sollicite dans le délai légal la protection de la France en raison des persécutions subies dans son pays d'origine, la préfecture refuse d'enregistrer sa demande d'asile. Le lendemain, Abdul est expulsé".

---

239 Assfam, Forum Réfugiés, France terre d'asile, °La Cimade et l'Ordre de Malte, *Rapports sur les centres et locaux de rétention administrative. Pour 2011 :* www.lacimade.org/publications/70, pour *2012 :* www.lacimade.org/publications/83.

240 La Cimade. *Chroniques de rétention 2008-2010.* Actes Sud, 2010.

241 planete-cra.eklablog.com.

242 blogs.mediapart.fr/blog/fini-de-rire/070513/cra.

"*Dormir dans sa voiture trouble gravement l'ordre public.* Pour avoir "troublé l'ordre public", le préfet des Hauts-de-Seine prend une décision d'°OQTF contre Ionut, de nationalité roumaine. Officiellement, parce qu'il conduisait en état d'ivresse et sans permis. En réalité, il dormait dans sa voiture, son permis en poche ; par ailleurs, étant diabétique, il ne consomme pratiquement jamais d'alcool. Le tribunal admisnistratif lui a donné raison, la décision du préfet a été annulée et Ionut a retrouvé sa liberté".

"*La Poste, on n'a pas tous à y gagner.* José allait chercher un courrier recommandé à la poste de Neuilly-sur-Seine, muni d'un seul document : un faux titre de séjour. Après avoir consulté ce document, le guichetier lui demande de patienter quelques instants. Vingt minutes plus tard, c'est à la police que José a affaire. La pratique de la délation n'a pas cessé en 1945".

"*Italien en rétention ou un exemple de délit de faciès.* Durant plus de 24 heures, la préfecture de la Seine-Saint-Denis a privé de liberté illégalement un ressortissant italien né en Tunisie. Pourtant, il était en possession de sa carte nationale d'identité. Contactée par nos soins, la préfecture n'en démord pas et estime que Zinedine est tunisien. Ce n'est qu'après avoir été rappelée à l'ordre par le consulat transalpin qu'elle fera machine arrière".

"*De l'éthique dans l'accompagnement des mineurs étrangers isolés.* Mineur d'origine guinéenne venant d'arriver en France, Mohamed se présente à un centre d'hébergement pour mineurs étrangers isolés : le Caomida Stéphane Hessel. Il est muni de son acte de naissance, mais doutant de l'authenticité de ce document, les intervenants de la structure préfèrent accompagner Mohamed au commissariat, antichambre d'un placement en rétention et d'une éventuelle expulsion. Il sera finalement libéré par le juge des libertés et de la détention qui confirme le caractère déloyal de son interpellation".

"Au cours des trois derniers mois, au minimum **14 charters** ont décollé des aéroports franciliens. Notre visibilité sur ce phénomène est limitée, mais nous avons observé dernièrement une avalanche de ces vol spéciaux : **4 charters "made in France" dédiés au Rroms et 10 charters européens**, soit une moyenne d'un charter par semaine.

Tous les vols spéciaux européens décollent de **l'aéroport du Bourget**, tous les passagers sont des expulsés ou des policiers, parfois le personnel de bord est également policier ou militaire. **Il est impossible pour un expulsé de refuser d'embarquer sur ce type d'avion.**

Les quatre principaux pays concernés par ces expulsions collectives — pourtant en théorie interdites par la Convention Européenne des Droits de l'Homme — sont la Roumanie, la Géorgie, l'Albanie et l'Arménie".

Crazette n° 6, janvier 2013

***

CRAvailler en rétention

J'ai débarqué sur la planète °CRA de Toulouse/Cornebarrieu dans le courant du mois de juillet.

La privation de liberté est une violence. L'empêchement de jouir de ses droits humains en est une autre, plus grande encore peut-être. Je m'étais donc préparée à vivre mes journées de Cravail dans un cadre tendu, difficile.

Mais rien de violent ne s'est présenté à mon arrivée. La violence est apparue doucement sous une forme inattendue, insidieuse.

Le climat au °CRA de Toulouse est, actuellement, plutôt "paisible". Nos relations avec la police sont courtoises. L'établissement est globalement propre, des habits sont fournis aux retenus qui n'en n'ont pas, puis régulièrement lavés, des repas servis trois fois par jour... Lorsqu'ils veulent nous rencontrer, les retenus n'en sont pas empêchés.

Toutefois, une autre violence est là. Pas de celles qui se manifestent (à ce jour) à coups de poings ou à coups de pieds (voir **Chaud**). Ce doit être, finalement, la violence propre aux démocraties avancées : des règles existent ainsi que des lois qui protègent les personnes, des recours, des avocats, des aides juridictionnelles[243], des "Cimades"... Pourtant, l'arbitraire, l'abus de pouvoir, l'injustice rôdent comme à l'affût d'un mauvais coup. Une violence pernicieuse s'immisce dans la vie des retenu-e-s et, au passage, dans la nôtre. Elle prend notamment la forme d'une sorte de non-droit dans un contexte pourtant totalement judiciarisé. Ou plutôt de droits réduits, de droits à minima, de droits pour les sans... jusqu'au droit minimal de se marier, de vivre auprès des siens, d'être protégé...

Je pense, bien sûr, à monsieur Djibril, que la préfecture et la police ont mis beaucoup d'énergie (et de forces) à tenter de faire partir, la veille de son mariage... Au point que les "victoires" juridiques remportées n'ont pas fait le poids face aux violences reçues : détruits par les émotions contradictoires, épuisés par le combat mené pour la liberté, brisés par la honte que produisent de telles situations, sa (future) femme et lui n'ont pas eu la force de faire face au beau mariage prévu, en dépit des invités venus de loin et des grosses dépenses engagées pour la fête (voir **Amoureux**).

Je pense également à monsieur Kymia, parti depuis presque 30 ans de Kinshasa et que l'on a réveillé au petit matin pour l'y renvoyer sans risquer d'agitations, ni au °CRA, ni à l'aéroport. La justice a considéré que ses enfants, français, n'avaient pas besoin de lui : ils sont adultes et ils travaillent... Qu'il ait réussi l'intégration de ses enfants à notre belle Nation n'a pas pesé dans la balance.

---

243 L'aide juridictionnelle désigne la rétribution de l'avocat par le tribunal. Elle est accordée sous conditions de faibles ressources. L'avocat peut être choisi par le justiciable ou, à défaut, être désigné par le tribunal.

Mais s'arrêter là serait mentir par omission, car Cravailler en rétention, c'est faire notre possible pour promouvoir les droits humains, pour œuvrer en faveur de la liberté des citoyens d'ici et d'ailleurs. De fait, en dépit de ce que je viens de décrire, j'ai le sentiment d'avoir de la chance de Cravailler là ! Oui, oui… la chance de faire quotidiennement quelque chose qui a du sens, la chance d'allier engagements personnels et professionnels.

Et aussi, il faut dire que Cravailler en rétention, c'est recevoir le sourire éclatant de monsieur Meykandan qui quitte le °CRA pour retourner à la liberté et non vers le Sri Lanka devenu trop dangereux pour lui, c'est aussi la poignée de main de monsieur Karim venu nous remercier avant de partir et nous charge de remercier nos collègues absents…"   Estelle, *Planète CRA n°29*, sept 2012.

***

Enfermés par la police qui veut les garder sous la main pour organiser leur expulsion, brusquement bannis de la vie normale qu'ils avaient cru pouvoir vivre malgré le non consentement de l'État à leur présence, ils ont été plus de cinquante mille à subir la rétention administrative en 2012. La durée maximale de rétention est de 45 jours, alors que la quasi totalité des expulsions se font avant le 17ème jour. Le rapport des associations détaille longuement (p. 38 et suivantes) les dégâts dans la vie des personnes retenues : perte de son travail suite à une absence inopinée, traumatisme de la séparation d'avec sa famille, impact psychologique d'un enfermement brutal et mal compris.

Témoigner vers l'extérieur de leurs conditions de vie est une façon de continuer à exister socialement quand même. Or, il est un droit qui n'est pas enlevé aux retenus : celui de téléphoner et de recevoir des appels sur les postes téléphoniques du °CRA. En ligne, des personnes amies qui ont entrepris de recueillir et faire connaître ces témoignages. Un site internet[244] en propose la lecture à qui veut savoir. En voici quelques autres, recueillis à Vincennes.

"Ca se passe mal, c'est le stress. Moi ça fait 22 ans que j'suis là, j'aime trop ici. Y'a beaucoup de cas ici, dernièrement un monsieur qui est français il avait oublié sa carte, ils l'ont ramené ici, l'°ASSFAM ils ont contacté sa famille pour ramener sa carte, après il a été libéré. Y'a des gens qui sont sympas, y'a des gens qui sont pas bien, y'a des gens qui provoquent, c'est comme dehors, donc on fait avec, quoi".

"Avec la police c'est toujours le bordel ici, tout le monde est stressé, y'a des provocations, c'est ça hein. Mais quand même ça se passe. C'est comme dans une prison, c'est pareil. Tu peux pas manger, tu peux pas dormir bien. Le matin ils vont chercher une personne, ils vont réveiller tout le monde avec le micro, en tapant sur la porte. Y'a pas de playstation pour jouer là, y'a pas de ballons, y'a rien. Tu peux pas manger, même la nourriture tu peux pas manger. C'est la

---

244 www.infokiosques.net/spip.php?article996.

merde, tu peux pas manger. Le médecin il va donner à tout le monde des médicaments pour éviter les bagarres. Mais quand vous êtes malades... on va mourir ici ! ".

"Franchement ici c'est pas un centre, c'est un hôpital psychiatrique presque. Ça je te le garantis. Parce que l'infirmière elle donne des médicaments à tout le monde, elle donne des cachets chelous à tout le monde, voilà (voir **Gale**). Quand les gens rentrent ils sont normaux, et quand ils sortent ils sont fous. C'est pas qu'elle les oblige - ils viennent de temps en temps, elle leur donne des cachets. Les cachets tu les prends un premier jour, un deuxième jour, après c'est bon ça devient un manque, tu vois".

"Il y a beaucoup d'arrivants, vraiment beaucoup, on est deux par chambre et il y a des sortants aussi. On nous confisque nos portables qui ont des caméras et appareils photos. Y'a l'°ASSFAM qui aide les gens qui viennent d'arriver pour les aider dans leurs droits, le problème c'est qu'au tribunal on est tous rejetés".

Moi ça fait 22 ans que j'suis en France, ils m'ont rejeté, on m'avait arrêté le vendredi, ils m'ont amené ici un samedi et le mardi je suis passé au tribunal, donc j'avais pas les preuves qui montraient que j'étais depuis 22 ans en France... J'ai donc téléphoné à l'association qui s'occupe de mon dossier et ils m'ont faxé tous les papiers dont j'avais besoin. J'ai un suivi médical aussi à l'hôpital, eux aussi m'ont faxé un papier comme quoi je suis suivi là-bas depuis sept ans, j'ai des problèmes de tension artérielle, même le médecin ici l'a remarqué. Maintenant j'ai presque tous les papiers qui peuvent me représenter (voir **Critères**) et je dois retourner au tribunal dans 20 jours. Je suis allé chez le juge des libertés et de la détention et c'est là-bas que j'ai pu parler un tout petit peu mais ils m'ont demandé des preuves. Je les ai rassemblées et je compte les amener là-bas dans 20 jours... ".

"On dirait qu'on a fait un crime. Si on a débarqué ici, c'est qu'on n'est pas là par hasard. Jusqu'au bout, même quand t'as plus que trois heures avant de sortir ils jouent sur le moral. Franchement c'est abuser, ils jouent sur le moral, ils font des trucs, c'est pas bien. Comme ça, on est sous pression. Jusqu'à maintenant j'ai pas vu le consul moi[245]. Y'a pas que moi, y'en a plein qui ont pas vu le consul. J'espère qu'on va sortir et qu'on va pas rester ici quand même".

"Tout le monde travaille. S'ils vont chercher les *sans papiers, tout Barbès ils vont rentrer chez eux hein, tout le monde est sans papiers ici. Si on gagne de l'argent on va dépenser de l'argent aussi, on est comme ceux qui ont des papiers sauf qu'on peut pas rentrer chez nous, t'façon on va dépenser de l'argent ici, on va acheter des trucs, *sans papiers c'est pas un handicap quand même".

---

245 Si la police n'a pas le passeport de la personne qu'elle veut expulser, elle doit demander à son consulat le laissez-passer qui permettra sa "reconduite à la frontière" de son pays.

ROMITUDE

Sur un banc d'une rue du quatorzième arrondissement parisien, le matin, à l'heure de l'école vers laquelle de jeunes enfants accompagnés de leurs parents se dirigent. À mes côtés, deux couples et six enfants. Nous sommes l'objet de regards insistants, de haussements d'épaules. Les enfants qui viennent vers nous sont priés d'accélérer le pas. Un homme d'une quarantaine d'années s'arrête devant nous. Il s'adresse à moi : "Tant qu'il y aura des gens comme vous, Madame, on n'est pas prêts de s'en débarrasser".

Je réagis avec fermeté en signifiant à ce passant que nous occupons l'espace public au même titre que lui. Il s'éloigne en maugréant. Ce "racisme ordinaire", relayé par une politique sécuritaire et discriminatoire et par certains médias, s'est infiltré dans la société civile.

Une des jeunes femmes à mes côtés me dit sur un ton las et résigné : "On a l'habitude. On nous traite souvent comme ça dans la rue". Elle exprime par là, non seulement sa mise hors la vie sociale, mais aussi sa démission. Car "être injurié, c'est être exposé à la possibilité mortelle de ne plus pouvoir désirer son propre désir de réplique[246]".

Que faisons-nous sur ce banc ? Ce matin-là, en lien avec une association de l'Essonne, je tente de gérer pour ces deux familles rroms de nationalité roumaine les conséquences du démantèlement du bidonville de Vigneux-sur-Seine. Plusieurs mois ont passé depuis leur expulsion. Presque chaque jour, il faut chercher des solutions, souvent de fortune, pour le logement, la maladie d'un enfant, la faim, le renouvellement du peu de papiers administratifs auxquels ils ont accès.

***

Mais, au fait, se débarrasser de qui ?

De ceux que l'on désigne Rroms.

De ressortissants communautaires roumains ou bulgares.

Donc, de citoyens européens, citoyens qui ont droit à la liberté de circulation et à la liberté d'installation.

Oui, mais... les mesures transitoires ne sont toujours pas levées. La France attend la date butoir imposée par l'Union européenne (31 décembre 2013). Elle laisse ainsi se développer les rejets et la construction de la figure du bouc émissaire avec son cortège de préjugés. Les mesures transitoires limitent

---

246   Guillaume le Blanc, *Dedans dehors. La Condition d'étranger*, Seuil, 2010.

l'exercice de ces libertés fondamentales. Certes, les ressortissants roumains ou bulgares peuvent venir s'installer sur le territoire français mais, au bout de trois mois, ils doivent justifier de ressources suffisantes afin de ne pas se trouver en situation de complète dépendance par rapport au système d'assistance sociale français. Les Rroms qui n'ont pas de titre de séjour, sont exposés à être expulsés. La délivrance du titre de séjour est conditionnée par l'obtention d'un contrat de travail, lui-même conditionné par une autorisation de travail délivrée par la °DIRECCTE. Il faut trouver un employeur… Mission quasi impossible. Les Rroms ne sont donc ni citoyens communautaires à part entière ni migrants non communautaires.

***

Que peut-on attendre de la levée de ces mesures transitoires ? L'entrée dans le droit commun : accès au travail sans mesures spécifiques, accès au logement, accès à la scolarisation, accès au système de soins.

Il faudra compter avec le renforcement des peurs. "Ils vont prendre le travail des Français, etc". Pour être effectifs, ces nouveaux droits nécessiteront des politiques de l'emploi, du logement, de la santé qui s'attaquent aux véritables racines de la précarité et pas seulement à la précarité des Rroms. Elles devront éviter la concurrence entre les plus démunis.

***

Lorsqu'un démantèlement est attendu, la présence policière, le comptage des caravanes roulantes et non roulantes, la distribution de nombreuses °OQTF les jours précédents, sont autant d'indices qui ne trompent pas (voir **Déplacements**).

Certaines familles décident alors de partir afin de ne pas revivre la brutalité de la énième expulsion (jusqu'à dix et plus). C'est d'ailleurs le cas d'un des couples qui m'accompagne ce matin-là. Faute d'avoir retrouvé un terrain où se réimplanter et faute d'être pris en charge par un CCAS (Centre communal d'action sociale), ils sont voués à la rue, avec leurs trois enfants âgés de trois à neuf ans. Les services administratifs argueront que ce couple a "choisi" par lui-même des solutions.

Comme chaque jour, tentative sans succès de joindre le °115[247] pour obtenir un hôtel. Ce sera encore l'hébergement d'urgence. Cette dernière solution est systématiquement écartée par le couple, car elle implique l'éclatement de la famille pour les nuitées octroyées : les femmes et les enfants dans une structure d'accueil d'urgence, les hommes dans une autre, à plusieurs kilomètres de distance (chaque matin, on est prié de quitter les lieux). Quand on sait la place essentielle de la cellule familiale, qui est leur seule richesse, cette proposition est

---

247   Le °115 est un numéro d'appel gratuit pour demander une hébergement d'urgence. Ce service est saturé partout en France deouis la fin des années 2000.

une violence en soi. Elle est surtout une atteinte grave et manifestement illégale au droit de toute personne au respect de sa vie privée et familiale. C'est la ligne de défense des avocats des familles rroms près des tribunaux administratifs devant les juges des référés, avec des succès variables selon les juridictions.

Une fois à la rue, il y a la peur d'être délogé par la police, surtout lorsqu'on est sous le coup d'une °OQTF et susceptible d'être expulsé. S'ajoute à cette peur l'impossibilité de cuisiner, de se laver, de mettre à l'abri les objets de la vie quotidienne, tout au moins ce qu'il en reste après une expulsion récente. Comment alors envisager la scolarisation des enfants qui, elle aussi, rappelons-le, est un droit ? Celui ou celle qui est communément désigné comme précaire subit la précarité *à tous les niveaux*. La précarité n'est pas un statut : c'est une fabrique de la misère. Le °115 en est un des maîtres d'œuvre.

***

Ce matin-là, sur le banc, l'autre couple n'a pas anticipé l'expulsion. Il a gardé espoir, s'appuyant sur les propositions annoncées par le conseil général. Si ténues soient-elles, ces propositions ont pesé plus que la peur de revivre une expulsion pour la septième fois. Ce couple entrait dans un des critères retenus par le conseil général : avoir un enfant de moins de trois ans. Selon ce critère, la famille sera prise en charge par un Centre d'action sociale, lequel relaiera le °115.

Je retrouve ce couple et leurs trois enfants dans la chambre d'un hôtel d'une banlieue proche du quatorzième arrondissement. Dans cette chambre, la joie est palpable. Les enfants me montrent leurs pieds tout propres. Il y a une douche à l'étage, l'électricité. Pourtant, quelques semaines plus tard, l'hôtel sera fermé pour insalubrité ! Quand on a connu depuis sept années les bidonvilles sans eau, sans électricité, bénéficier de ces commodités élémentaires, c'est formidable et on s'en satisfait. La joie sera brève, car les attributions d'hôtel par le °115 sont en général de courte durée (2, 3, 8 jours, rarement plus).

Cela veut dire qu'à chaque fin de délai d'attribution, il faut attendre avec anxiété le feu vert de l'assistance sociale, car c'est elle qui transmet officiellement la réponse du °115. Ils iront ainsi de banlieue en banlieue. Pendant ce temps, toutes les solutions envisagées, qui créent de l'attente et mobilisent beaucoup de temps pour y accéder, doivent être abandonnées faute de stabilité : scolarisation pour les enfants, cours de français pour le père, restaurant social pour tous les membres de la famille.

***

Un matin, à dix heures, un appel m'apprend qu'ils sont sur le trottoir : "L'hôtelier nous a demandé de quitter la chambre". Je m'étonne. Ce n'était pas la date arrêtée pour la fin de leur séjour. Raison invoquée par l'hôtelier : l'arrivée imminente d'un groupe de touristes.

Où aller ? Après des heures d'appels téléphoniques, le °115 attribue un autre hébergement.

Problème des bagages à transporter qui, depuis l'expulsion, ont pris du volume, problème des trajets vers un nouvel hébergement éloigné du précédent, sans titres de transport, sans connaissance du réseau RER… Ce sera encore la chaîne associative qui fonctionnera.

Puis, un jour, le couperet tombe : dans quinze jours, plus d'attribution d'hébergement à l'hôtel. Il restera l'hébergement d'urgence qui sera refusé au même motif que le premier couple : éclatement de la famille.

Dormir dans la rue, de cela ils ne veulent pas. Depuis leur arrivée en France, il y a sept ans, ce serait la première fois. Au fil des expulsions, ils ont toujours retrouvé un lieu pour reconstruire une cabane qui satisfaisait, malgré l'inconfort et l'insalubrité, leur désir légitime d'habiter. Cette fois, cette solution ne leur apparaît plus envisageable. Intégrer un terrain existant est devenu très difficile (le nombre d'habitants est limité). Quant aux nouvelles implantations de bidonvilles, elles sont souvent impossibles : les cars de police empêchent l'entrée sur le terrain et bloquent les camionnettes chargées d'outils, de palettes, de bâches et autres matériaux destinés à la construction d'abris. Si une nouvelle implantation arrive à terme, elle est souvent non pérenne, menacée de destruction immédiate pour cause d'insalubrité.

***

Toute implantation sur un terrain, propriété d'une collectivité territoriale (conseil général, commune) ou d'un particulier est considérée comme illicite au regard du droit de la propriété qui est un droit absolu et inviolable, inscrit dans la constitution et dont nul ne peut être privé. La violation de ce droit entraîne une décision de justice. Dans le cas présent soit un arrêté municipal, soit une décision du tribunal dont l'issue, après tous les recours épuisés, est l'expulsion des habitants et le démantèlement du bidonville.

Compte tenu de cet état de fait, le couple prend la décision de repartir en Roumanie. Il y a une pièce qui les y attend, un toit, le sentiment de mettre à l'abri leurs trois enfants. Pour le reste ?... Les enfants ne connaissent pas la Roumanie : ils sont nés en France. En outre, ils n'ont jamais vécu en milieu rural. Depuis leur plus jeune âge, ils sont à même le macadam parisien, sur les genoux de leurs parents. Donc pas d'école, une santé précaire à cause du froid, du manque d'hygiène et d'une alimentation pas équilibrée et souvent insuffisante, faute de moyens. Pour cette famille, la mendicité forcée des parents prive les enfants de leurs droits fondamentaux.

Le départ est proche. Le père et la mère tentent de rassurer les enfants. Le père est peu convaincu : "C'est pas bien la Roumanie, Madame", me dit-il tristement. Comme beaucoup de migrants, il lui a fallu bien du courage pour accepter que son pays d'origine ne lui permette pas d'y construire sa vie. Maintenant, il faut faire le chemin inverse. "Il ne s'est pas intégré ; de toute façon, c'est un nomade comme tous les Rroms", pourrait dire le passant qui voulait tout à l'heure s'en débarrasser.

***

Monsieur le ministre de l'Éducation nationale, Madame la ministre des Affaires sociales et de la santé, Madame la ministre de l'Égalité des territoires et du logement, Monsieur le ministre de l'Intérieur, Monsieur le ministre du Travail, de l'Emploi, de la Formation professionnelle et du Dialogue social, Madame la ministre déléguée auprès du ministre de l'Éducation nationale chargée de la réussite éducative, Madame la ministre déléguée auprès de la ministre des Affaires sociales et de la santé chargée des personnes handicapées et de la lutte contre l'exclusion, vous écrivez en tête de la circulaire interministérielle du 26 août 2012 destinée aux préfets : "anticipation" et "accompagnement des opérations d'évacuation des campements illicites".

Où y a-t-il anticipation ?

Où y a-t-il accompagnement ?

ROSE ET RÉSÉDA

Celui qui croyait au ciel et celui qui n'y croyait pas[248]...

Le récit de Ai Fei (voir **Libération**) pourrait faire croire qu'elle est catholique. Elle dit qu'il n'en est rien.

Ce doute ouvre une fenêtre sur ce qui perturbe souvent la relation avec "l'autre étranger".

Nombre des personnes qui se sont engagées dans le grand voyage sont croyantes. Selon leur origine culturelle, elles seront chrétiennes d'Orient, évangélistes, orthodoxes, musulmanes, bouddhistes,... La foi les a sûrement soutenues dans leur détermination. Vivant maintenant dans un pays attaché au caractère privé de la religion, c'est avec le temps et quand la confiance s'est suffisamment établie qu'au détour d'une phrase, souvent une phrase d'espoir, affleure cette source de leur résilience qu'elles ne cherchent pas à afficher mais qu'elles ne sauraient taire

Lors des différents épisodes de la grève des travailleurs sans papiers, nous étions souvent réunis à parler et argumenter durant de longues journées et de longues soirées. Les grévistes se mettaient alors à l'écart pour prier, souvent sur un drapeau de la CGT en guise de tapis de prière.

Lors des petits matins du FAF-SAB[249], piquet de grève emblématique du mouvement des travailleurs sans papiers, nous discutions très vivement, de ce qui nous choquait des relations entre les hommes et les femmes et des sociétés patriarcales justifiées par les religions juives, chrétiennes, musulmanes, animistes, et contre lesquelles nous sommes loin d'avoir fini de nous battre. Combien d'années, en effet, ont séparé la Révolution Française de l'accès aux droits fondamentaux et droits civiques pour les femmes : droit de vote, droit au divorce, libre maternité ?

Nous savons bien hélas qu'il nous reste beaucoup de chemin à parcourir.

Nous nous sommes respectés dans nos différences, avec un fond de souffrance de part et d'autre de ne pouvoir vraiment partager. Appuyés que nous étions avec des accents divers les uns sur la foi aussi puissante que leur force de combat pour leurs droits, les autres sur la conviction de se battre pour la liberté, l'égalité et la fraternité.

---

248 D'un poème de 1943 de Louis Aragon, "La rose et le réséda", célébrant la communauté de combat des résistants de toutes origines et cultures face à l'occupant.
249 FAF-SAB. Voir note dans l'article **Incandescence**.

Il n'est question ici ni de prosélytisme ni de d'intégrisme. Ousmane, le jeune Mauritanien évoqué ci dessus (voir **Qatar**) a vécu quelques années à Trappes, la ville des Yvelines où avait été soigneusement fanatisé le jeune musulman qui attaqua en mai 2013 un soldat dans le quartier de La Défense. Peu après son arrivée, il avait fait l'objet d'une tentative de cet ordre. Il raconte : "ils sont venus me dire qu'il fallait me préparer au djihad contre les incroyants. Je leur ai répondu : oui, je suis musulman mais j'aime l'Occident. Ils ont insisté, ils sont revenus plusieurs fois. La dernière fois ils étaient quatre et ils étaient menaçants. Mais je leur ai fait comprendre qu'ils perdaient leur temps". Il faut dire que Ousmane est à la fois un militant qui a des objectifs personnels et un sportif de grand gabarit. Ce qui le fait tenir debout est ailleurs...

SÉISME

Appellons-les Randa et Sarah. En mars 2011 elles ont 18 et 20 ans. Elles sont lycéennes. Elles vivent en France depuis bientôt huit ans.

Elles vivaient jusqu'en mai 2003 dans la région d'Alger avec leurs trois jeunes frères et leurs parents, une vie de famille tranquille et banale, comme toute vie de famille sans histoires.

Le 21 mai 2003, vers 18h30, a eu lieu un séisme qui a ravagé toute la région algéroise. Sarah, 10 ans, jouait dehors avec d'autres enfants. Randa révisait dans la maison son examen d'entrée en 6ème en compagnie de sa maman, pendant que ses jeunes frères regardaient la télévision.

Sarah a vu l'immeuble s'écrouler, laissant place à un amas de gravats sous lequel avait été piégée toute sa famille.

Leur tante – sœur de la maman – alertée par téléphone par un journaliste de LCI a pu arriver sur place le 23 mai, pour assister à la fouille des ruines de l'immeuble, d'où a pu être retirée au bout de trois jours la jeune Randa (8 ans), souffrant de multiples fractures, et d'un traumatisme psychologique facile à imaginer. Pour le reste de la famille ce n'étaient que des corps écrasés, méconnaissables, pour lesquels la tante des fillettes, médecin, n'a pu que signer des certificats de décès.

La tante ramène ses nièces en France en juillet, dès que Randa est transportable. Cette tante en effet est française, elle a fait des études de médecine à Paris, elle pratique dans un hôpital de la banlieue parisienne. Auparavant, par un acte notarié de *kafala*[250], elle les a adoptées. Elle est désormais leur unique famille ; ses nièces deviennent très naturellement ses filles.

En France Sarah et Randa reconstruisent leur vie. C'est difficile. La violence de cette tragédie reste présente. Mais elles sont inscrites à l'école, puis au collège, puis au lycée.

Elles ont un suivi psychologique et médical, Sarah souffrant de troubles auditifs.

Leur tante est là, bien présente, ainsi que les grands-parents maternels, qui ont une carte de résidents valable 10 ans. Et il y a la petite cousine, 9 ans aujourd'hui, qui est aussi leur petite sœur.

---

250 La *kafala* est un acte d'adoption du droit musulman, n'ouvrant pas les mêmes droits que l'adoption plénière française.

Lors de leurs 18 ans elles font une demande de titre de séjour, démarche obligatoire et qu'elles pensaient n'être qu'une formalité.

Randa attendra deux ans la réponse. Sarah, la cadette, n'attendra que deux mois. Elles reçoivent toutes deux un refus de titre de séjour, avec une °OQTF (voir **Casse-toi**).

Un an plus tard, en juillet 2012, c'est le tribunal administratif, devant lequel elles avaient contesté ces décisions de rejet, qui enjoindra le préfet de leur délivrer un titre de séjour. Toutes les interventions d'élus expliquant la situation exceptionnelle - et non prévue par la loi, bien sûr - n'avaient réussi qu'à provoquer la confirmation des refus du préfet.

SEIZE ANS

On n'est pas sérieux quand on a dix-sept ans
Et qu'on a des tilleuls verts sur la promenade
Arthur Rimbaud

Ils sont quelques centaines à apparaître chaque année. Ils n'ont pas, ou plus, de famille pour les prendre en charge. Parmi eux des Afghans, des Congolais, des Pakistanais, des Chinois, des Ivoiriens, arrivés à 16 ou 17 ans, parfois plus jeunes encore, ayant fui un danger pressant, ou à la recherche d'un horizon pour leur vie. L'administration les appelle des °MIE (mineurs isolés étrangers) et estime leur nombre à 7500 en 2013.

Qui va les protéger, leur donner un toit, en dehors de compatriotes compatissants (mais cela n'a qu'un temps, pauvreté faisant loi) ? L'°ASE, qui relève des conseils généraux, doit les recueillir et les guider vers une formation, comme elle le fait pour les mineurs isolés français. L'°ASE peut poursuivre son soutien jusqu'aux 20 ans du jeune s'il poursuit des études ; ces "contrats jeune majeur" se font de plus en plus rares.

De fait, le système de protection des jeunes étrangers est fortement grippé. Le conseil général de Seine-Saint-Denis, département qui recueille une proportion considérable de personnes en difficulté, a été précurseur dès la rentrée 2011 en se déclarant trop pauvre pour assumer cette protection. Avec les politiques de décentralisation et un transfert toujours plus important des dépenses de l'État vers les départements, on assiste depuis plusieurs années à un rétrécissement général du soutien de l'°ASE, trop pauvre elle aussi. Une façon de diminuer la demande est de procéder à des tests d'âge - osseux ou sexuel. Tests dont personne ne défendra la fiabilité, mais qui ont le mérite de permettre de déclarer la personne "âgée de 18 ans ou plus", donc ne relevant pas de la protection des mineurs. Il faudra alors contester le diagnostic auprès du juge des enfants, procédure lourde, où la production d'un acte de naissance ne permettra pas toujours de remettre en cause la conclusion tirée du test. L'administration conteste en effet souvent la validité d'actes d'état civil d'un certain nombre de pays[251]. Mais ceci est une autre histoire (voir **État civil**).

---

[251] Fin 2013, la situation s'endurcit encore. Un syndicat de travailleurs sociaux de l'°ASE, déjà obligés d'accompagner les jeunes étrangers pour un test d'âge osseux dont ils contestent la validité et constatent les ravages, refusent de les conduire directement à la °PAF pour vérification de leurs pièces d'état civil. Les jeunes arrivant de plus de plus munis de documents administratifs, le soupçon de fraude monte, et avec lui le niveau des contrôles!

***

En septembre 2012 à Rennes, un collectif dénonçait l'abandon dans lequel se trouvaient une trentaine de mineurs isolés étrangers en Ille-et-Vilaine.

"Les °MIE subissent des discriminations racistes et xénophobes. Sous prétexte de vérifier leur âge, une trentaine de °MIE sont laissé-e-s seul-e-s dans des hôtels rennais au lieu d'être placé-e-s dans des structures adaptées.

Dans ces hôtels, les °MIE ne sont traités ni comme des mineurs isolés ni comme des clients. On les "invite" à se cacher dès qu'un client blanc se présente à l'hôtel. Chaque soir, elles et ils doivent se faire la cuisine et la nourriture fournie n'est pas toujours adaptée à leurs besoins.

On leur promet l'accès à l'école ou à une formation mais rien ne se passe. On ne leur propose rien. On ne les informe même pas de leurs droits en tant que °MIE".

Le collectif tient un tableau précis de ce qui est fait ou pas pour 19 d'entre eux, qu'ils ont trouvés dans des hôtels, 12 garçons et 7 filles, en possession d'un extrait d'acte de naissance attestant des âges de 15 à 17 ans. Douze ont déjà subi un test physique de minorité : radiographie[252], pour les garçons, déshabillage imposé et palpation des parties génitales, comptage des dents pour tous. Des pratiques de maquignon. Sans information sur leurs droits de mineurs isolés étrangers, sans accès à l'école, à une formation ou à des activités autres (sport), bloqués dans leurs hôtels sans argent ni titre de transport, ils sont tous dans un sentiment d'abandon et de peur.

***

A Paris, certains de ces enfants trouvés viennent de Chine, confiés par leurs parents à des passeurs. Les récits de leurs traversées sont très similaires : "quelqu'un est venu me chercher à l'école après le cours supplémentaire, vers 20h, je ne savais pas où nous allions. On s'est arrêtés, mon grand père était là, il m'a tendu une valise, moitié nourriture et moitié habits élégants, nous avons roulé toute la nuit et un jour vers Pékin, on a pris l'avion, je devais dire que j'étais la sœur de ce garçon que je ne connaissais pas, la dame nous a laissés dans une ville, trois jours plus tard on a passé la frontière du Vietnam de nuit et on est restés cachés plusieurs jours, il faisait froid dans la montagne, on n'avait pas le droit de sortir mais on entendait et on voyait un peu. Ils ont pris nos bonnes provisions et nous ont nourris de riz tous les jours, d'autres enfants

---

252 L'interprétation de radiographies des poignets et des genoux est censée permettre de déterminer l'âge de l'adolescent. Ces tests sont connus pour être très imprécis. L'Académie nationale de médecine considère que les expertises osseuses ne permettent pas de distinction nette entre 16 et 18 ans, la marge d'erreur pouvant atteindre dix-huit mois. Cette imprécision même permet de déclarer que le jeune a 18 ans révolus, ce qui entraine qu'il ne relève pas de l'°ASE. Le jeune peut contester ce résultat s'il possède des documents d'état civil établis dans son pays - s'ils sont jugés authentiques. Encore faut-il qu'il soit un peu informé et aidé pour pouvoir faire ce recours dans les délais.

nous ont rejoints, on était onze, quand ils avaient des passeports on partait avec des mamans sur leur passeport, mais des fois ça mettait longtemps dans les pays où il n'y a pas les enfants sur le passeport... Trois à quatre mois, quatre à cinq pays, six ou sept mamans...", et ça se termine toujours à un arrêt de bus précis du troisième arrondissement de Paris.

***

A Bordeaux, c'est en septembre 2012 que les choses ont commencé à se gâter pour ces adolescents, comme le relate °La Cimade (extraits d'un récit daté du 2 mai 2013).

Au départ, ce sont des militants °RESF qui signalent que certains mineurs ne sont plus pris en charge par le conseil général ; puis petit à petit, la permanence de °La Cimade commence elle aussi à recevoir des jeunes. Les militants des deux associations sont confrontés au même scénario : lorsque les mineurs se présentent au commissariat, on les informe qu'ils ne pourront être pris en charge par le conseil général. Le refus n'est jamais clairement expliqué mais on constate qu'il concerne à chaque fois les mineurs de plus de 16 ans.

Au vu de la situation alarmante de ces jeunes, livrés à eux-mêmes, une mobilisation inter-associative se met en place fin 2012 pour faire valoir les droits de chacun d'eux, au cas par cas. A chaque fois qu'un nouveau mineur se présente à la permanence, °La Cimade contacte immédiatement °RESF et ses partenaires associatifs (°LDH, ASTI[253], la FCPE[254], FSU...) et tous se réunissent Place de la Victoire pour emmener de jeunes mineurs au commissariat et réclamer leur prise en charge. "On se rassemblait à 20, 30 ou 50. En décembre, on a réussi à en faire admettre pas mal. La police en est même venue à nous dire "c'est bon, amenez-les nous, on va les prendre !" Et puis en janvier 2013, la situation s'est bloquée à nouveau. Les refus se sont multipliés, certains de ceux que nous avions réussi à faire admettre ont été remis à la rue sans que l'on sache pourquoi".

Face aux refus du commissariat, des démarches sont alors entamées auprès du juge pour enfants. "Par deux fois, nous avons reçu une réponse du procureur indiquant que le dossier avait déjà été porté à la connaissance du parquet, mais qu'il avait été décidé qu'il ne ferait pas l'objet d'une prise en charge administrative. Nous avons fini par faire appel à un avocat, pour qu'il demande au juge pour enfants de se prononcer".

Pendant le temps de ces démarches, les militants mobilisés autour des mineurs cherchent des solutions pour ne pas les laisser à la rue et sans ressources. Du fait de leur âge, ils ne sont pas pris par le °115 et sont refusés par les dispositifs sociaux de soins ou d'aide alimentaire.

---

253 Association de Solidarité avec les Travailleurs Immigrés.
254 Fédération des Conseils de Parents d'Elèves.

"Le point noir, c'est vraiment l'hébergement. Nous essayons de trouver des familles d'hébergement auprès du réseau, des amis d'amis… Mais pour certains jeunes cela dure depuis trois ou quatre mois, c'est de plus en plus difficile. D'autant qu'ils sont adolescents, ce n'est pas l'âge le plus simple à gérer[255]… Chaque fois qu'un nouveau cas se présente et qu'il faut trouver une solution en urgence pour le soir même, c'est une source d'angoisse énorme".

Au-delà de la défense des jeunes au cas par cas, les militants essaient d'interpeller les interlocuteurs institutionnels. "Au départ, le conseil général et le procureur de la République nous ont répondu qu'en Gironde la situation était plutôt exemplaire, qu'il y avait déjà eu beaucoup de prises en charge".

Depuis, une lettre du Président du conseil général a annoncé sa prise de contact avec le ministère de la Justice pour discuter de cette question sur le plan national, et envisager un projet de répartition. Le Défenseur du droit des enfants en Aquitaine, saisi par °La Cimade, °RESF et la °LDH, a rencontré les différents interlocuteurs, en vue, là aussi, de faire remonter les informations au niveau national.

En attendant, les militants sur le terrain ne baissent pas les bras. Le travail inter-associatif se poursuit avec la création d'un collectif de défense des mineurs isolés à Bordeaux, composé à la fois d'associations et de particuliers. Ce collectif devrait permettre de renforcer les démarches juridiques et politiques pour la prise en charge des °MIE, et aussi de faire apparaître les conditions de la prise en charge (parfois très insuffisantes) lorsqu'elle existe.

***

Le 31 mai 2013 une circulaire du ministère de la Justice a mis en place un nouveau dispositif pour organiser la contribution de l'État à l'accueil de ces adolescents, et mieux répartir entre les départements la charge de leur protection et accompagnement. Sous couvert d'optimisation, on constate que ces jeunes sont considérés une fois de plus comme étrangers avant de l'être comme mineurs.

Courant 2013, le nombre des °MIE est évalué à 1700 à Paris, 570 en Seine-Saint-Denis, 450 en Ille-et-Vilaine (voir ci-dessus), ils sont nombreux aussi dans le Pas de Calais (voir **Charybde**). L'État prendrait en charge les jeunes dans les cinq premiers jours - le temps de faire procéder aux "tests médicaux" de détermination de l'âge, tests absolument pas remis en cause dans ce protocole et dont le jeune a de fortes chances de ressortir "majeur", c'est-à-dire ne relevant plus de l'Aide Sociale à l'Enfance. Pour ceux qui sont malgré tout reconnus mineurs, ils devront être répartis dans les départements, afin de soulager financièrement ceux où se concentrent les °MIE. Cette décentralisation se pratique déjà ; le circulaire annoncée permettra peut-être

---

255   Comme le dit si bien Arthur Rimbaud, *On n'est pas sérieux quand on a dix-sept ans...*

une meilleure répartition. Si on veut qu'elle conduise le jeune à une véritable intégration, il faudra aussi l'aider à se fixer sur place une fois ses études terminées, avec un travail et un titre de séjour. Pour qu'il ne se retrouve pas en Île de France, sans papiers parce que chaque préfecture a des exigences différentes (voir **Discrétion**).

Le nouveau dispositif comporte cependant beaucoup d'incertitudes. Il n'offre aucune garantie que les mineurs bénéficieront d'une prise en charge éducative effective. Imaginé davantage pour décharger les départements les plus sollicités que par souci de l'avenir et de la prise en charge des mineurs concernés, le dispositif peut parfaitement susciter l'opposition de certains conseils généraux et rester ainsi partiellement ou totalement lettre morte.

SOUTIENS

Interpellations au faciès et expulsions d'étrangers sont incessantes. Ces gens ont ici leur famille, leur travail, et pourtant on leur refuse un titre de séjour. Mais autour d'eux, face à ces dangers les savoir-faire de protection et de mobilisation progressent parmi leurs amis autochtones. Avec quelque succès.

***

En huit mois, une famille serbe de Troyes, arrivée en France en 2009 et déboutée de sa demande d'asile, a vécu quatre tentatives d'expulsion, avec placement en rétention avec leurs deux enfants (4 et 6 ans). D'après un témoin, au tribunal administratif de Melun le 3 février 2012, "les policiers qui les accompagnaient exprimaient leur désaccord avec la rétention des enfants et ce qu'on leur fait faire. Attitude humaine, un peu flics, un peu nounours. Ceux qui accompagnent les familles ne sont plus en uniforme pour ne pas traumatiser les enfants et... "par souci du regard des gens qui ne comprendraient pas de voir des enfants encadrés par des flics" ! "

Après quatre captures et quatre libérations par la justice, ils sont toujours là, et ils ne sont pas seuls. Certes, cette famille fait preuve d'une détermination sans faille à ne pas retourner dans le pays qu'elle a fui. Mais elle a pu aussi s'appuyer sur des équipes de citoyens qui sont devenus de véritables urgentistes de la menace d'expulsion. Non contents de se relayer pour accompagner la famille dans ses tribulations entre Troyes, Le Mesnil Amelot, Melun, Metz et Strasbourg - "avec tous leurs bagages, une petite quinzaine de sacs et valises de toutes tailles" - ils ont construit des relations de confiance avec des avocats motivés et efficaces. Dans les centres de rétention administrative, des associations sont chargées par l'État d'aider les retenus à faire valoir leurs droits (voir **Retenue**). L'association présente dans le °CRA de Metz s'est battue à leurs côtés. Elle publie un communiqué dénonçant un acharnement surprenant et inhumain.

Cette famille n'est plus seule pour affronter l'adversité administrative. Et on irait leur reprocher de ne pas savoir s'intégrer dans la société du pays qu'ils ont choisi ?

***

Il ne faut pas non plus désespérer de la justice de ce pays. Ainsi, devant un tribunal administratif, Alexandre, un jeune bosniaque de 18 ans demandait l'annulation d'un refus de séjour et de l'obligation de quitter le territoire infligés par le préfet du Haut-Rhin. Jusqu'à l'âge de 17 ans, il avait vécu à Sarajevo aux soins de sa grand-mère, laquelle mourut en avril 2010. Il rejoignit alors sa mère, installée depuis des années en France et bénéficiaire de la responsabilité parentale sur décision du tribunal de la famille de Sarajevo. La mère et le fils avaient immédiatement entrepris les démarches de régularisation. Mais la préfecture préféra attendre la majorité du garçon pour user de son pouvoir discrétionnaire en lui refusant le droit de vivre auprès de sa seule famille. Au °TA, l'audience a été humaine et normale, raconte un témoin venu soutenir cette famille.

"Non seulement l'avocate a pu présenter ses observations reprenant l'essentiel de la situation, mais le juge a également interrogé Alexandre et sa mère, leur permettant ainsi de s'exprimer. C'est ainsi qu'il a été possible d'expliquer au Juge qu'en cas d'expulsion, Alexandre se retrouverait seul et sans soutien en Bosnie, alors qu'ici, sa mère et le mari de celle-ci étaient prêts à le soutenir pour son démarrage dans la vie, grâce à la promesse d'embauche qu'il a réussi à obtenir. Sa mère a d'ailleurs expliqué au juge avec une grande dignité qu'elle avait porté son fils français pendant neuf mois et qu'il avait le droit de vivre avec elle, mais qu'elle avait également porté Alexandre pendant neuf mois, et qu'elle ne comprenait pas pourquoi lui, qui est bosniaque, n'aurait pas le droit de vivre avec elle !"

***

Madame Xu est chinoise. En France depuis près de 10 ans, elle vit à Aubervilliers avec son mari et leurs deux fils. Malgré plusieurs tentatives, elle n'a pas réussi à obtenir un titre de séjour. Ses fils ont aujourd'hui 22 et 19 ans. Le plus jeune s'oriente vers des études d'ingénieur. Le 14 février 2012, elle a été arrêtée sur son lieu de travail et placée en rétention au Centre de l'Île de la Cité, dans les bas-fonds du Palais de Justice de Paris, en prélude à son expulsion. Les *veilleuses*[256] lancent l'alerte, et les fax, les mails commencent à s'envoler vers le préfet de police. Au lycée du futur ingénieur on se mobilise. Un avocat est trouvé. Une cinquantaine de personnes participent à un rassemblement au moment de son passage devant le °JLD : élèves, professeurs, amis, et même Nathalie Artaud, la candidate à l'élection présidentielle. Le °JLD est inflexible. Rendez-vous est pris pour l'appel, le 21 février. Une pétition est placée sur le site du °RESF. Elle collectera plus de 1100 signatures dans la semaine. A l'audience d'appel, ils étaient une soixantaine, mais l'appel est rejeté. Le danger d'expulsion se précise dangereusement.

Le 22 février 2012, *L'Humanité* publie la tribune d'une enseignante[257] : "Les enfants d'Aubervilliers, de La Courneuve, de Stains et de Saint-Denis, les enfants d'Afrique, de Chine ou d'Inde sont la fierté de la France. Dongjie est de

---

256 Les veilleuses sont, à Paris, des membres du °RESF particulièrement attachées au suivi de arrestations et mises en rétention.

257 Ces valeurs qu'on inscrit au fronton des écoles.

ceux-là. Sa mère doit être libérée". La famille adresse au préfet un recours gracieux. Une vingtaine d'élus de Seine-Saint-Denis écrivent aussi au préfet. Le 24 février, nouvel article dans l'Humanité : "L'arrestation de madame Xu, mère d'un lycéen d'Aubervilliers, a déclenché une grande vague de solidarité". Ce même jour, la préfecture de police annonce la libération de madame Xu pour le lendemain matin.

***

A Nîmes, °La Cimade fait un constat : "Depuis quelque temps, militants, associations et élus municipaux se confrontent aux déficiences ou aux absences des dispositifs officiels pour l'accueil des exilés. De nombreuses familles et personnes isolées ne peuvent accéder à un logement et ainsi avoir une vie sociale digne (voir **Toit**). Des mobilisations s'organisent. Par exemple, dans les départements du Gard et de la Lozère ce sont actuellement une cinquantaine de personnes qui sont mises à l'abri. Grâce à un partenariat solidaire, ces personnes sont logées et sont soutenues par la population pour la défense de leurs droits. Aujourd'hui, de nouveaux acteurs désirent s'impliquer dans ce mouvement". Alors elle organise une journée de réflexion sous le titre "sanctuaire pour les exilés"[258].

***

Oui, souvent, la résistance paie[259]. Elle paie, mais elle déplait à l'administration. Ces interpellations, ces tentatives d'expulsion qui devraient rester des bâtons au tableau noir de la politique du chiffre, voilà que ces empêcheurs en font des affaires d'humanité, de droits des personnes ! Cela ne peut pas durer ! D'où une série de manœuvres d'intimidation, sous la forme de visites domiciliaires au petit matin, de convocations dans les commissariats, pour des actions en lien avec le séjour d'étrangers, avec notamment une salve en quelques jours : le 13 février 2012 à Marseille, le 15 à Paris, le 16 à Rennes et en Seine-et-Marne. Il n'est pas sûr que l'effet obtenu soit celui qui était recherché : les mouvements et associations visés déclarent que, loin du prétendu "délit d'assistance au séjour irrégulier", ils tentent d'apporter un soutien à la régularisation de la situation administrative de ces étrangers. Ils sont encouragés dans cette résistance par la connaissance de refus de séjour à Mayotte opposés par le préfet à des enseignants coupables d'aide aux migrants. Décidément, Mayotte comme la Guyane semblent bien être des départements pilotes en ce qui concerne le traitement des étrangers ! (voir **Cayenne** et **Numéro 101**)

Outre la riposte du °MRAP35 (Mouvement contre le Racisme et pour

---

258 Retour de l'idée historique du "Refuge" que durent chercher les protestants à la suite de la révocation de l'Edit de Nantes. Réalité toujours présente dans la mentalité protestante et qui explique en partie la création de la Cimade dès le début de la guerre de 1939-1945.

259 Pas toujours, malheureusement. Voir **Plomb**.

l'Amitié entre les Peuples et de °RESF35 (Ille-et-Vilaine) qui déclarent : "Le pouvoir se trompe en pensant mettre ainsi un terme à nos activités de protection et de soutien d'étrangers victimes de ses politiques d'immigration iniques et inhumaines" ; un texte a circulé et recueilli des signatures, pour affirmer que "contrôler, arrêter, garder à vue, emprisonner dans un centre de rétention et expulser des hommes et des femmes sur la base de leur apparence physique, et/ou de leur prétendue *clandestinité, est pour nous inadmissible. Et nous continuerons à nous opposer à ces méthodes, à ces comportements policiers, à le faire savoir, à en informer toutes celles et tous ceux qui en sont la cible, et ce quel que soit le gouvernement".

***

Cela se passait avant le changement politique de mai 2012. Certes, une loi votée fin 2012 a modifié le délit d'aide au séjour irrégulier pour en exclure les actions humanitaires et désintéressées. Certes, depuis la modification en ce sens de la loi, on n'a pas eu à constater de poursuites au motif d'aide au séjour irrégulier. Cependant, au Havre, le sous-préfet ayant porté plainte contre un militant associatif... pour avoir établi de fausses attestations d'hébergement en faveur d'une étrangère afin qu'elle puisse déposer une demande de titre de séjour, ce dernier a été condamné en octobre 2013 à une amende de 800 €.

Considérant que la persécution des étrangers n'a pas faibli avec le changement de majorité, les associations et mouvements n'ont en rien changé leur façon de tenter de peser sur les décisions de rejet.

La poursuite pour délit de solidarité n'est plus autorisée par la loi. La tentative d'intimidation, si. En octobre 2013, une militante rennaise, proche du réseau d'hébergement citoyen des demandeurs d'asile laissés à la rue par l'administration, a été convoquée par la police aux frontières. La tentative d'intimidation a tourné court : "Le fonctionnaire de police, après m'avoir assuré que l'hébergement n'était pas un délit, a dû me poser les mêmes questions que par téléphone à savoir ce qui était déjà précisé dans les certificats d'hébergement et si je connaissais l'actuel lieu de résidence de la famille.... c'est ballot, je n'en sais rien.

Nous avons affirmé que la famille continuera à bénéficier du soutien du collectif et que nous reconstituerons un dossier. Nous avons rappelé les risques encourus par la famille en cas de retour en Géorgie (ils sont arméniens et ont fui la Géorgie en 2004 après avoir été spoliés de leurs biens, ils se sont réfugiés en Russie, pays qu'ils ont dû fuir lors du conflit entre la Géorgie et la Russie).

Bien anodin tout ça, cette convocation est clairement un petit abus de pouvoir ridicule et inutile de la part de la préfecture d'Ille-et-Vilaine pour tenter naïvement d'intimider les défenseurs des droits de l'homme. Si la police aux frontières doit entendre plusieurs fois toutes les personnes qui ont fourni des attestations d'hébergement, les migrants seront enfin tranquilles !"

STRABISME

Le préfet a mal lu les raisons à l'appui de la demande de titre de séjour de monsieur Touati (Tunisien marié à une Française).

Ce refus de titre de séjour est annulé par le tribunal[260], par une décision dont la motivation serpentine illustre le découpage arbitraire de la vie des gens fabriqué par la loi (voir **Critères**).

"Considérant qu'il ressort des pièces du dossier, notamment de la demande de titre de séjour produite par le préfet de la Seine-Saint-Denis à l'appui de ses écritures en défense que monsieur Touati, de nationalité tunisienne
> a entendu solliciter non pas la délivrance d'une carte de résident de 10 ans sur le fondement de l'article 10a de l'accord franco-tunisien du 17 mars 1988 ainsi que l'a estimé à tort le représentant de l'État,
> mais une carte de séjour temporaire d'un an au titre des attaches familiales qu'il avait nouées sur le territoire national, relevant, le cas échéant, des dispositions du 7° de l'article L 313-11 du °CESEDA,
> qu'en se bornant à statuer comme il l'a fait, sur la situation du requérant au regard de la délivrance d'une carte de résident en qualité de conjoint de français,
> sans apprécier si les éléments dont avait fait état le requérant au titre de la durée de son séjour en France ou de sa vie privée et familiale pouvait être regardées comme de nature à justifier la délivrance d'une carte de séjour temporaire sur le fondement des dispositions précitées du °CESEDA,
> le préfet, ainsi que le soutient le requérant, s'est mépris sur la portée de sa demande et a méconnu l'étendue de sa compétence ;
> que par la suite, la décision par laquelle le préfet de la Seine-Saint-Denis lui a refusé la délivrance du titre de séjour ne peut être qu'annulée".

***

Dans une préfecture voisine, monsieur Rabia dépose un dossier de preuves à l'appui d'une demande de titre de séjour dans le cadre de la circulaire du 28 novembre 2012 (voir **Personne**), qui comporte quelques ouvertures par rapport au °CESEDA en vigueur. Son épouse, étrangère comme lui, est en séjour régulier, sa situation répond à l'un des profils retenus par la circulaire du 28 novembre 2012 (voir **Personne**). Lors d'un entretien avec un chef de service de la préfecture le 19 décembre 2012 le bien-fondé de la demande est

---

260 Tribunal administratif de Montreuil (Seine-Saint-Denis), 24 octobre 2011.

reconnu et il lui est délivré un récépissé dans l'attente de la carte de séjour "Vie Privée et Familiale". Avec ce récépissé, il reçoit l'autorisation de travailler. Il trouve à se faire embaucher le soir même.

Un mois plus tard, ce chef de service étant en congé, monsieur Rabia découvre que, finalement la préfecture a décidé que ce serait une carte "salarié" classique, beaucoup plus restrictive (voir **Parias**) et, en attendant, lui délivre un nouveau récépissé, cette fois-ci... *sans* autorisation de travail !

THÉ

Bien des étrangers sont venus pour travailler, envoyés par leur famille ou leur village gagner ici de quoi les faire vivre là-bas. La loi est ainsi faite qu'il faut être ici depuis dix ans, et le prouver, pour avoir une chance d'obtenir un titre de séjour. Dix ans d'insécurité, de précarité extrême et d'exploitation au travail (voir **Parias**), c'est long. C'est pourquoi des collectifs se regroupent autour d'un slogan logique dans sa radicalité : "Régularisation de tous les sans papiers". Ils lancent des actions spectaculaires, telle l'occupation de la Bourse du travail à Paris en 2009, créant parfois incompréhension et malaise chez les associations "amies" et les syndicats. Et ils tentent de négocier les régularisations directement avec le préfet.

Le CSP59[261] (Comité de Sans Papiers du Nord) est actif dans le Nord depuis le milieu des années 1990. Un livre[262] co-écrit par une partie de ses membres permet de se faire une idée de l'intérieur de la trajectoire et du rapport à la société "d'accueil" de ces personnes que l'on ne voit que trop comme un bloc abstrait.

Les négociations avec les préfets successifs ont connu des phases contrastées. Après leur exclusion de la réunion mensuelle de concertation par le préfet qui n'appréciait pas leur attitude - "on nous demande de "mettre de l'eau dans notre vin" parce que nous tiendrions des propos "durs", mais quand le délégué de Florange crie sa révolte en parlant de "trahison" après l'agitation par le gouvernement de la "menace" de la nationalisation, personne n'allègue des "propos durs" pour les discriminer comme le fait la préfecture pour le CSP59" - le dialogue de sourds s'était installé. Le 2 novembre 2012, le collectif décide une grève de la faim. "les *sans papiers qui occupent depuis ce matin la maison de la médiation, porte de Paris à Lille, face au blocage de la situation, viennent de voter en assemblée, la grève de la faim qu'ils ont décidé d'entamer immédiatement". Ils seront jusqu'à 120 engagés dans cette grève de la faim.

Le 8 novembre, ils occupent brièvement le sièges de la fédération Nord du Parti Socialiste, bientôt délogés par les forces de police. Le CSP59 persiste dans sa revendication : "Une telle situation est entièrement de la responsabilité du préfet lui-même qui n'aura pas pris la mesure de la détresse dans laquelle il a mis les *sans papiers, qui pourtant, ne demandaient que le droit de pouvoir défendre leurs dossiers".

---

261 leblogducsp59.over-blog.com.
262 *La République à l'école des sans papiers.* L'Harmattan, 2008.

Le 25 novembre, toujours sans signal d'écoute de la préfecture, ils occupent un temple protestant de Fives-Lille, d'où ils seront délogés le 4 décembre dans la soirée, et méthodiquement répartis dans 13 hôpitaux du département, par petits groupes. Mais ils se regroupent dès leur sortie des hôpitaux.

Leur mouvement est soutenu par des élus, par la Ligue des Droits de l'Homme du Nord, la Fédération des Associations de Solidarité avec les Travailleur-euse-s Immigré-e-s (FASTI), la CGT Éduc'Action Nord, par les militants qui se retrouvent au rassemblement quotidien à 18h30 Place de la République à Lille.

Selon le CSP59, malgré une rencontre en préfecture le 7 décembre, où il était accompagné de la °LDH du Nord, du °MRAP, du GRIAM et du Collectif Afrique, "les pressions auprès des grévistes de la faim ne cessent d'augmenter, la préfecture et le ministre de l'Intérieur poursuivent leur acharnement et refusent d'entendre la juste revendication des *sans papiers en grève de la faim".

L'un d'entre eux, enfermé au centre de rétention administrative de Lesquin en vue de son expulsion vers l'Espagne, est libéré le 14 décembre sur décision du tribunal administratif. Deux autres seront expulsés fin décembre, dans un état physique délabré, l'un d'entre eux en fauteil roulant. Ils devront être hospitalisés à leur arrivée en Algérie.

Après avoir cherché refuge dans une église du centre de Lille dont ils seront de nouveau expulsés, ils s'installent sur la parvis ; ils n'en bougeront plus jusqu'à la suspension de la grève de la faim. Tous ensemble depuis bientôt deux mois, refoulés d'églises en hôpitaux et en foyers d'urgence, ils décident de rester groupés pour continuer une vraie action collective, sous des tentes dans la rue. Tout cela pour obtenir le droit de vivre et travailler au pays d'ici, ce qu'ils font depuis des années. Les maigres avancées obtenues par les étrangers grévistes de la faim de Lille font apparaître au grand jour la pauvreté des réponses légales ou administratives à leur dynamisme.

Le 25 décembre 2012, ils sont encore 66 hommes et femmes dans la grève de la faim. "Le CSP59 annonce que le SAMU sera appelé pour aider à la réalimentation médicalisée des *sans papiers grévistes qui ont suspendu, et le mercredi 26 décembre les *sans papiers, notamment les 9 "régularisés", des 44 "régularisables", 31 "inconnus" et 37 "refusés" seront accompagnés en préfecture si leur état le permet afin de procéder aux actes administratifs les concernant". Les intéressés se sont rendus à la préfecture, accompagnés et *soutenus* par des représentants de la °LDH du Nord et du °MRAP.

Selon des personnes proches du mouvement, "la plupart des grévistes ont perdu au moins 20 kg - ils prennent de l'eau, du thé et du sucre. Pour être clairs, ils ne peuvent plus se tenir debout. Beaucoup ont des nausées dès le matin et somnolent toute la journée malgré le froid. Pour l'instant, tant qu'ils peuvent rester ensemble visibles, ils ont choisi de rester devant l'église. Pour les démarches en préfecture, ils sont amenés par des soutiens (et qui les soutiennent également physiquement)".

Le mouvement est accompagné par des dizaines d'organisations citoyennes, syndicales, politiques, qui interpellent le préfet, l'enjoignant de passer aux actes pour que cesse la grève de la faim des *sans papiers. Le 26 décembre, le préfet annonce que ses services ont commencé à examiner 23 dossiers. Il a fait délivrer à une partie des 23 personnes une attestation de dépôt de dossier "leur permettant de justifier que leur situation est en cours d'examen". Un petit pas vers la régularisation - ou pas.

La grève de la faim sera suspendue le 16 janvier 2013, au 75ème jour, CSP59 considérant que les nouvelles propositions du préfet permettent une sortie de crise : un examen bienveillant des dossiers, prenant en compte les réalités personnelles du demandeur, un calendrier échelonné des examens et des réponses individuelles. Et une reprise du dialogue. Un peu plus tard, les neuf premières personnes du collectif qui on été régularisées ont bien reçu un titre de séjour, mais il porte la mention "visiteur", qui leur interdit de travailler...

Fin octobre 2013, lors d'une nouvelle rencontre à la préfecture du Nord, le bilan est maigre : sur 130 dossiers, 128 ont été instruits ; on compte 93 refus et 35 régularisations. Et le CSP59 s'entend déclarer par le représentant du préfet : "les dossiers sont instruits avec bienveillance en tenant compte de toutes les réalités personnelles". Ajoutant : "la bienveillance, c'est l'application de la loi".

***

Les Comités ou Collectifs de Sans Papiers regroupent un peu partout des étrangers qui ont pris leur destin administratif en main (voir **Collectif** et **Ici**), à côté de la médiation d'associations ou mouvements militants. Ils partent de l'évidence de leur propre situation : ils vivent et travaillent en France depuis des années, paient cotisations sociales et impôts (voir **Racket** et **Fiscalité**) il leur faut un titre de séjour. Logique imparable, qui met en pleine lumière combien la loi ignore la vie réelle des gens. Mais qui peut conduire à des méthodes déroutantes. Alors, si sur le terrain de leurs luttes ils reçoivent le soutien de nombreux sympathisants, les organisations qui pourraient leur donner une visibilité plus large sont plus hésitantes (voir **Discorde**). Quant à la presse, elle est souvent comme une poule devant un couteau...

Nous revient en mémoire le tragique des mythes grecs. Ananké (*Il faut*), instance inflexible gouvernant le cosmos comme les destinées humaines, ou Zeus qui a toujours le dernier mot contre les humains récalcitrants. *Zeus précipite les mortels du haut de leurs espoirs superbes dans le néant*[263]. Et pourtant, depuis il y a eu la Révolution Française et l'abolition de l'esclavage...

---

263   Eschyle, *Les Suppliantes*.

TOIT

Trop souvent, la "gestion" des personnes demandant la protection de la France ne répond pas à leurs besoins les plus élémentaires. A partir du moment où il les reconnaît comme demandeurs d'asile, l'État doit leur procurer toit et nourriture, en vertu des conventions internationales signées et ratifiées. La rationalisation du dispositif d'accueil en 2009-2010 (RGPP[264] oblige) a conduit à une concentration géographique. Moins visible quand il était dispersé autour des sous-préfectures, le manque chronique de structures d'hébergement a eu des conséquences catastrophiques en touchant des centaines de demandeurs d'asile autour des préfectures de région. En divisant par douze le nombre de points d'accueil, on fait certainement des économies d'échelle (vive le jargon économique !), mais on concentre des groupes plus importants sans pouvoir les héberger.

La Coordination Française pour le Droit d'Asile (CFDA[265]) réunit une vingtaine d'associations autour du droit d'asile. Dans son rapport "Droit d'asile en France : Conditions d'accueil - État des lieux" publié le 13 février 2013, elle dénonce l'état indigne de la protection des demandeurs d'asile et du traitement de leurs requêtes.

***

Un dispositif d'accueil à réformer de fond en comble

(CFDA - 13 février 2013)

"En 2011, le nombre de demandeurs d'asile a atteint le chiffre de 57 000[266], en comptant les mineurs, soit un peu plus de 45 000 nouvelles demandes déposées par des adultes.

En 1989, ce chiffre avait dépassé les 60 000.

Ainsi, malgré les discours, malgré les politiques diverses menées en plus de deux décennies, malgré les évolutions ou les basculements politiques intervenus dans le monde, le volume de la demande de protection au titre de l'asile est globalement stable en France et a oscillé de 30 000 (étiage bas) à 60 000 (étiage haut) sur les trente dernières années.

---

264 RGPP: Révision générale des politiques publiques, engagée en 2007 avec l'objectif de réformer les administrations publiques et d'en diminuer le coût pour l'État. Action poursuivie après les élections de 2012 sous le nom de Modernisation de l'action publique (Map).

265 cfda.rezo.net.

266 Les chiffres de l'année 2012 sont encore plus éloquents : 61 500 demandes d'asile, et 90% des 60 000 décisions de l'°OFPRA sont des rejets.

A-t-on pour autant déjà connu une telle "pétaudière" ? Rarement.

Ce rapport, établi à partir de l'enquête de terrain initiée par la CFDA, est édifiant. Il confirme les mille informations des régions faisant état dans plusieurs grandes villes de centaines de personnes et de familles à la rue ; d'autres, hébergées sans accompagnement dans les dispositifs d'urgence du °115 ; de demandeurs d'asile attendant des mois de pouvoir disposer d'une adresse "agréée" pour pouvoir enfin solliciter un rendez-vous en préfecture[267] ; de personnes ayant enfin un premier rendez-vous en préfecture, mais dans trois mois, et donc dépourvues de toute autorisation de séjour et de toute aide sociale durant ce temps ; de personnes qui sont placées sous convention "Dublin II" et qui attendent, des mois, sans aucun subside, de savoir si elles seront ou non renvoyées dans un autre pays d'Europe (voir **Dublin**) ; de personnes originaires de la corne de l'Afrique et qui voient leur demande rejetée sans examen au seul motif que leurs empreintes digitales ne sont plus ou sont mal exploitables ; de personnes domiciliées d'office dans le Finistère alors que la préfecture compétente est à Rennes ; de personnes qui n'ont pas les moyens de payer la traduction de documents importants pour leur dossier ; d'autres qui n'ont pas les moyens de se rendre à Fontenay-sous-Bois et Montreuil pour l'entretien à l'°OFPRA[268] ou pour l'audience de la °CNDA ; d'autres encore qui obtiennent un avocat au titre de l'aide juridictionnelle mais qui apprennent que celui-ci ne rédige pas le recours pour la °CNDA[269] ; de personnes recevant un rejet de l'°OFPRA et qui, radiées de la domiciliation postale de la plateforme d'accueil car elles étaient en "procédure prioritaire", ne peuvent plus exercer leurs démarches ; etc.

Inspirées depuis des années par une volonté de "préserver le droit d'asile", plusieurs réformes, conçues et mises en œuvre en quelques années par l'éphémère ministère de l'Immigration[270], ont profondément désorganisé et complexifié le parcours d'accueil des demandeurs d'asile. Les normes et accords européens, entre "Dublin II", "procédures prioritaires" et autres notions de ce type n'ont rien arrangé.

Le résultat, aujourd'hui, est pitoyable : des préfectures de région débordées, des dispositifs °115 engorgés, voire bloqués du fait de l'appauvrissement croissant des plus pauvres, à quoi s'ajoute l'impéritie du ministère de l'Intérieur en charge de l'asile ; des centaines voire des milliers de demandeurs d'asile dépourvus de tout accompagnement sérieux pour l'examen des craintes qu'ils

---

267 Rendez-vous qui leur donnera accès à l'°OFPRA, avec le statut relativement protégé de demandeur d'asile.

268 L'°OFPRA est situé à Fontenay sous Bois (Val-de-Marne).

269 La °CNDA est située à Montreuil (Seine-Saint-Denis).

270 Le ministère de l'Immigration (2007-2011) a été l'instrument d'une détournement de la responsabilité de l'asile, auparavant du ressort du ministère des Affaires étrangères, au profit de celui de l'Intérieur (voir **Lave-linge**).

évoquent, des milliers de personnes déboutées, sans papiers, sans droits, et qui ne savent ni où ni comment elles pourraient reconstruire leur vie.

Tout cela pour un coût de plus en plus élevé alors que le service rendu aux demandeurs d'asile est de plus en plus défaillant.

Pendant ce temps, les associations de défense et d'aide aux demandeurs d'asile sont soumises à une pression voire un chantage de plus en plus fort de la part des pouvoirs publics : soit elles "coopèrent" et se soumettent aux conditions posées par l'office français de l'immigration et de l'intégration (°OFII) – bras mal armé du ministère –, soit elles sont ignorées et renvoyées à leur action caritative, quand elles ne sont pas privées de tout soutien financier pour leur action[271].

Les premières victimes de cette profonde détérioration du dispositif d'accueil des demandeurs d'asile sont bien évidemment toutes les personnes qui ont besoin d'une protection et qui sont venues en France en pensant la trouver. La France, terre d'asile, n'est plus que l'ombre du pays des droits de l'Homme qui savait accueillir les persécutés et les victimes des dictatures. Aujourd'hui, elle les tolère, faute de savoir qu'en faire, en les traitant très mal quand elle ne les maltraite pas.

Il y a, dans cette évolution, l'effet d'un état d'esprit général beaucoup plus rétif que jadis à l'accueil de l'étranger, et donc du réfugié.

Mais il y a aussi une logique technocratique, parfois sourde et aveugle, qui n'entend pas ou ne veut plus entendre ce que la société civile peut dire et conseiller, ce que les associations – dans leur diversité, leurs forces, leurs fragilités ou leurs maladresses – peuvent analyser et comprendre des raisons de cette dégradation, ce que les associations peuvent imaginer comme propositions concrètes pour y faire face".

***

D'ailleurs, le pouvoir ne sait pas trop que faire des demandeurs d'asile déboutés, environ 40 000 par an selon les comptes du ministère de l'Intérieur, et qui ne repartent pas tous pour autant, même avec une obligation de quitter le territoire (voir **Casse-toi**) au dessus de leur tête. Difficile d'imaginer que les 80% de demandes rejetées relèvent toutes de ce que le ministère qualifie de "filières d'étrangers qui demandent l'asile pour pouvoir séjourner sur le territoire pendant plusieurs mois et ensuite solliciter leur régularisation parce que les enfants ont été scolarisés ou pour des motifs de santé". Cette vision officielle relève encore une fois du soupçon automatique des autorités de tous

---

271 Ou encore elles sont maintenues sous pression par la police. Pour exemple, une militante de l'association "Un toit c'est un droit", active dans l'hébergement des demandeurs d'asile laissés à la rue par l'État autour de Rennes, a fait l'objet, entre janvier et novembre 2013, d'une garde à vue et de deux auditions, plus une troisième pour domiciliation de *sans papiers. Une pratique d'intimidation qui semble s'être intensifiée depuis mai 2012.

niveaux envers les étrangers : fraudeurs, menteurs, tricheurs. On voit là un effet de l'affichage xénophobe prétendûment rentable électoralement[272]. Alors que nombreux sont celles et ceux qui se trouvent déboutés faute d'avoir pu apporter des preuves des persécutions subies, comme si on fuyait en emportant photos et documents probants. On attendrait mieux d'un pays qui a signé et ratifié la Convention de Genève relative au statut des réfugiés[273].

***

Début mai 2013, le ministre de l'Intérieur évoquait les grandes lignes de la réforme à venir de la politique de l'asile, dans le cadre de l'établissement d'une norme européenne pour que tous les pays d'Europe traitent les demandes d'asile de la même manière.

- Lancement d'une consultation nationale avec les associations sur la politique de l'asile[274] ;
- Recrutement de personnels supplémentaires pour réduire les délais d'examen des demandes à l'°OFPRA et des recours à la °CNDA ;
- Réorientation vers la province des demandeurs d'asile trop nombreux en région parisienne ;
- Création de 9 000 nouvelles places d'hébergement dont 4 000 en °CADA ;
- Intransigeance affirmée concernant l'éloignement des demandeurs d'asile déboutés ;
- Il faut être responsable sur l'ouverture de la liste des pays "sûrs[275]", car "toutes les demandes ne sont pas valables".

Efficacité administrative, rigueur du gendarme, objectifs d'éloignement qui, s'ils étaient atteints, se traduiraient par plus que le doublement du nombre annuel d'expulsions. L'idée directrice est de raccourcir le délai de traitement des demandes, pour éviter que ces gens ne commencent à s'enraciner. Tout en préparant la mise en avant, dans la communication ministérielle, de la concertation et de l'humanité déployées.

Le rattachement de l'Asile au ministère de l'Intérieur au détriment des Affaires étrangères (voir **Avatar, Lave-Linge**) conduit à l'ignorance de toute perspective géopolitique.

Quant au devoir de solidarité, il n'en est pas question.

---

272 Hannah Arendt, *Du mensonge à la violence*, chap. 1, Du mensonge en politique, Presses Pocket, 2012.

273 www.gisti.org/spip.php?article444.

274 Consultation des associations ne veut pas dire écoute, comme l'expérience l'a déjà montré.

275 La liste des pays considérés comme sûrs par l'°OFPRA est révisée régulièrement. Les demandes d'asile de ressortissants de ces pays sont traitées plus rapidement et ont moins de chance de déboucher sur l'attribution du statut de réfugié.

TRAVERSÉE

Le dialogue rapporté ci-dessous a eu lieu en novembre 2008, à l'occasion de l'accompagnement en préfecture d'un jeune travailleur sénégalais, engagé dans une démarche de régularisation à la suite des grèves démarrées au printemps 2008.

Loin des idées complaisamment véhiculées sur les étrangers "voleurs d'emplois et d'allocations", il éclaire quelques-uns des ressorts de la migration : le poids du devoir sur les épaules de certains ou l'art de faire son miel des miettes que leur laisse notre société si peu accueillante.

Question. Monsieur Diouf, quel a été votre parcours depuis votre départ du Sénégal ?

- J'ai quitté le village en 1997 parce que nous mourions de faim. Je ne veux pas faire pleurer dans les chaumières, comme vous dites, mais quand je dis "mourir", c'est mourir. Deux de mes frères et une sœur y sont restés. J'ai deux familles à nourrir : ma mère et mes cinq frères et sœurs, plus la deuxième famille de mon père et ses sept autres enfants. A la mort de mon père, j'avais 20 ans et ce que je gagnais ne suffisait pas à les faire vivre tous. J'ai donc décidé de partir en France. Etant le fils aîné, je n'avais pas le choix. L'aîné de la deuxième famille de mon père n'avait que dix ans.

Q. Pourquoi la France ?

- Parce que je parlais français. Après avoir décidé de partir, j'ai commencé à faire des économies (soupir) et à fréquenter des Français, qui m'ont dit que dans le bâtiment, en quelques mois ça allait et que c'était bien pour l'argent. Au bout de trois ans j'ai eu assez d'argent. Je suis allé chez le passeur pour le Mali et je l'ai payé.

Q. Vous avez payé cher ?

- Je ne peux pas le dire. Je peux juste vous dire que c'était un an de mon salaire d'avant. Je me suis donc retrouvé au Mali, mais mon but c'était la France. Alors je me suis mis à travailler au Mali, dans le bâtiment parce que c'était le seul travail que je pouvais faire sans avoir de formation. Je portais des sacs, je me cassais le dos, mais j'ai commencé à envoyer de l'argent au pays, en continuant à économiser pour repartir. Au bout de deux ans, j'avais de quoi payer un passeur pour la Mauritanie.

Q. Mais la Mauritanie a une frontière commune avec le Mali ?

- Arrêtez de me prendre pour un c... ! (regard noir) La frontière est gardée,

220

pas par les soldats, mais par les passeurs. Si vous essayez de passer par vous-même, vous risquez de prendre une balle. Ils n'hésitent pas à tuer les gens, des dizaines par an. Donc je les ai payés et je suis arrivé en Mauritanie. Et ça m'a pris encore deux ans pour passer au Maroc.

Q. En payant pour passer au Maroc, bien sûr ?

- Bien sûr, monsieur ! Arrivé au Maroc, j'ai trouvé un travail, pas dans le bâtiment, mais dans un restaurant. Une galère : on n'était pas nourris et quand on avait faim, il fallait payer le même prix que les clients (regard brillant de colère). Comme c'était un restaurant de luxe, en un repas j'aurais mangé une semaine de salaire. Deux ans de Maroc et j'ai eu assez d'argent pour payer un passage dans une pirogue pour l'Espagne.

Q. Et en Espagne ?

- Là, c'était encore pire. Impossible de rien trouver, puisque je ne parlais pas espagnol. En Afrique, entre l'arabe - parce que je le parle, monsieur - et des bouts d'anglais, on peut discuter, mais en Espagne… Alors là, la galère, surtout que je devais continuer à envoyer de l'argent au bled. Il est arrivé un moment où je n'avais plus qu'à me vendre. Mais je n'avais pas fait tout ça pour être une salope ! Alors j'ai attendu en crevant de faim et finalement un paysan a eu pitié et m'a embauché pour cueillir des pommes. Un an d'Espagne et je suis arrivé en France. J'espérais le bonheur…

Q. Le bonheur, en France, vraiment ?

- Ah oui, monsieur ! J'ai vite trouvé un travail, au noir, et deux ans plus tard, une grosse boîte de restauration m'a embauché, avec fiches de paie, même en sachant que j'étais sans papiers. J'ai eu deux ans de paix. Il y a quelque temps, j'ai été membre d'un dépôt collectif de demande de titre de séjour. Ma demande était faite à la préfecture du 92, où je travaille. Mais la préfecture m'a dit de la déposer à Bobigny parce que j'habite dans le 9-3. Il faut que je le fasse. Vous voyez Monsieur, si je suis renvoyé au pays, je vais être responsable de la mort de dizaines de personnes. Ma famille ne me dit rien, mais je suis certain qu'ils donnent de l'argent autour d'eux. Partout en Afrique, si quelqu'un a faim on lui donne à manger. Et si je reviens au bled sans rien, ils vont me tuer, d'ailleurs c'est tout ce que je mériterais…

VAGABOND

Politique de l'immigration, politique du vagabondage. Dans le discours et l'action du pouvoir, on repère sans difficulté une continuité entre le traitement infligé aux vagabonds d'avant l'industrialisation et celui réservé aux étrangers sans autorisation de séjour d'aujourd'hui.

La lecture d'un livre de Robert Castel[276] a soudain éveillé des échos inattendus. Il y était question des *vagabonds* dans la société de l'Ancien Régime. Les vagabonds étaient ces personnes qui, ne trouvant pas de travail là où la société post-féodale/pré-industrielle leur assignait une place, étaient partis en chercher ailleurs, où pourtant cette même société ne leur en reconnaissait aucune. A quelques mots près, on peut reconnaître, dans la relation du pouvoir politique aux vagabonds d'hier, celle des milieux politiques et économiques aux étrangers rejetés par la loi d'aujourd'hui. Moyennant un petit lexique.

Vagabonds : *sans papiers

Sur la stigmatisation du vagabond, terreur des campagnes et responsable de l'insécurité des villes, les témoignages sont innombrables. On se contentera d'en citer un seul, représentatif d'une répulsion séculaire qui a survécu aux progrès des Lumières".

"Les vagabonds sont, pour parler sans figure, des troupes ennemies répandues sur la surface du territoire, qui y vivent à discrétion comme dans un pays conquis et y lèvent de véritables contributions sous le titre d'aumônes".

On comprend dès lors que la répression du vagabondage ait été pour l'essentiel une "législation sanguinaire", selon la qualification dont Marx a stigmatisé les lois anglaises en la matière : si le vagabond est placé hors la loi des échanges sociaux, il ne peut attendre merci et doit être combattu comme un être malfaisant. (voir **Ici**)

Bannissement : expulsion

Une politique de l'immigration qui roule au dopage du chiffre des expulsions (voir **Casse-toi**) orchestre la disparition symbolique d'un mouvement irrépressible de la vie même (voir **Herbe**).

La mesure la plus primitive et la plus générale prise à l'égard du vagabond est le *bannissement*. Elle découle directement de sa qualité d'étranger dont la place est n'importe où, pourvu que ce soit ailleurs. Cependant, le bannissement

---

276 Robert Castel. *Les métamorphoses de la question sociale*, Gallimard, 1995, pp 143-150.

représente une sanction à la fois forte et totalement inefficace. Condamnation très grave, parce qu'elle réduit le vagabond à errer perpétuellement dans un *no man's land* social, tel un animal sauvage repoussé de partout. Mais, de ce fait, le banni transporte avec lui, irrésolu, le *problème* qu'il pose.

Ce n'est pourtant qu'en 1764 que la dernière ordonnance royale de la monarchie française reconnaît explicitement l'inanité de la mesure : "Nous avons reconnu que la peine de bannissement ne permet pas de contenir des gens dont la vie est une espèce de bannissement volontaire et perpétuel et qui, chassés d'une province, passent avec indifférence dans une autre où, sans changer d'état, ils continuent à commettre les mêmes excès". Le bannissement figure la disparition fantasmée du vagabond davantage qu'il ne la réalise. Ainsi en est-il d'un contingent annuel de 30 000 expulsés (36 000 en 2012) prélevés dans une population estimée à environ 400 000 étrangers indésirables.

Pendaison de vagabonds : incendies de squats et autres campements *"insalubres"*

Certes, ce n'est plus le pouvoir qui tue directement. Mais l'acceptation par notre société de l'insalubrité et du confinement pour les plus pauvres conduit au même résultat. L'évacuation et le saccage de camps de Rroms par les forces de l'ordre, ou les attaques de voisins tolérées par le pouvoir, ne tuent pas les corps mais ils cassent tout lien social (voir **Romitude**).

L'exécution capitale, en revanche, accomplit en acte la mort sociale que constitue déjà le bannissement. Ainsi, non seulement le vagabondage est en lui-même un délit, mais il peut constituer le délit suprême. Cette solution extrême n'est toutefois pas à la mesure du problème. Quelqu'ait pu être le nombre de vagabonds condamnés à mort et exécutés (des milliers, tout de même), il est dérisoire au regard du nombre de ceux qui ont continué à "infester le royaume".

Travail forcé : travail au noir

Là encore, aucune législation pour encourager le travail au noir, mais une tolérance envers les employeurs qui y ont recours (voir **Personne**). Convenons que les qualifier de "patrons voyous" est une sanction assez bénigne.

Le travail forcé est une réponse non seulement plus modérée, mais aussi plus réaliste, s'il est vrai qu'il peut rendre utiles ces "inutiles au monde". Il constitue la grande constante de toute la législation sur le vagabondage. Dès 1367, à Paris, les vagabonds arrêtés effectuent des travaux publics comme curer les fossés ou réparer les fortifications. La peine des galères sera jusqu'à la fin de l'Ancien Régime (et même au delà, voir *Les Misérables* de Victor Hugo) une condamnation particulièrement redoutée des vagabonds, d'autant que la nécessité de renforcer les équipages royaux peut déclencher ponctuellement des chasses aux vagabonds - comme les grands chantiers d'aujourd'hui donnent lieu à un afflux de travailleurs invisibles (voir **Incandescence**).

Primes à la capture des vagabonds : quotas d'expulsions

Dans le jargon policier, la "batonnite" est la façon de mesurer la réalisation des objectifs chiffrés qui leur sont fixés. Une interpellation au faciès : un bâton ; une mise en rétention : un bâton - même en sachant que la personne a toutes les chances d'être délivrée par le juge des libertés et de la détention parce qu'on n'a pas respecté intégralement la procédure (voir **Casse-toi**, **Retenue**).

Certes, depuis le changement de majorité en 2012, il n'y a plus, officiellement, de quotas d'expulsions. Mais il y a des prévisions. Ainsi, selon °La Cimade, l'appel d'offre pour 2014 en ce qui concerne l'assistance juridique aux personnes retenues "démontre la volonté du gouvernement de faire tourner la machine à expulser à plein régime. 24 des 25 centres de rétention demeurent ouverts et de même taille. La prévision du nombre de personnes qui y seront enfermées est basée sur les chiffres des années 2011-2012, une référence lourde de sens s'agissant d'une période où les expulsions ont été particulièrement massives".

La déportation aux colonies est une autre formule de travail forcé, décidée par une ordonnance du 8 janvier 1719. Mais la maréchaussée, qui touchait une prime pour chaque capture, mit un tel zèle dans l'application de la mesure que cette dernière suscita un intense mécontentement et fut rapportée dès juillet 1722. Elle est cependant restée une référence fréquente jusqu'à la fin de l'Ancien Régime pour de nombreux "faiseurs de projets" soucieux de "purger le royaume de sa gueuserie" tout en rendant les vagabonds "utiles à l'État".

Travail obligatoire par l'enfermement : ateliers clandestins

La prolifération pas vraiment contrôlée des ateliers clandestins enferme les ouvriers et ouvrières étrangers dans des bulles-lieux de vie où l'on ignore aussi bien le droit du travail que la langue locale. On a vu des ouvrières thailandaises de plus de 50 ans apparaître au grand jour après 15 ou 20 ans de présence/absence, au moment de leur expulsion – pas toujours réussie, car la mobilisation paie.

Le travail obligatoire par l'enfermement est une autre mesure périodiquement préconisée pour résoudre *le problème* du vagabondage. Dans le contexte du mercantilisme se développe l'ambition de mobiliser toute la force de travail du royaume pour assurer sa puissance. La rémunération du travail est calculée pour être, dit un mémoire de 1778, "au-dessus de la prison, au-dessous du soldat".

Quant à la rémunération "au-dessus de la prison, au-dessous du soldat", c'est le quotidien du migrant auquel est refusé le droit à un emploi déclaré : pas de SMIC pour les *sans papiers, avec ou sans feuilles de paie (voir **Parias**).

VOCABLES

La création au sein du ministère de l'Intérieur en 2013 de la Direction Générale des Étrangers en France (DGEF) achève le processus de regroupement progressif dans ce ministère de toutes les questions relatives à la vie des étrangers en France (voir **Lave-linge**).

Un arrêté pris le 12 août 2013 par le ministre égrène les dénominations de directions, sous-directions, bureaux, services, qui ligoteront la vie des étrangers tant que l'organisation du gouvernement les laissera en tête-à-tête avec un seul ministère, celui qui est en charge du maintien de l'ordre. Affleure dans la dénomination des différentes entités de la DGEF une perception des migrants comme potentiels perturbateurs de l'ordre. On y trouve en outre un bel exemple de la façon dont, en retour, les mots du pouvoir tentent de coloniser nos pensées, nos vies. Nous proposons un exercice de décodage, dans l'esprit de la proposition d'Isabelle Stengers évoquée plus haut (voir **Introduction**) : passer de la question *Que veulent-ils ?* à *Que voulons-nous ?*.

La direction de l'immigration comprend trois sous-directions. L'une est chargée des visas, l'outil largement utilisé contre les visiteurs jugés malintentionnés - avec pour conséquence nombre d'entrées dites clandestines, avec, à la clé, tous les dangers d'un voyage hasardeux (voir **Numéro 101**) et la floraison de passeurs. D'où une autre sous-direction, chargée de *la lutte contre l'immigration irrégulière*, qui s'occupe de *prospective et soutien* pour améliorer la performance des procédés de rejet (voir **Externaliser**) ; de *circulation transfrontalière*, ce pied de nez aux frontières officielles (voir **Cayenne**) ; mais aussi de *travail illégal et fraudes à l'identité* puisque la résilience de ces gens qui veulent vivre en France les pousse à quelques arrangements avec la loi, pour tenir jusqu'à une régularisation qu'ils espèreront toujours (voir **Ici**) ; et finalement de *rétention et éloignement* pour tenter de se débarrasser de tous ces étrangers de trop (voir **Bicyclette**, **Casse-toi**).

Coincée entre ces outils de répression, la sous-direction chargée du *séjour et du travail* gère *l'immigration professionnelle*, rémanence de la politique d'importation de main d'œuvre quand il s'agissait de reconstruire un pays dévasté par les guerres du XXème siècle (voir **Charnière**, **Cynique**, **Parias**) ; *l'immigration familiale* - ces mariages franco-étrangers (voir **Amoureux**), que d'autres pourraient considérer comme un marque d'ouverture et une promesse de renouvellement, sont une menace à surveiller de près, tout comme ces pères et ces mères qui, après avoir réussi à sécuriser leur installation, prétendent reprendre avec eux leurs enfants confiés au pays à une tante, à une grand-mère ; l'impact du *droit communautaire et des régimes particuliers* - vu du ministère du maintien de l'ordre, le droit communautaire ne serait donc qu'un régime particulier parmi d'autres ? - et enfin la *documentation interne*. Documentation : enquêtes sur la dangerosité présumée des migrants (voir **Plomb**), fichage ? Après avoir soigneusement découpé la vie des gens en rondelles (voir **Critères**) : Travail, Famille,...

La Patrie relève d'une autre direction, chargée *de l'accueil, de l'accompagnement des étrangers et de la nationalité*. La sous-direction qui s'occupe d'intégration linguistique, professionnelle, territoriale porte le titre surprenant de *prévention des discriminations*, évoquant le contrôle total d'un processus humain reposant d'abord sur les efforts des nouveaux venus, qui devraient être épaulés par l'État social (voir **Brimades**), et non par l'État policier ; la sous-direction de *l'accès à la nationalité française* est la plus étoffée, avec notamment un bureau chargé de la *gestion des flux* et, tout comme dans le cas des visas, un bureau chargé du *courrier réservé*, en bon français les interventions - on ne va tout de même pas appliquer aux gens qui ont des relations bien placées une réglementation malthusienne destinée au tout-venant des *flux* ! On découvre l'existence d'une *commission interministérielle pour le logement des populations immigrées*, dont la DGEF exerce le secrétariat. Il existe donc un organisme spécial pour le logement des étrangers ! Les immigrés ne seraient-ils pas des habitants comme les autres ? Le sous-directeur de la *prévention des discriminations* n'aura pas à chercher bien loin pour en trouver.

La définition du service de l'asile utilise un vocabulaire plus neutre : droit d'asile et de protection, asile et admission au séjour à la frontière, réfugiés et accueil des demandeurs d'asile. Langage prudent, peut-être dû à la pression des accords internationaux signés par la France, mais qui cache des réalités peu conformes à ces engagements (voir **Frontière**, **Toit**).

***

Au delà de la mission assignée à la DGEF de maintien d'un ordre prétendument mis en danger par l'arrivée de migrants (la *gestion des migrations* en novlangue), le ministre de l'Intérieur a bien l'objectif de répandre dans le public cette vision policière, puisque le décret qui la crée précise : "le cabinet du directeur général comprend [ndlr. en premier lieu] la mission communication".

ZOOM

[Zoom sur un minuscule point au large de l'Afrique : l'île de Gorée, lieu symbolique de la grande traite négrière. Lors du Forum Social Mondial de 2011, des gens venus de tous les continents ont adopté une Charte Mondiale des Migrants[277] qu'ils proposent à l'humanité.]

Nous, personnes migrantes qui avons quitté notre région ou pays, sous la contrainte ou de notre plein gré et vivons de façon permanente ou temporaire dans une autre partie du monde, réunies les 3 et 4 février 2011 sur l'Île de Gorée au Sénégal,

Nous proclamons

Parce que nous appartenons à la Terre, toute personne a le droit de pouvoir choisir son lieu de résidence, de rester là où elle vit ou de circuler et de s'installer librement sans contraintes dans n'importe quelle partie de cette Terre.

Toute personne, sans exclusion, a le droit de se déplacer librement de la campagne vers la ville, de la ville vers la campagne, d'une province vers une autre. Toute personne a le droit de pouvoir quitter n'importe quel pays vers un autre et d'y revenir.

Toutes dispositions et mesures de restriction limitant la liberté de circulation et d'installation doivent être abrogées (lois relatives aux visas, laissez-passer, et autorisations, ainsi que toutes autres lois relatives à la liberté de circulation).

Les personnes migrantes du monde entier doivent jouir des mêmes droits que les nationaux et citoyens des pays de résidence ou de transit et assumer les mêmes responsabilités dans tous les domaines essentiels de la vie économique, politique, culturelle, sociale et éducative. Ils doivent avoir le droit de voter et d'être éligibles à tout organe législatif au niveau local, régional et national et d'assumer leurs responsabilités jusqu'à la fin du mandat.

Les personnes migrantes doivent avoir le droit de parler et de partager leur langue maternelle, de développer et faire connaître leurs cultures et leurs coutumes traditionnelles, à l'exception de toute atteinte à l'intégrité physique et morale des personnes et dans le respect des droits humains. Les personnes migrantes doivent avoir le droit de pratiquer leurs religions et leurs cultes.

Les personnes migrantes doivent jouir du droit d'avoir un commerce là où elles le désirent, de se livrer à l'industrie ou à l'exercice de tout métier ou de toute profession permis au même titre que les citoyens des pays d'accueil et de

---

277   www.cmmigrants.org/gorec/spip.php?article16.

transit ; cela de façon à leur permettre d'assumer leur part de responsabilité dans la production des richesses nécessaires au développement et l'épanouissement de tous.

Le travail et la sécurité doivent être assurés à toutes les personnes migrantes. Quiconque travaille doit être libre d'adhérer à un syndicat et/ou d'en fonder avec d'autres personnes. Les personnes migrantes doivent recevoir un salaire égal à travail égal et doivent avoir la possibilité de transférer le fruit de leur travail, les prestations sociales et de jouir de la retraite, sans aucune restriction. Tout cela, en contribuant au système de solidarité nécessaire à la société de résidence ou de transit.

L'accès aux prestations des services de banques et d'organismes financiers doit être assuré à toutes les personnes migrantes de la même manière que celui accordé aux nationaux et citoyens des pays d'accueil.

Tout le monde a le droit à la terre, qu'ils soient hommes ou femmes. La terre doit être partagée entre ceux qui y vivent et qui la travaillent. Les restrictions à l'usage et à la propriété foncière imposées pour des raisons d'ordre ethnique, national et/ou sur le genre, doivent être abolies ; cela au profit d'une nouvelle vision d'une relation responsable entre les humains et la terre, et dans le respect des exigences du développement durable.

Les personnes migrantes, au même titre que les nationaux et citoyens des pays de résidence ou de transit, doivent être égales devant la loi. Nul ne doit être séquestré, emprisonné, déporté ou voir sa liberté restreinte sans que sa cause ait été équitablement et préalablement entendue et défendue dans une langue de son choix.

Les personnes migrantes ont le droit à l'intégrité physique et à ne pas être harcelées, expulsées, persécutées, arrêtées arbitrairement ou tuées en raison de leur statut ou parce qu'elles défendent leurs droits.

Toute loi qui prévoit une discrimination fondée sur l'origine nationale, le genre, la situation matrimoniale et/ou juridique ainsi que sur les convictions doit être abrogée, quel que soit le statut de la personne humaine.

Les droits humains sont inaliénables et indivisibles et doivent être les mêmes pour tous. La loi doit garantir à toutes les personnes migrantes le droit à la liberté d'expression, le droit de s'organiser, le droit à la liberté de réunion ainsi que le droit de publier.

L'accès aux services de soins et à l'assistance sanitaire doit être garanti à toutes personnes migrantes, au même titre que les nationaux et les citoyens des pays d'accueil et de transit, avec une attention particulière aux personnes vulnérables. A toute personne migrante vivant avec un handicap doivent être garantis le droit à la santé, les droits sociaux et culturels.

La loi doit garantir à toute personne migrante le droit de choisir son partenaire, de fonder une famille et de vivre en famille. Le regroupement familial ne peut lui être refusé et on ne peut la séparer ou la maintenir éloignée de ses enfants.

Les femmes, tout particulièrement, doivent être protégées contre toute forme de violence et de trafic. Elles ont le droit de contrôler leur propre corps et de rejeter l'exploitation de celui-ci. Elles doivent jouir d'une protection particulièrement renforcée, notamment en matière de conditions de travail, de santé maternelle et infantile, ainsi qu'en cas de changement de leur statut juridique et matrimonial.

Les migrants mineurs doivent être protégés par les lois nationales en matière de protection de l'enfance au même titre que les nationaux et les citoyens de pays de résidence et de transit. Le droit à l'éducation et à l'instruction doit être garanti.

L'accès à l'éducation et à l'instruction, du préscolaire à l'enseignement supérieur, doit être garanti aux personnes migrantes et à leurs enfants. L'instruction doit être gratuite, et égale pour tous les enfants. Les études supérieures et la formation technique doivent être accessibles à tous dans une nouvelle vision du dialogue et du partage des cultures. Dans la vie culturelle, dans les sports et dans l'éducation, toute distinction fondée sur l'origine nationale doit être abolie.

Les personnes migrantes doivent avoir droit au logement. Toute personne doit avoir le droit d'habiter dans l'endroit de son choix, d'être décemment logée et d'avoir accès à la propriété immobilière ainsi que de maintenir sa famille dans le confort et la sécurité au même titre que les nationaux et citoyens des pays d'accueil et de transit.

A toutes personnes migrantes, il faut garantir le droit à une alimentation saine et suffisante, et le droit à l'accès à l'eau.

Les personnes migrantes ambitionnent d'avoir l'opportunité et la responsabilité, au même titre que les nationaux et les citoyens des pays d'accueil et de transit, de faire face ensemble aux défis actuels (logement, alimentation, santé, épanouissement...).

Nous, personnes migrantes, nous engageons à respecter et promouvoir les valeurs et principes exprimés ci-dessus et à contribuer ainsi à la disparition de tout système d'exploitation ségrégationniste et à l'avènement d'un monde pluriel, responsable et solidaire.

GLOSSAIRE[278]

(termes précédés du caractère ° dans le texte)

115	Numéro d'appel gratuit pour un hébergement d'urgence
AGDREF	fichier national dans lequel tout étranger ayant contacté une préfecture est référencé par un code à 10 chiffre, commençant par le numéro du département
AME	Aide Médicale de l'État
APS	Autorisation Provisoire de Séjour
ASE	Aide Sociale à l'Enfance, relevant des conseils généraux
ASSFAM	Association Service Social FAmilial Migrants
CADA	Centre d'Accueil pour Demandeurs d'Asile
CAF	Caisse d'Allocations Familiales
CEDH	Convention Européenne des Droits de l'Homme
cerfa	Nom générique des formulaires administratifs
CESEDA	Code de l'Entrée et du Séjour des Étrangers et du Droit d'Asile
CICI	Comité Interministériel de Contrôle de l'Immigration
CNDA	Cour Nationale du Droit d'Asile
CPAM	Caisse Primaire d'Assurance Maladie
CRA	Centre de Rétention Administrative
DIRECCTE	Direction Régionale des Entreprises, de la Concurrence, de la Consommation, du Travail et de l'Emploi
GISTI	Groupe d'Information et de Soutien des Immigrés
JLD	Juge des Libertés et de la Détention
La Cimade	Association de solidarité active avec les migrants, réfugiés et demandeurs d'asile
LDH	Ligue des Droits de l'Homme
MIE	Mineurs Étrangers Isolés
MRAP	Mouvement contre le Racisme et pour l'Amitié entre les Peuples
OFPRA	Office Français de Protection des Réfugiés et des Apatrides
OFII	Office Français d'Immigration et d'Intégration. Remplace l'ANAEM, et l'OMI.
OQTF	Obligation de Quitter le Territoire Français
PAF	Police Aux Frontières
RESF	Réseau Éducation Sans Frontières
TA	Tribunal Administratif
VPF	Vie Privée et Familiale

---

278 On peut aussi se rapporter au savoureux lexique établi par le °RESF: www.educationsansfrontieres.org/article1612.html

SITOTHÈQUE

Sites officiels

CICI. Rapports disponibles sur le site
www.ladocumentationfrancaise.fr/rapports-publics
Ministère de l'Intérieur *www.immigration.interieur.gouv.fr*
HCI Haut Conseil à l'Intégration *www.hci.gouv.fr*
OFII *www.ofii.fr*
OFPRA *www.ofpra.gouv.fr*

Collectifs, réseaux et associations

Amoureux au ban public Collectif de couples franco-étrangers
www.amoureuxauban.net

ANAFE   Association Nationale d'Assistance aux Frontières
pour les Étrangers *www.anafe.org*
ASSFAM   Association Service Social Familial Migrants *www.assfam.org*
CATRED   Collectif des Accidentés du Travail, handicapés et Retraités
pour l'Égalité des Droits *www.catred.org*
115 Juridique   Aider les sans-abris, quelle que soit leur situation administrative
115juridique.org
CFDA   Coordination Française pour le Droit d'Asile *cfda.rezo.net*
LA CIMADE   Association de solidarité active avec les migrants,
réfugiés et demandeurs d'asile *www.lacimade.org*
COMEDE   Comité médical pour les exilés *www.comede.org*
Droits Devant!!   Solidarité, échanges de savoirs et création
www.droitsdevant.org
FASTI   Fédération des Associations de Solidarité
avec les Travailleur-euse-s Immigré-e-s *www.fasti.org*
Forum Réfugiés *www.forumrefugies.org*
Frontexit *www.frontexit.org*
FTDA   France Terre d'Asile *www.france-terre-asile.org*
GISTI   Groupe d'Information et de Soutien des Immigrés *www.gisti.org*
La voix des Rroms *rroms.blogspot.fr*
LDH   Ligue des Droits de l'Homme *www.ldh-france.org*
MIGREUROP Collectif européen d'étude des migrations
www.migreurop.org
MOM   Migrants Outre-Mer *www.migrantsoutremer.org*

MRAP   Mouvement contre le Racisme et pour l'Amitié entre les Peuples

www.mrap.asso.fr

Ordre de Malte   *www.ordredemaltefrance.org*

RAJFIRE   Réseau pour l'autonomie des femmes immigrées et réfugiées

rajfire.free.fr

RESF   Réseau Éducation sans Frontières

www.educationsansfrontieres.org

RUSF   Réseau Universités sans Frontières   *www.rusf.org*

UCIJ   Uni-e-s Contre l'Immigration Jetable

www.contreimmigrationjetable.org

Blogs

Cette France-là. Ouvrages collectifs sur l'immigration   *www.cettefrancela.net*

CSP59. Collectif de Sans Papiers du Nord   *leblogducsp59.over-blog.com*

CSSP49. Collectif de Soutien aux Sans Papiers du Maine et Loire

cssp-49.blogspot.fr

CPDH. Combats pour les droits de l'homme

combatsdroitshomme.blog.lemonde.fr

Fini de rire. Droits des étrangers   *blogs.mediapart.fr/blog/fini-de-rire*

Français-es / Etranger-e-s. Pour une Egalité des droits

egalitedesdroits.wordpress.com

Fortress Europe. La frontière méditerranéenne   *fortresseurope.blogspot.fr*

Galères de Brest   *blogs.mediapart.fr/blog/netdruide*

I am Spartacus (Roms)   *blogs.mediapart.fr/blog/philippe-alain*

Le blog de La Cimade   *blogs.mediapart.fr/blog/la-cimade*

Maître Eolas. Journal d'un avocat

www.maitre-eolas.fr/category/Droit-des-etrangers

Marche ou rêve, la grève des travailleurs sans papiers

www.marcheoureve.com

Mille Babords. Une méditerranée alternative à Marseille

www.millebabords.org

Ministère de la régularisation de tous les sans-papiers

www.ministere-de-la-regularisation-de-tous-les-sans-papiers.net

pajol. Actualité des mouvements de sans papiers   *pajol.eu.org*

Réseau Éducation sans Frontières

blogs.mediapart.fr/blog/resf-reseau-education-sans-frontieres

Sans Patrie   *sans-patrie.blog4ever.com*

Un toit c'est un droit   *untoitundroit35.blogspot.fr*

Audioblogs

Singuliers au pluriel **audioblog.arteradio.com/singuliersaupluriel**
RESF sur Fréquence Paris Plurielle
blogs.mediapart.fr/blog/yves-hazemann

Le calaisis

Calais Migrants Solidarity **calaismigrantsolidarity.wordpress.com**
La marmite aux idées
vibrations0migratoires.wordpress.com/la-marmite-aux-idees

Blogs autour des Centres de Rétention Administrative

Cercle de silence de Rennes **www.cercle-silence.com**
Chronique du CRA du Mesnil-Amelot et autres lieux
blogs.mediapart.fr/blog/fini-de-rire/070513/cra
Chronique du CRA de Vincennes **cra123vincennes.blogspot.fr**
La rétention au quotidien **blogs.rue89.com/la-retention-au-quotidien**
Planète CRA Chronique du CRA de Cornebarieu
planete-cra.eklablog.com
Paroles de retenus (Vincennes) **www.infokiosques.net/spip.php?article996**

BIBLIOGRAPHIE

Alleg Henri : *La question*, Minuit, 1961.

Anonyme : *La gangrène*, Minuit, 1959.

Apollinaire Guillaume : *Alcools*, 1913.

Aragon Louis : La rose et le réséda, *La Diane Française*, 1943.

Arendt Hannah : *Du mensonge à la violence*, chap. 1, Du mensonge en politique, Presses Pocket, 2012.

Assfam, Forum Réfugiés, France terre d'asile, La Cimade et Ordre de Malte : *Rapport 2011 sur les centres et locaux de rétention administrative*, 2012.

Attias-Donfut Claudine, Wolff François-Charles : *Le destin des enfants d'immigrés. Un désenchaînement des générations*, Stock, 2009.

Badie Bertrand, Brauman Rony, Decaux Emmanuel, Devin Guillaime, Wihtol de Wenden Catherine : *Pour un autre regard sur les migrations*, La Découverte, 2008.

Baudelaire Charles : *Les fleurs du mal*, 1855.

Bayard Pierre : *Aurais-je été résistant ou bourreau ?* Minuit, 2013.

Brassens Georges : *Les imbéciles heureux qui sont nés quelque part*, 1972.

Caillié René : *Voyage à Tombouctou*. La Découverte, 1830/2007.

Castel Robert : *Les métamorphoses de la question sociale*, Gallimard, 1995.

Cette France-là (auteur collectif) : *Cette France-là*, vol. 1, La Découverte, 2009.

Cette France-là (auteur collectif) : *Xénophobie d'État*, La Découverte, 2012.

Chebel Malek : *L'esclavage en terre d'Islam*, Fayard, 2007.

Cherki Alice : *La frontière invisible. Violences de l'immigration*, éditions elema, 2006.

Chojnicki Xavier et Ragot. Lionel : *On entend dire que ... L'immigration coûte cher à la France -Qu'en pensent les économistes ?* Editions Eyrolles-Les Echos, 2012.

CICI : *Les chiffres de la politique d'immigration et d'intégration, année 2011*. Rapport au Parlement, Décembre 2012.

Comité des Sans-papiers 59 :*La République à l'école des sans papiers*. L'Harmattan, 2008.

Conan Éric et Rousso Henry : *Vichy, un passé qui ne passe pas*, Fayard, 1996.

D'Albis Hippolyte, Boubtane Ekrame et Coulibaly Dramane : *Immigration et croissance économique en France entre 1994 et 2008*, DocWeb n°1302 (27 février 2013) du Centre pour la recherche économique et ses applications.

Delbo Charlotte : *Auschwitz et après* (tome 2) *Une connaissance inutile*, Minuit, 1970.

El Mouhoub Mouhoud, Oudinet Joël, Terray Emmanuel : *Sans papiers? Pour lutter contre les idées reçues*, Utopia, 2010.

Fanon Frantz: *Peau noire et masques blancs*, Seuil, 1952.

Febvre Lucien, Crouzet François : *Nous sommes des sang-mêlés. Manuel d'histoire de la civilisation française*, Albin Michel, 2012.

Forrester Viviane : *L'horreur économique*, Fayard, 1998.

Foucault Michel : *Surveiller et punir. Naissance de la prison*. Gallimard, 1975.

Freud Sigmund : *L'inquiétante étrangeté et autres essais*, Gallimard, 1985

Friot Bernard : Les ministères sociaux et leurs services centraux, *Revue Française des affaires sociales*, n°1 janvier 1996, pp 141-171.

Goodman Nelson : "la nouvelle énigme de l'induction"(1953), in *Faits, fictions et prédictions*, Minuit, 1984

Gourévitch Jean-Paul : *L'immigration en France. Dépenses, recettes, investissements, rentabilité.* Monographie n°27 de Contribuables Associés, 2012.

Guérin-Pace France, Samuel Olivia, Ville Isabelle (ed.): *En quête d'appartenances*, Ined, 2009.

Hacking Ian : *Le plus pur nominalisme, l'énigme de Goodman :"vleu" et usages de vleu"* édition de l'éclat, 1993.

Hacking Ian : *Entre science et réalité, La construction sociale de quoi ?* La Découverte 2001.

Héran François : *Parlons immigration en 30 questions.* La documentation française, 2012

Herman Patrick : *Les nouveaux esclaves du capitalisme*, Au diable vauvert, 2008.

Hirsch Martin ; Caniard Étienne, président de la Fédération nationale de la Mutualité française ; Aghion Philippe, professeur d'économie à Harvard ; Chérèque François, secrétaire général de la CFDT ; Pinte Étienne, député UMP, président du comité national de lutte contre la pauvreté et l'exclusion ; Soulage François, président du Secours catholique. *Le Journal du Dimanche*, 10 mars 2012.

Hugo Victor : *Actes et paroles*, 1876.

INSEE : *Mesurer pour comprendre*, Définitions et méthodes. Nationalité

INSEE : *Mesurer pour comprendre*, Thèmes Population

Jounin Nicolas : *Chantier interdit au public*, La Découverte, 2008.

Klein Naomie : *La stratégie du choc*, Actes Sud, 2008.

Labayle Henry : Portrait de l'immigration dans l'UE: des chiffres et des faits,*Réseau Universitaire européen, ELSJ/ CNRS*. juin 2011

La Cimade : *Chroniques de rétention 2008-2010*. Actes Sud, 2010.

Laurens. Sylvain : *Une politisation feutrée. Les hauts fonctionnaires et l'immigration en France*. Belin, 2009.

Le Blanc Guillaume : *Dedans dehors. La Condition d'étranger*, Seuil, 2010.

Le Bras Hervé : *L'invention de l'immigré*, L'aube, 2012.

Lipietz Hélène, sénatrice : *Immigration, intégration et nationalité*, Avis sur le projet de loi de finances 2013. 22 novembre 2012

Lochak Danièle : *Face aux migrants : État de droit ou état de siège ?*, Textuel, 2007.

Math Antoine : Mayotte, terre d'émigration massive, *Plein Droit* n°96, mars 2013

Mauss Marcel : *Essai sur le don.Forme et raison de l'échange dans les sociétés archaïques* (1923-1924). Les Presses universitaires de France, 1968.

Mauss Marcel : *Rapports réels et pratiques de la Psychologie et de la Sociologie*, 1924.

Mauss Marcel : *Les parentés à plaisanteries - Essais de Sociologie. Points Sciences humaines. Paris 1928, 1971*.

Musset Alfred de : *Fantasio*, 1834.

Naïr Sami : *Le regard des vainqueurs*, Grasset, 1992.

Orwell George : *1984*, Gallimard, 1972.

Ory Pascal : *Dictionnaire des étrangers qui ont fait la France*, Bouquins, 2013.

Quignard Pascal : *Les ombres errantes*, Grasset 2002.

Rabelais François : *Tiers Livre*, Paris, 1546.

Rimbaud Arthur : *Roman*, 1870

Rodier Claire, Terray Emmanuel (ed.): *Immigration : mythes et réalités*, La Découverte, 2008.

Rodier Claire : *Xénophobie business*, La Découverte, 2012.

Rosental Paul-André : *L'intelligence démographique. Sciences politiques des populations en France (1930-1960)*, Odile Jacob, 2003.

Roudinesco Elisabeth : Georges Mauco (1899-1988) : un psychanalyste au service de Vichy. De l'antisémitisme à la psychopédagogie. *L'infini*, automne 1995, pp 73-84.

Roudinesco Élisabeth : article Mot d'Esprit, *Dictionnaire de la Psychanalyse*, Fayard, 1997.

Saint-Exupéry Antoine de : *Le petit prince*, Gallimard, 1946.

Sartre Jean-Paul : *Les mots*, Gallimard, 1964.

Schneider Monique, La dérision du propre, dans l'Emprise, *Nouvelle revue de psychanalyse n°24*, Gallimard, décembre 1981.

Segalen Martine éd : *L'autre et le semblable, regards sur l'ethnologie des sociétés contemporaines*, Presse du CNRS 1989.

Simenon George : *45° à l'ombre*, Gallimard, 1936.

Sollers Philippe : La France Moisie, *le Monde*, printemps 1999, repris dans *l'Infini 65* en 2001

Spire Alexis : *Étrangers à la carte*, Grasset, 2005.

Spire Alexis : *Accueillir ou reconduire. Enquête sur les guichets de l'immigration.* Editions Raisons d'Agir, 2008.

Stengers Isabelle : *Au temps des catastrophes – Résister à la barbarie qui vient*, La Découverte, 2013.

Stern Anne Lise : *Le savoir déporté*, Seuil, 2004.

Terray Emmanuel : *La politique officielle de l'immigration et son langage*, Institut de recherches de la FSU, 2011.

Tillion Germaine : *Ravensbrück*, Seuil, 1944.

Tillion Germaine : *Le harem et les cousins*, Seuil, 1966.

Tuot Thierry : *La grande nation pour une société inclusive.*
fr.scribd.com/doc/124313781/Rapport-de-Thierry-Tuot-sur-la-refondation-des-politiques-d-integration

Tuot Thierry : Entretien avec Marie Barbier, *L'Humanité*, 22 février 2013.

Vian Boris : *Le déserteur*, 1954.

Weil Patrick : *La France et ses étrangers*, Folio histoire, 1991 et 2004.

Weil Patrick : Georges Mauco, expert en immigration : ethnoracisme pratique et antisémitisme fielleux, in *L'antisémitisme de plume 1940-1944*, *études et documents*, dir. Pierre André Taguieff, Paris, Berg International Editeurs, 1999, pp. 267-276.

Weil Patrick : *Liberté, Égalité, Discriminations, L'identité nationale au regard de l'Histoire*, Grasset, 2008.

TABLE DES ARTICLES